普通高等院校经济管理系列规划教材 ▶▶▶

走进双碳

主　编　赵艳霞

副主编　于程元　张海山

　　　　尹景瑞　佟　璐

哈爾濱工程大學出版社
Harbin Engineering University Press

内 容 简 介

本书聚焦绿色低碳发展,以碳达峰与碳中和(简称"双碳")目标为出发点,对双碳在社会、能源、环境、垃圾、科技、市场、法律、信息等8个领域的发展现状及前景进行梳理,解读双碳政策,提出发展建议。做好双碳科普工作,加强双碳人才的培养、强化双碳战略与学科建设之间的联系。每章包括本章导读、视频导入、思维导图、主要内容、本章小结、案例分析、问题探索7个专栏,本章导读遵循问题导向、视频导入体现技术引领、思维导图体现高屋建瓴、主要内容做到逻辑严谨、本章小结力争简明扼要、案例分析遵循实践导向、问题探索做到能力提升,便于读者自主学习和拓展使用。

本书可作为高等院校碳中和相关专业学生的理论教材,也可作为相关专业人士的参考用书和科普读物。

图书在版编目(CIP)数据

走进双碳 / 赵艳霞主编. -- 哈尔滨 : 哈尔滨工程大学出版社, 2025. 1. -- ISBN 978-7-5661-4629-8

Ⅰ. F124.5

中国国家版本馆 CIP 数据核字第 2025M697A3 号

走 进 双 碳

ZOUJIN SHUANGTAN

选题策划 刘凯元

责任编辑 姜 珊 宗盼盼

封面设计 李海波

出版发行 哈尔滨工程大学出版社
社　　址 哈尔滨市南岗区南通大街145号
邮政编码 150001
发行电话 0451-82519328
传　　真 0451-82519699
经　　销 新华书店
印　　刷 哈尔滨市海德利商务印刷有限公司
开　　本 787 mm×1 092 mm　1/16
印　　张 13
字　　数 314千字
版　　次 2025年1月第1版
印　　次 2025年1月第1次印刷
书　　号 ISBN 978-7-5661-4629-8
定　　价 58.00元

http://www.hrbeupress.com
E-mail:heupress@hrbeu.edu.cn

前　言

推进碳达峰碳中和是中国的一项重大战略决策,是负责任大国对国际社会的庄严承诺,也是推动高质量发展的内在要求,体现了中国的大国担当。中国碳达峰和碳中和目标的实现具有扎实的社会基础、经济基础、技术基础和政策基础,具有较高可行性。目前中国碳达峰和碳中和目标面临四个方面的挑战,即碳排放压力、能源结构转型压力、技术水平限制以及经济结构转型压力。

为有效推进碳达峰和碳中和目标的实现,编者首先运用现代信息技术践行双碳战略,将传统教材与视频资源有机整合体现技术引领。同时做好科学普及创新人才培养。本书共分为八章,分别针对社会、能源、环境、垃圾、科技、市场、法律和信息八个领域,归纳分析主要发达国家和经济体碳达峰的经济社会特征、碳中和的路径共识,系统梳理推动实现碳达峰碳中和的经验举措,对比分析中国国内进展和差距,并提出可重点借鉴的国际经验与启示。

每章包括本章导读、视频导入、思维导图、主要内容、本章小结、案例分析、问题探索7个专栏。本章导读遵循问题导向、视频导入体现技术引领、思维导图体现高屋建瓴、主要内容做到逻辑严谨、本章小结力争简明扼要、案例分析遵循实践导向、问题探索做到能力提升。

本书具体分工如下:赵艳霞对整个教材体系和视频设计进行整体构建,主要编写第一章和第二章;于程元主要编写第三章和第四章;张海山主要编写第五章和第六章;尹景瑞主要编写第七章和第八章;佟璐主要对教材初稿及图表、思维导图等内容进行校对。

华北理工大学经济管理学院赵亚杰、李金月、张冬堇、李琛宇、薛峥艳、李佳、程晓妍、李江平、唐福临、焦思源、李静怡对资料收集、案例分析、文稿校对做了大量的工作。

华北理工大学视频制作团队倾力打造系列双碳视频,共推出八个作品。其中制片:赵艳霞;监制:尹景瑞、于程元、佟璐;导演:张海山;编剧:赵亚杰;配音:李英、梁智超;动画制作:程晓妍、张艺伟、王晴瑶、常晚晴、鲁康静、王亚。

本书由华北理工大学2022年度校级教育教学改革研究与实践项目(碳中和专项)"《走进双碳》——立体化双碳教材建设"(T-ZJ2210)、"《走进双碳》——双碳视频资源库建设"(T-L22101)和"《低碳科技与管理》碳中和专业拓展模块课程建设(T-ZJ2205)"资助出版。

本书在编写过程中参考了部分教材、期刊文献、新闻报道等,在此对书籍及文献的作者表示感谢。由于编者水平有限,书中难免有不足之处,恳请广大读者批评指正。

编　者

2024年7月

目录

第一章　双碳与社会

【本章导读】

碳达峰与碳中和(简称“双碳”)是我国应对气候变化的战略性政策框架。首先,人口作为社会的重要组成部分,对双碳目标的落实具有重要影响,人口增长、消费支出及人口结构都对碳排放有较大程度的影响。其次,双碳行动需要社会各界的广泛参与和支持,要坚持社会共享,将双碳行动带来的好处和成果惠及全社会。通过推动双碳行动,不仅可以改善环境质量,提高生活品质,还能够促进社会公平和共同繁荣。最后,坚持双碳与社会相互关系的可持续发展。双碳行动需要长期坚持和努力,不能仅仅停留在口号上,需要将双碳理念融入日常生活中,从小事做起,如节约用水、节约用电等,形成良好的生活习惯。总之,双碳与社会关系密切,是实现可持续发展的重要途径,通过共同努力,可以为改善环境、推动社会发展做出积极贡献。

双碳与社会

【思维导图】(图 1-1)

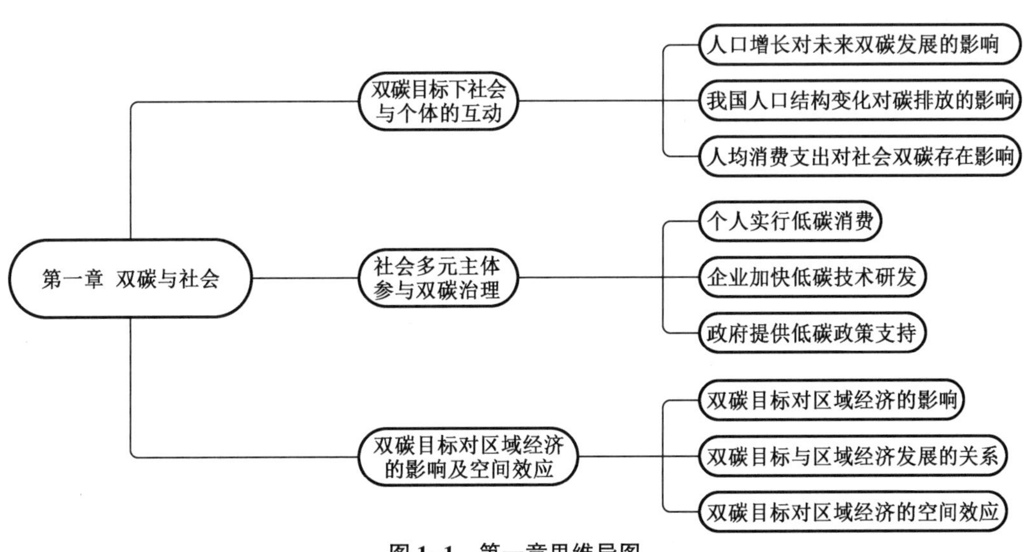

图 1-1　第一章思维导图

第一节　双碳目标下社会与个体的互动

双碳落实是指在减少碳排放、实现碳中和的目标下，推动经济社会发展的一项重要举措。而作为社会重要组成部分的人口因素对双碳落实具有重要影响，主要表现在以下几个方面：首先，人口规模直接决定了碳排放总量，人口的增加会导致能源消耗的增加，进而增加碳排放量；其次，人口结构的变化也会影响双碳落实。此外，人口结构的变化还会影响能源消费的方式和模式，进而影响碳排放。

一、人口增长对未来双碳发展的影响

能源、技术、经济等因素是影响二氧化碳排放的主要因素，1970—2020 年人类活动贡献了约 85%的温室气体排放增长量，因此，人口因素与二氧化碳排放之间的关系研究成为学者们广泛关注的焦点。中国作为世界上人口较多的国家，正经历着人口转变的过程。通过研究人口因素对二氧化碳排放的影响，不仅可以发现人口因素与二氧化碳排放之间的关系，还有助于决策者就两者关系制定更适合的双碳政策。

（一）人口增长对能源需求的影响

人口增长对双碳落实有着深远的影响。随着全球人口的持续增长，能源消耗和碳排放的压力也在逐渐增大。首先，人口增长意味着更多的能源需求。随着人口的增加，社会对交通、工业、农业和居住等领域的能源需求也不断增加。例如，交通运输领域需要更多的汽车和航空器，工业领域需要更多的能源来支撑生产，农业领域需要更多的能源来满足农作物的需求，居民生活需要更多的电力和燃料供应。这些都将导致更多的碳排放，使双碳落实的目标更加困难。我国人口增长变化如图 1-2 所示。

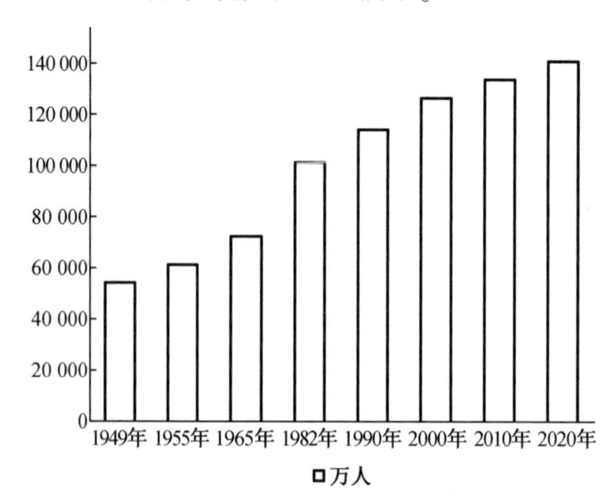

图 1-2　我国人口增长变化

（数据源自第七次全国人口普查）

人口增长导致交通需求的增加,进而增加了交通运输的能源消耗和碳排放。更多的人意味着更多的出行需求,需求量的增加会带来更多公共交通工具的使用,进而增加了燃料的消耗和空气污染。人口增长会刺激经济发展和工业活动水平的提升,进而增加了工业生产的能源消耗和碳排放。工业生产过程中需要大量的能源供应,而人口增长将带动产业需求的增加,增加了工业生产对能源的依赖。人口增长导致住房需求的增加,进而增加了住房建设的能源消耗和碳排放。人口增长会导致城市化的加剧,需要建设更多的住宅区域和基础设施,这会消耗大量的能源和材料,并导致更多的碳排放。

其次,人口增长引起的消费增加也对环境造成了巨大压力。随着人们生活水平的提高,他们对物质和能源的消费需求也随之增加。例如,汽车、电子产品和包装材料的需求增加,都会对环境产生不利影响。大量的能源和资源的消耗会导致更多的碳排放,加剧全球变暖的问题。

(二)人口增长对消费需求的影响

人口增长带来了对食品需求的增加,尤其是饮食结构和生活方式的改变。动物源性食品(碳强度均值 5.6 $kgCO_2e/kg$)和深加工食品(碳强度均值 3.2 $kgCO_2e/kg$)受到了更多人的追捧,这导致了农业生产的增加,进而增加了碳排放。人口增长带动了物品消费的增加,包括衣物、家电、电子产品等,这会在生产过程中产生大量的碳排放,对其后续物品的废弃处理也会造成环境压力。

人口增长也伴随着对服务需求的增加,如教育、医疗、旅游等。这些服务的提供需要大量的能源支持,其中包括交通、建筑、设施和设备的使用,进而带来更多的碳排放。

人口增长带来了更多的用水需求,包括居民用水、农业用水和工业用水等。这增加了对水资源的压力,以及供水设施和处理设备的能源消耗。此外,水的过度提取和污染问题也会对生态系统和可持续发展产生影响。

人口增长需要更多的基础设施来满足人们的居住和工作需求,包括建筑物、交通设施、供水供电等。这将消耗大量的资源,如能源、土地、水和建筑材料,同时还会产生大量的碳排放。人口增加会带来对能源需求的增加,如果能源供应系统主要依赖于传统的高碳能源,如煤炭和石油,将导致更多的碳排放。因此,加大低碳能源的开发和利用是关键的解决方案。人口增长通常伴随着城市化的加速,城市的建设和基础设施发展会增加碳排放。城市交通、工业污染及建筑物的能耗都会导致大量碳排放。因此,推动城市低碳化发展,提高能源效率是解决城市化带来的碳排放挑战的关键。

(三)应对人口增长对能源消耗问题的举措

强化节能意识,加强节能技术的推广应用,减少不必要的能源消耗和碳排放。例如,在建筑领域推广能效标准和技术,鼓励使用更多的节能灯具和高效电器等。加强能源的节约利用,推广低碳技术,提高能源效率,在交通、工业和居住等领域提高能源利用效率,减少能源消耗和碳排放。

减少对化石燃料的依赖，大力发展风能、太阳能、水能和生物能等可再生能源。这将减少碳排放，并促进能源的可持续利用。加大可再生能源的开发和利用，减少对化石燃料的依赖，通过政策和经济手段，鼓励民众和企业使用可再生能源，推动能源结构的转型和碳排放的减少。

提高公众对环境问题的认识，培养环保意识和行为习惯。通过教育和宣传活动，引导人们采取环保措施，减少碳排放。倡导绿色生活方式：通过教育和宣传，提高公众对可持续发展和环保意识的认识，推动人们采取绿色和低碳的生活方式，包括调整饮食结构、降低物料消耗和促进资源回收利用等。加强环境意识和教育：通过增强公众的环境意识，并加强环境教育，增强人们的环境保护意识，形成良好的行为习惯，促进绿色生活方式的形成。制定人口规划政策，通过提供生育控制和计划生育服务，引导人们合理控制生育率。此外，提供全面的健康和性教育也有助于普及生育知识，增强人们的生育意识。

二、我国人口结构变化对碳排放的影响

人口结构对于双碳落实有着重要的影响，因为不同人口结构的群体在能源消耗和碳排放方面存在差异。

（一）人口年龄结构对双碳政策落实的影响

年轻人口通常具有较高的能量消耗，他们更活跃、更多地参与到工业生产和经济活动中。此外，他们在交通、购买消费品和使用电子设备等方面的需求也较大，这都会导致更多的能源消耗和碳排放。中年人口往往奔波于工作和家庭生活，他们的能源消耗主要集中在居住、出行和职业活动上。相对而言，在短期内，老年人口较少参与经济活动，他们的能源消耗较低，从而对碳排放的影响较小。但需要注意的是，从长期来看，老年人的健康保健需求和医疗设施的使用可能会增加能源消耗。

不同年龄段的人群在能源消费方面存在差异。例如，年轻人更倾向于使用电子产品和互联网服务，而老年人则更依赖于传统的能源消费，如取暖和照明。因此，一个国家或地区的年龄结构会直接影响其总体能源消费水平和结构，从而影响双碳目标的实现。

年龄结构对产业结构的影响也非常明显。例如，年轻劳动力更倾向于从事高科技产业和服务业，这些行业的能源消耗和碳排放相对较低；而老年人口往往集中在传统的农业和制造业，这些行业的能源消耗和碳排放较高。因此，随着人口年龄结构的变化，产业结构也会发生变化，进而影响双碳目标的实现。年龄结构也会影响政策执行的效果。例如，在推广清洁能源和节能减排政策时，年轻一代往往更愿意接受和参与，因为他们更加了解和关注环保问题。而老年人可能会对新政策和新技术持保留态度，这可能会影响政策的实际执行效果。年龄结构对科技创新的影响也不容忽视。年轻人通常更具创新精神和技术敏感度，他们会更积极地探索和应用新技术，如清洁能源技术和碳捕捉技术。因此，一个合适的人口年龄结构可能会有利于科技创新和绿色技术的发展，从而有利于双碳目标的实现。

年龄结构对双碳目标的影响是多方面的，既影响能源消费和产业结构，也影响政策执

行和科技创新。因此,实现双碳目标需要充分考虑人口年龄结构的变化,并制定相应的政策和措施。

(二)人口城乡分布结构对双碳政策落实的影响

随着我国经济社会的快速发展,人口城镇化水平不断提高,这对实现双碳目标产生了深远的影响。一方面,城镇化进程推动了能源消费结构的优化、产业结构的调整及技术创新的发展,有利于实现双碳目标;另一方面,人口城镇化也带来了资源环境压力的增加、能源需求的增长等问题,对实现双碳目标带来挑战。

首先,人口城镇化有助于优化能源消费结构。随着城镇化的推进,农村地区的能源消费结构逐渐向清洁、低碳的方向转变。农村地区的家庭用能方式也在发生改变,从传统的柴火、煤炭等高碳能源向清洁能源如天然气、太阳能等转变,从而降低了农村地区的碳排放水平。此外,城镇化进程也推动了城市基础设施的建设,为新能源汽车、公共交通等低碳出行方式的发展创造了条件,有利于降低城市交通领域的碳排放。

其次,人口城镇化促进了产业结构的调整。随着农村人口向城市转移,劳动力资源得到重新配置,推动了产业结构的升级。一方面,城镇化进程加速了农业现代化的步伐,提高了农业生产效率,减少了农业生产过程中的碳排放;另一方面,城镇化进程带动了高能耗、高排放行业的技术改造和产业升级,推动了绿色产业的发展,有利于降低整个社会的碳排放水平。

然而,人口城镇化也带来了一定的挑战。随着城市人口的增加,城市规模不断扩大,对能源的需求也持续增长。这将导致能源消耗的增加,从而加大碳排放的压力。此外,城市化进程中,一些城市建设过程中存在规划不合理、资源利用率低等问题,加剧了城市环境污染和碳排放。

(三)人口教育结构对双碳政策落地的影响

教育水平也是人口结构的重要组成部分,并对双碳落实产生影响。具有较高教育水平和技术背景的人群往往在能源使用和碳排放方面更具节约和环保意识。他们更可能采用低碳生活方式,减少浪费和不必要的能源消耗。而那些从事高能耗和高碳排放行业的人,也将对双碳落实产生直接影响。因此,在教育和培训方面加大力度,增强人们的环保意识和技能,是实现双碳落实的重要手段之一。

不同职业对能源消耗和碳排放的影响也存在差异,从事农业和工业生产的人群通常消耗更多的能源和产生更多的碳排放;而从事服务业、技术和创意产业的人群则相对较少对能源消耗和碳排放有直接影响。

通过教育和宣传活动,提高公众对气候变化和双碳落实的认识,鼓励人们改变生活方式,采取低碳行为,例如减少能源消耗、合理使用资源、减少垃圾产生等。建立健全监测和评估体系,持续跟踪双碳落实的进展和效果,通过数据分析和评估报告,及时发现问题和不足,提出改进和调整措施,确保政策的有效执行和目标的实现。

鼓励发展低碳产业,减少对高能耗和高碳排放行业的依赖。通过政策引导和金融支持,推动企业向低碳方向转型。加大对低碳技术的研发和创新投入,促进新能源、新材料、新工艺等领域的突破和应用。同时,鼓励科学家、工程师和创业者参与双碳落实的创新,推动技术进步和产业升级。政府可以提供资金支持和补贴政策,鼓励企业和个人采取低碳技术和行为。例如,给予可再生能源发电企业税收减免和补贴,鼓励更多人投资和采用可再生能源技术。通过鼓励和支持科技创新,开发和推广低碳技术和解决方案,以减少能源消耗和碳排放。例如,发展可再生能源技术、节能技术和清洁生产技术。

三、人均消费支出对双碳落实存在影响

人均消费支出是指平均每个人在生活、消费和服务方面的支出金额。消费支出与能源消耗、碳排放和资源利用密切相关,因此人均消费支出水平对双碳落实产生直接和间接的影响。

(一)消费结构对能源消耗及碳排放的影响

首先,人均消费支出水平直接影响能源消耗和碳排放。随着人均消费支出的增加,人们购买和使用的产品和服务数量也会增加,从而导致能源消耗的增加。例如,人均消费支出的增加通常会带动对能源密集型产品的需求。汽车、家电、航空旅行等,这些产品的制造、使用和处置过程都需要大量的能源,并且会产生相应的碳排放,高消费支出水平还会促使商业和工业部门提供更多的产品和服务,进一步增加了能源消耗和碳排放。

同时,随着城市化进程加快,收入水平的提高,人们更容易获得并使用更多的商品和服务。这种城市化趋势促进了住房建设、基础设施发展和交通需求的增加,从而进一步增加了能源消耗和碳排放。

其次,高人均消费支出水平也会对资源利用产生影响。随着消费支出的增加,对资源的需求也会增加。例如,人们购买更多的衣服、家具和食品时,会消耗更多的原材料和资源。这对于高能耗和高碳排放的行业尤为重要,如纺织业和工艺制造业。资源的大量消耗不仅增加了能源和碳排放的压力,还可能对自然环境和生态系统造成不可逆的破坏。

另外,人均消费支出水平还间接影响了产品和服务的生命周期碳排放。高消费支出水平使得人们更倾向于购买高质量和高附加值的产品,但这些产品通常在制造和运输过程中需要耗费更多的能源,并且可能使用更多的不可再生资源。因此,人们的消费习惯和消费选择对于减少产品生命周期中的碳排放具有重要影响。如果人们能够做出环保和低碳的消费决策,比如选择能源效率较高的电器和交通工具、减少塑料包装的使用,以及更多地选择可持续和环保的产品,将有助于降低碳排放。

(二)人均消费支出对环境影响的挑战

人均消费支出的增加可以为可再生能源的研究提供更多的资金和市场需求。人们对可再生能源技术的需求增加,促使企业和政府加大对可再生能源研发和投资的力度,从而

推动可再生能源的发展。人均消费支出的增加还可以激发企业创新,推动可再生能源技术的发展。更多的需求和市场机会会促使企业开发出更先进和更高效的可再生能源技术,从而降低能源消耗和碳排放。

人均消费支出水平的提高,往往意味着经济的快速发展和人民生活水平的提高。在这一过程中,人们的消费需求和消费方式也会发生变化,对环境的影响也会随之改变。随着消费支出的增加,对自然资源的需求也会增加。例如,人均消费支出的增加会导致更多的土地开发和采矿活动,这会对生态系统和生物多样性产生负面影响。人们对于出行、居住、饮食等方面的需求可能会发生变化,这些都会对环境产生影响。

其次,消费支出的增加可能会导致资源过度开发和浪费。例如,高消费的生活方式可能会导致大量资源的浪费,如水资源、能源等。同时,过度消费也可能导致废弃物的大量产生,如垃圾、污染物等,这些废弃物处理的过程涉及能源消耗和环境影响,例如废弃物的填埋和焚烧都会加剧温室气体和有害物质的排放,对环境产生负面影响。

另外,消费观念的变化也会对环境产生影响。例如,随着消费水平的提高,人们对于环保、低碳、绿色等概念的接受度也在提高,这可能会推动环保产业的发展和环保行为的普及,从而对环境产生积极的影响。

(三)人均消费支出对碳减排的挑战

人均消费支出的增加通常会带来更多的物质消耗和资源消耗。生产和消费过程会消耗大量的能源,同时也会导致更多的废弃物和污染物的排放,进一步增加碳排放。因此,人均消费支出的增加需要重视资源的有效利用和循环经济的实践。

随着人均消费支出的增加,人们更容易购买高碳排放的产品,如汽车、空调和高能耗的电子设备。这些产品的制造和使用都会产生大量的碳排放,因此,控制高碳产品的需求和促进低碳产品的发展成为减少碳排放的重要手段。

通过加强对公众绿色消费教育和宣传,引导人们选择环保、可持续和低碳的产品和服务。政府、企业和社会组织可以共同努力,推出环保产品认证和标识,帮助消费者做出明智的消费选择。通过教育和宣传,提高公众对绿色消费和可持续发展的认识,鼓励人们购买和使用能源效率高、低碳排放的产品和服务,减少对能源和资源的消耗。

通过推广可再生能源、提高能源效率和推动清洁技术创新,降低能源消耗和碳排放。政府可以制定激励政策,鼓励企业和个人采用可再生能源,并提供奖励和补贴。通过改善产品和设备的设计,提高能源效率,减少能源消耗和碳排放。政府和企业可以制定和执行相关政策,鼓励和支持节能技术的研发和应用。倡导资源的有效利用和循环利用,减少浪费和资源的排放。政府可以推动废物回收利用体系建设,并制定相关政策和法规,鼓励企业和个人参与资源回收和再利用的过程。鼓励产品的再利用、回收和再生利用,减少资源的消耗和废物的产生。政府可以制定相关政策和法规,促进循环经济的发展,推动企业和个人参与到废物处理和资源回收的过程中。

提供消费者关于产品环境和碳排放信息,帮助消费者做出更明智的消费选择。政府和企业应该公开产品的生命周期数据和环境影响评价结果，促进消费者透明和可持续的消费。

加大对可再生能源发展的支持和投资，鼓励人们转向可再生能源，减少对传统高碳能源的依赖。政府可以制定政策和提供财政支持，降低可再生能源的成本，推动其在能源供应中的份额提高。倡导循环经济理念，加强废弃物处理和资源回收利用，减少资源的消耗和废弃物的产生。政府可以制定相关法规和政策，鼓励企业实施可持续的生产和消费模式。政府和金融机构可以提供财政和金融支持，鼓励绿色产业的发展和绿色技术创新，通过引导资金流向可持续发展领域，推动企业和社会向低碳经济转型。

第二节　社会多元主体参与双碳治理

低碳社会构建是一项长期的系统工程，包含了社会生产生活的诸多方面，如社会技术、经济、政治、文化的系统低碳化转型。因此，中国低碳社会的构建需要社会各个层面的配合与参与，通过自上而下和自下而上的交互，共同承担相应的责任。创建由政府主导、多层次利益主体共同参与，由政府主导协调、具体领域多主体合作参与的双赢模式，这是建立我国低碳社会的有效途径。

同时，低碳社会建设是一个复杂的系统工程，需要多元主体的参与和合作才能实现。多元主体包括政府、企业、学术界、社会组织和公众等各个层面的参与者。每个主体都有自己的角色和责任，通过共同努力，可以推动低碳社会建设向前发展。各个主体应发挥自身优势，共同努力，推动低碳社会建设向前发展，实现可持续发展和生态文明建设的目标。

下面将从个人、企业、政府这三个主体视角介绍各个主体将如何参与构建低碳社会。

一、个人实行低碳消费

随着全球气候变化的不断加剧和发展低碳社会的迫切需求，低碳消费行为逐渐成了当今社会广泛关注的话题，低碳消费也成了一种迫切需要提倡和实践的生活方式。个人在日常消费中的选择和习惯对环境和气候变化有着重要的影响。因此，个人建立低碳消费价值观的重要性不容忽视。下面将探讨个人建立低碳消费价值观的重要性，并提供几种实践方法，以帮助个人进行实际行动，并对环境产生积极影响。

（一）低碳消费的重要性

低碳消费对于解决气候变化和环境问题至关重要。首先，低碳消费可以显著减少温室气体的排放，进而降低碳足迹，减轻气候变化对地球造成的影响。其次，低碳消费有助于减少资源的浪费和环境的破坏，促进发展低碳社会。此外，个人低碳消费还可以发出一个积极的信号，倡导社会对环境保护的责任。

1. 个人低碳消费的影响因素

个人低碳消费的建立需要考虑多个方面的影响因素。首先是消费观念与认知。个人应该具备对低碳消费的认知水平,并树立环保意识和责任感。其次是可获得性和选择。个人在低碳消费时可能面临一些挑战,如低碳产品的可获得性、价格和选择范围。最后是社会环境和影响。社会环境的塑造和他人的影响对于个人低碳消费的决策起重要作用。

2. 个人落实低碳消费行为的重要性

个人落实低碳消费行为具有诸多重要性。首先,个人低碳消费行为可以直接降低温室气体排放,减缓气候变化的速度。通过选择低碳产品和服务、节约能源、减少浪费等方式,个人可以在日常生活中减少自身的碳足迹,从而为环境保护贡献力量。其次,个人低碳消费行为也有助于推动经济,发展低碳社会。低碳产业的发展和推广将为就业创造机会,并提供更多的创新和发展空间。此外,通过个人的示范效应,可以影响家庭、朋友和社区,形成低碳消费的良好氛围和行为习惯。个人低碳消费行为的重要性正在被越来越多的人所认识。

(二)建立个人低碳消费价值观

要落实个人低碳消费,建立个人的低碳消费价值观是必不可少的步骤。价值观是影响个体认知过程的重要因素,决定了个体看待问题的基本视角,以及处理价值关系问题时的立场和观点。价值观是态度的基础,是认知过程的重要组成部分。一定的行为总是由一定的思想意识支配,要使个人积极主动实施低碳消费行为,首先需要改变城市居民对于低碳消费的认知。低碳消费是指在生活中尽可能减少碳排放的行为和选择,以减少对环境的负面影响。建立低碳消费的价值观是非常重要的,因为它有助于保护地球,减少气候变化的风险,并提高生活质量。引导城市居民树立科学的低碳消费价值观,从思想上认同低碳消费是一种健康的消费方式;同时,要努力营造鼓励实施低碳消费行为的社会氛围,逐渐使低碳消费的理念演变为一种消费时尚或社会规范,让“高碳化”的消费行为成为社会抵制的对象,或使“高碳化”消费行为的实施者承受一定的心理压力。

总之,建立低碳消费价值观对于保护地球、减少气候变化的风险和提高生活质量至关重要。它需要关注和认识碳足迹,鼓励和支持可持续发展,重视生活质量,关注社会责任。

(三)个人落实低碳消费行为的实践方法

增强对实施低碳消费行为的可选择能力与辨别能力。通过持续学习关于气候变化、环境问题和发展低碳社会的知识,个人可以更好地理解低碳消费的重要性和影响,可以通过阅读书籍、参加研讨会和课程,以及关注相关的科学研究和新闻等方式来增强环境意识。在购买决策中,个人应该优先选择具有低碳排放的产品和服务。例如,选择购买能源效率高的电器、使用公共交通工具、购买本地有机食品等。在购买时可以查看产品的环保认证和标志,选择可持续生产和使用的产品。

节约能源和资源。通过减少电力使用、合理用水、减少浪费食物等方式降低个人的碳排放和资源消耗,养成关灯、关闭待机电器、减少水龙头的使用时间和将剩余的食物保存和回收利用等节约习惯。低碳消费价值观需要鼓励和支持可持续发展,可持续发展是指满足当前需求而不损害未来世代需求的能力。可以选择购买和支持那些符合可持续发展原则的产品和服务,如有机食品、环保产品等。此外,还可以通过回收和再利用废弃物、减少使用一次性物品等方式来推动可持续发展。

低碳消费并不意味着要放弃享受生活,而是要更加重视生活质量。可以通过享受大自然、与家人朋友共度时光、培养兴趣爱好等方式来提高生活质量。此外,低碳消费还可以帮助减少排队、塞车等不必要的消耗时间和精力的行为,从而提高生活质量。作为消费者,有责任选择那些符合社会和环境责任的企业和品牌。可以选择购买那些注重员工福利、社会公益和环保的产品和服务,以支持这些企业的可持续发展。此外,还可以积极参与社区和环保组织的活动,以推动社会责任的实现。

了解自己的碳足迹,培养可持续生活方式。个人可以选择步行、骑自行车或使用公共交通工具等可持续出行方式,以减少对汽车的依赖和减少碳排放。此外,个人还可以减少使用一次性塑料制品、推广回收和再利用行为,以及关注食品的可持续生产和消费。

(四)应对潜在挑战的解决方案

个人落实低碳消费行为可能会面临一些挑战,其中包括价格因素、可获得性及社会压力等。解决这些挑战需要个人和社会共同努力。

首先,低碳消费的理念在传统消费观念中仍然相对较弱。传统消费观念中,追求物质享受、追求个人利益最大化往往是主导因素,而环保、节能等因素则相对较弱。因此,要建立低碳消费价值观,需要改变人们的消费观念,增强环境保护意识。在面临价格因素时,个人可以根据自身经济状况和需求,寻找价格合理的低碳产品和服务。低碳产品的选择和认知存在一定的困难。在市场上,存在大量标榜低碳的产品,但很多产品的低碳性能并不明确或者存在虚假宣传,这给消费者选择低碳产品带来了困难。此外,消费者对低碳产品的认知也相对较低,很多人并不清楚什么是低碳产品,也不知道如何选择低碳产品。因此,需要加强对低碳产品的宣传和教育,提高消费者的认知水平。此外,政府和企业也可以通过提供低碳产品的补贴和减税政策等方式来降低低碳产品的价格。另一方面,低碳消费往往需要付出一定的经济成本。低碳产品往往价格较高,而且节约能源、减少废物等行为也需要付出一定的经济成本,这对于一些经济条件较差的人来说,可能是一个挑战。因此,需要政府和企业提供相应的政策和措施,降低低碳消费的经济成本,让更多的人能够参与到低碳消费中来。

在面临可获得性的问题时,个人可以主动寻找销售渠道,例如购买贴有环保标志的产品、参与低碳产品的团购活动等,以增加低碳产品的可获得性。低碳消费需要全社会的共同努力。

面对社会压力,个人可以加入环保组织和团体,在社区中宣传和倡导低碳消费的重要性。此外,个人应坚持自己对低碳消费行为的信念,并通过自身积极的示范效应来影响他人。单个消费者的行为虽然重要,但是要实现低碳消费的目标,需要全社会的共同努力。

政府需要出台相应的政策法规,鼓励和引导企业生产和推广低碳产品,同时也需要加强对低碳消费的宣传和教育;企业需要积极参与到低碳消费中来,推出低碳产品,提供低碳服务;消费者需要改变自己的消费观念,选择低碳产品,采取低碳生活方式。只有全社会共同努力,才能够建立起低碳消费的价值观。

低碳消费的效果难以直接量化。低碳消费的效果往往是长期的,而且受多种因素的影响,很难直接量化。这给低碳消费的推广带来了一定的困难。因此,需要通过科学研究和实践经验,积累低碳消费的效果和经验,为低碳消费的推广提供科学依据。

二、企业加快低碳技术研发

(一)加快技术研发

企业作为绿色产品供给端,低碳技术的研发和应用变得日益重要。同时企业作为创新的推动者和技术引领者,在低碳技术的研发和应用方面扮演着关键角色。

1. 企业加快低碳技术研发的重要性

低碳技术的研发有助于企业实现发展低碳社会目标。通过开发和应用低碳技术,企业可以减少温室气体排放,提高资源利用效率,降低对有限资源的依赖,并为未来发展低碳社会奠定基础。低碳技术的研发可以帮助企业提高竞争力和创新能力。通过推动技术创新和研发更加环保和高效的生产方式,企业可以降低成本,提高产品质量,并增强市场竞争力。

各国政府和国际组织都在加大对碳排放的控制和减少力度。通过加快低碳技术的研发,企业可以更好地满足政策和法规的要求,降低碳排放风险,并获得政府的支持和奖励。低碳技术正逐渐成为市场的主流需求。消费者和企业越来越注重环境友好和发展低碳社会的产品和服务。通过加快低碳技术的研发,企业可以积极应对市场需求,提供更符合消费者期望的产品和服务。

2. 实现技术创新的方法和策略

企业可以设立专门的研发中心或与其他企业、大学和研究机构建立合作网络,共同研发低碳技术。通过共享资源和知识,加强合作和创新,可以加快技术研发的速度和效果。企业应该加大对低碳技术研发的投入,增加研发预算,设立专项资金,提高对研发团队和项目的支持,以确保充足的资源和资金用于低碳技术的研究和开发。企业应该制定明确的研发目标和里程碑,以推动低碳技术的研发进展,激励团队和研发人员,使研发进程更加有序和高效。企业应主动寻找合适的合作伙伴和市场机会,以推动低碳技术的研发和应用。与其他企业、政府、非营利组织和创新平台合作,共同探索和开拓低碳技术应用的新领域和商机。企业应加强人才培养和提供相关培训,以支持低碳技术的研发。通过招聘和培训优秀的科学家、工程师和技术人员,企业可以增强技术团队的能力和创新能力。

(二)生产低碳绿色产品

低碳消费落实的前提,需要社会为个人提供低碳绿色产品。作为生产者,企业在生产过程中转向低碳绿色产品不仅能够满足消费者的需求，也可以为环境保护和发展低碳社会做出贡献。

1. 企业生产低碳绿色产品的重要性

企业生产低碳绿色产品具有多方面的重要性。

首先是满足消费者需求。随着消费者环保意识的提高，对低碳绿色产品的需求不断增加。生产低碳绿色产品可以满足消费者的需求，提高产品的市场竞争力。降低碳排放，生产低碳绿色产品可以减少温室气体的排放，降低对气候变化的影响。其次是通过改进生产工艺和技术，减少能源和资源的消耗，企业可以降低碳排放量，实现减排目标。低碳绿色产品生产过程中通常会采用更加高效的技术和工艺，减少资源的消耗。通过降低原材料的使用，提高能源利用效率，企业可以节约资金成本，提高产能。最后是生产低碳绿色产品可以为企业赢得良好的声誉和形象。消费者更倾向于购买那些有责任感、具有环保意识企业的产品。通过生产低碳绿色产品，企业可以塑造环保、发展低碳社会的形象，获得消费者的认可和忠诚度。

2. 生产低碳绿色产品的方法和策略

首先是采用环保的生产工艺和技术。企业可以采用环保的生产工艺和技术，减少对环境的污染和破坏。例如，采用清洁能源代替传统能源，优化生产过程中的能源利用，减少废弃物的排放等。

其次是优化产品设计和材料选择。在产品设计阶段，注重选择环保材料和低碳生产方式，使用可再生材料、降低产品的重量和包装，以减少资源消耗和废弃物产生。企业可以与供应链合作伙伴合作，建立绿色供应链管理系统，与供应商一起推动环保、可持续的原材料供应，促进发展低碳社会和低碳绿色产品的生产。通过引入环境管理体系，如 ISO14001 标准，企业可以建立环境管理体系，完善环境保护和绿色生产的各项措施和流程，通过监测和评估环境绩效，推动持续改进和提高。

最后是公开透明和社会责任。企业应当公开透明地向社会公众和利益相关者披露企业的环保和发展低碳社会行动，积极参与社会活动，关注和回应社会关切，树立良好的企业形象。

（三）改变生产和经营方式

在全球环境保护和发展低碳社会的背景下，企业需要改变生产和经营方式，实现低碳发展。低碳企业以减少碳排放、优化资源利用和环境保护作为核心目标，通过可持续的经营模式和创新的生产方式，为社会和环境做出贡献。为实现低碳，企业需要改变生产和经营方式，因此应提供一些方法和策略，帮助企业实施低碳转型。

1. 实现低碳企业改变生产和经营方式的重要性

（1）减少碳排放，改变生产和经营方式。减少碳排放是实现低碳企业的关键目标。通过采用清洁能源、优化能源利用效率、减少废弃物的产生等措施，企业可以降低碳排放量，减少对气候变化的贡献。（2）资源优化利用。低碳企业通过改变生产和经营方式，优化资源利用。通过减少原材料消耗、提高资源回收利用率,企业能够在生产过程中降低资源浪费,降低生产成本,并减少对有限资源的依赖。

创新能力和竞争优势:(1)改变生产和经营方式,可以助力低碳企业提升创新能力和竞争力。通过采用环保技术、开展绿色产品研发、培养环保人才等手段,企业能够满足消费者对绿色产品和发展低碳社会的需求,增强品牌形象,提高市场竞争力。(2)响应政策和规范要求。政府对于减少碳排放和推动发展低碳社会的政策和规范要求不断提高。(3)改变生产和经营方式。实现低碳企业可以更好地响应政策和规范要求,降低法律和规定风险,并获取相关政策支持和激励措施。

2. 实现的方法和策略

评估和规划:(1)企业应对现有的生产和经营方式进行评估,并制定低碳转型的规划。(2)通过分析碳排放源和资源利用状况,识别改进的机会和挑战,为低碳转型制定明确的目标和实施计划。

推动技术创新:(1)企业应加强技术创新,借助新兴的低碳技术和解决方案来改变生产和经营方式。(2)投资和合作研发绿色技术和节能设备,提高能源利用效率,并减少对传统资源的依赖。(3)开展供应链管理,企业应与供应链伙伴共同努力,建立绿色供应链管理体系。(4)通过甄选环保供应商、优化物流和配送过程,降低碳排放,推动发展低碳社会和低碳生产。

培养低碳文化:(1)企业应营造低碳文化,提高员工和管理层对低碳理念的认识和参与度。(2)通过培训和教育,赋予员工低碳意识和技能,激发团队的创新潜力和积极性。(3)公众参与和沟通。企业应主动与利益相关者展开沟通和合作,包括员工、客户、供应商、社区和政府等,倾听他们的需求和意见,建立信任和合作关系,形成共同推动低碳企业目标的力量。

三、政府提供低碳政策支持

在全球气候变化和发展低碳社会的背景下,政府在减少温室气体排放和推动低碳经济发展方面扮演着关键角色。为了有效推动低碳转型,政府需要建立相应的低碳制度和政策框架。

(一)政府建立低碳制度的意义

国际经验表明,政府通过明确发展规划、完善法律法规、创新体制机制、推动科技创新等方面的公共政策导向,综合运用碳预算、征税、补贴、绿色基金等政策工具,可以有效推动低碳社会的形成。因此,政府在低碳建设的道路上,应形成制度、政策、法律三位一体,集引导、监督于一体的低碳促进管理系统。

低碳制度可以减少温室气体的排放,这对于阻止全球气候变化具有关键作用。减少温室气体的排放可以减缓全球变暖、海平面上升、极端天气事件等气候变化现象,维护地球生态系统的稳定。低碳制度鼓励使用清洁能源和环保技术,减少对环境的污染。传统能源的使用往往会产生大量的污染物和有害排放物，对空气、水和土壤等环境造成污染，对人类健康和生态系统造成威胁。低碳制度的推行可以减少这些污染物的排放，改善环境质量。

促进经济发展。低碳经济模式可以促进经济的可持续发展。通过推动清洁能源及环保技术的发展和应用，可以创造更多的就业机会，提高能源利用效率，降低能源成本，促进产业升级和创新。低碳制度还可以培育新兴产业，增加经济增长点，提升国家竞争力。低碳制度可以改善城市环境和居民生活质量。通过推行低碳交通、节能建筑和可持续城市规划等措施，可以减少交通拥堵、改善空气质量、提高居住条件等，使居民享受更好的生活。

增强国家能源安全（能源安全是统筹发展与安全的核心要素，需在保障稳定供应的同时，实现绿色低碳转型，构建多元清洁的能源供应体系）。低碳制度可以减少对传统能源的依赖，降低国家的能源风险。传统能源供应面临着资源枯竭、价格波动等问题，而发展清洁能源可以多元化能源供应，减少对进口能源的依赖，增强国家的能源安全。

政府建立低碳制度对于保护环境、应对气候变化、促进经济发展和提升居民生活质量都具有重要意义。低碳制度的推行需要政府的领导和政策支持，同时也需要社会各方的积极参与和合作。

（二）政府建立低碳制度的途径

法律和规范支持。通过建立低碳制度，政府可以制定相关法律法规和政策框架，为低碳经济和发展低碳社会提供法律和规范支持。这可以包括制定碳定价机制、设立减排目标和限制温室气体排放等措施，为企业和公众提供明确的法律依据，推动低碳转型。发展低碳产业，政府可以通过建立低碳产业政策，促进低碳技术的研发、应用和推广。将低碳产业作为战略性新兴产业，提供财政支持、税收优惠和创新基金等激励措施，吸引投资和人力资源，推动低碳产业的发展。

推动绿色金融和投资。政府可以通过建立低碳金融政策，鼓励银行和金融机构提供低碳项目的融资支持。建立绿色债券市场、设立绿色基金等金融机构，并提供税收和补贴等激励措施，吸引更多的绿色投资。通过建立低碳制度，政府可以加强对公众低碳经济和发展低碳社会的宣传和教育。通过组织宣传活动、开展环境教育和培训，提高公众和企业对低碳转型的认知和理解，促进低碳行为和可持续生活方式的发展。

（三）政府制定有关低碳的政策与法规

为了应对气候变化和推动低碳社会发展，政府应在低碳领域制定政策和法规，以促进碳减排，发展低碳经济。这些政策和法规旨在引导和激励企业和个人采取低碳行动，减少温室气体排放，推动绿色发展；探讨政府制定有关低碳的政策与法规的重要性，提供一些示范性政策和法规。

1. 政府制定有关低碳的政策与法规的重要性

制定目标和指标。有关低碳的政策和法规可以设定碳减排目标和指标，明确国家或地区在一定时间和范围内减少温室气体排放的目标。这可以提供指导和基准，激励企业和个人采取行动来达到这些目标。

创建市场和激励机制。政府可以通过制定政策和法规来创建低碳市场和激励机制，鼓励和奖励碳减排和低碳行为，例如，建立碳交易市场、实行绿色税收和补贴、推出绿色证书等，这些政策和机制可以促进低碳产业的发展和创新。

促进技术创新和研发。政府可以制定有关低碳的政策和法规，推动技术创新和研发，促进低碳技术的应用和推广。例如，设立科研基金、完善知识产权保护和技术转移机制，以支持低碳技术的发展和商业化应用。

引导投资和资金支持。政府可以制定有关低碳的政策和法规，鼓励投资者和金融机构将资金投入低碳和绿色经济，例如，设立绿色基金、提供贷款和税收优惠等，这可以促进低碳项目的融资，促进低碳社会的发展。

2. 示范性政策和法规

碳定价机制。建立碳定价机制，通过碳交易市场、税收或排放配额交易等方式，对碳排放进行经济调控。这可以提供碳减排的经济激励机制，鼓励企业和个人采取低碳行动。

可再生能源配额制度。设立可再生能源配额制度，要求能源供应商在供应中一定比例来自可再生能源，这可以促进可再生能源的开发和利用，并减少对化石燃料的依赖。

能效标准和认证。制定能效标准和认证体系，要求产品和设备达到一定的能效要求，并获得认证，这可以鼓励企业生产和消费更加节能和环保的产品，提高能源效率。

绿色采购政策。政府通过采购政策鼓励购买环保和能源效率高的产品和服务，引导市场需求向低碳产品和技术倾斜。这可以促进低碳产业的发展，并推动供应链的绿色转型。

碳排放数据和披露要求。要求企业和组织公开披露其碳排放数据和减排情况，这可以提高企业的透明度，促使其认真对待碳减排工作，并为利益相关者提供信息依据。

第三节　双碳目标对区域经济的影响及空间效应

一、双碳目标对区域经济的影响

（一）产业结构调整

1. 新能源产业的发展

随着全球能源结构的转型，新能源产业已经成为各国经济发展的重要方向。中国作为全球最大的能源消费国之一，对新能源产业的发展给予了高度关注。新能源产业的发展历程、现状、未来发展趋势和策略对环境、经济和社会产生了影响。自20世纪80年代以来，中国开始关注新能源产业的发展。在政策扶持和技术创新的推动下，新能源产业逐渐发展成为具有全球影响力的产业。特别是在近年来，中国政府加大了对新能源产业的支持力度，进一步促进了新能源产业的发展。

目前,中国新能源产业已经形成了较为完整的产业链和生态系统。在太阳能、风能、水能等领域,中国拥有世界领先的技术。此外,中国在新能源基础设施建设方面也取得了一定的进展,如在风电、太阳能发电等领域建设了一批新能源发电站和充电站。同时,越来越多的中国新能源企业开始加强技术研发和创新,提高自身的技术水平。

然而,中国在新能源产业发展方面还存在一些问题。例如,与发达国家相比,中国新能源企业的技术水平还存在一定差距;市场规模还不够大,尚未形成完整的产业链和生态系统;政策体系还有待完善,政策执行力度和监管力度有待加强等。未来几年,中国新能源产业将继续保持快速发展趋势。随着技术的不断进步和政策的不断支持,新能源产业的市场规模将不断扩大,企业技术水平将不断提高。同时,新能源产业将面临更加激烈的市场竞争和挑战,但也将迎来更加广阔的发展空间和机遇。为了推动中国新能源产业的健康发展,需要采取以下策略:首先,政府应加大对新能源产业的政策扶持力度,为新能源企业提供更加优惠的税收政策和资金支持;其次,企业应加强技术研发和创新,提高自身的技术水平,增强市场竞争力;最后,社会应加强对新能源产业的关注和支持,为新能源产业的发展提供更多的社会资源和发展空间。

新能源产业的发展不仅可以减少对传统能源的依赖,降低对环境的破坏和污染,还可以为保护环境做出积极的贡献。例如,新能源产业可以减少二氧化碳等温室气体的排放,降低全球气候变化的风险;减少对传统能源的依赖,降低能源进口的风险和能源安全问题;促进可再生能源的发展,提高能源利用效率和质量等。新能源产业的发展不仅可以促进经济发展和社会进步,还可以为经济增长提供新的动力和支撑。例如,新能源产业可以带动相关产业的发展;创造就业机会和社会财富;促进科技创新和产业升级;提高国家和地区的综合竞争力等。新能源产业的发展不仅可以改善人民生活水平和生活质量,还可以促进社会进步和文化发展。新能源产业可以提供更加清洁、安全、可靠的能源供应和服务;改善人民的生活条件和环境质量;促进社会科技创新和进步;提高社会的科技水平和文化素质;促进社会可持续发展和文化传承等。

2. 传统产业的转型升级

在当今的经济环境中,传统产业面临着前所未有的挑战。由于技术滞后、管理体制陈旧及市场竞争激烈等问题,传统产业的发展遇到了许多困难。因此,传统产业的转型升级变得至关重要。传统产业主要集中在劳动密集型、低附加值、低技术含量的领域,这些产业通常以初级产品和低附加值产品为主。由于技术落后和管理体制不完善等问题,这些产业在市场竞争中往往处于劣势地位,难以获得更大的发展空间。为了克服这些问题,传统产业必须推进转型升级,以增强其竞争力,适应市场的快速变化。

传统产业转型升级需要从多个方面入手,包括技术创新、管理体制创新、产品创新等。下面将分别从这三个方面探讨传统产业转型升级的路径和策略。

技术创新是推动传统产业转型升级的关键。通过引进先进的生产技术和管理方法,可以提高生产效率和质量水平,降低生产成本,从而增强产品的市场竞争力。例如,引进机器人技术可以提升自动化生产水平,提高生产效率和质量。

管理体制创新是传统产业转型升级的必要条件。通过建立现代化的管理体制，优化企业内部流程，可以提高企业的管理水平和效率。例如，扁平化的管理体制可以减少管理层次，提高决策效率和管理效能。

产品创新是推动传统产业转型升级的重要手段。通过开发新产品或改进现有产品，可以提高产品的附加值和市场竞争力。例如，智能家居产品的开发满足消费者对智能化生活的需求，从而提高产品的市场占有率。

（二）能源消费转型

1. 可再生能源的推广

随着全球人口的增长和经济的发展，能源需求不断增加，而传统的化石能源资源日益枯竭，环境污染和气候变化等问题也日益严重。因此，积极推广可再生能源已成为全球各国的共识和紧迫任务。

可再生能源是指从自然界中获取的、可再生的能源，如太阳能、风能、水能、生物质能等。与传统的化石能源相比，可再生能源具有清洁、环保、可持续等优势，能够减少对环境的破坏和污染，减缓气候变化的影响，同时还可以提供就业机会，促进经济增长。

推广可再生能源的背景与意义还在于，随着技术的进步和产业的发展，可再生能源的效率和可靠性得到了不断提高，其成本也在逐渐降低，使得可再生能源在市场上具有更大的竞争力。此外，政府对可再生能源的支持政策也促进了其推广和应用。

首先，政府应加大对可再生能源的支持力度，制定更加优惠的政策和法规，鼓励企业和个人使用可再生能源。例如，实行电价补贴、税收减免、优先并网等政策，以及加强相关法规的制定和执行。其次，需要加强可再生能源技术的研究和开发，推动技术创新和产业升级。例如，可以加大对太阳能、风能、水能等领域的研发力度，提高其效率和可靠性，降低成本，并推动相关产业的发展。此外，还需要加强宣传和教育，提高公众对可再生能源的认识和接受程度。例如，可以通过媒体宣传、科普讲座、学校教育等方式，向公众普及可再生能源的知识和优势，增强其环保意识和节能意识。

尽管可再生能源具有巨大的潜力和优势，但在推广过程中仍然面临一些挑战和问题。例如，可再生能源的发电量受自然条件的影响较大，如太阳能、风能等，存在不稳定和不连续的问题。此外，可再生能源的开发和利用需要大量资金和技术支持，存在一定的成本压力。

针对这些问题，可以采取一系列对策和措施。可以通过多种技术的组合和优化，提高可再生能源发电的稳定性和连续性。例如，可以将太阳能和风能相结合，形成互补效应；或者在水电站中引入调节水库等措施，提高水力发电的稳定性。需要加大对可再生能源技术和产业的投资和支持力度，推动其快速发展。政府可以通过设立专项资金、提供税收优惠等措施来鼓励企业和个人对可再生能源的投资和应用；同时还可以引导金融机构加大对可再生能源项目的支持力度。需要加强国际合作和交流，共同应对全球气候变化和能源安全等全球性挑战。各国可以通过共同研究、技术分享、政策协调等方式来推动可再生能源的发展和应用;同时还可以促进国际贸易和投资合作,共同推动全球可再生能源产业的快速发展。

2. 能耗水平的降低

双碳目标要求降低能耗水平,提高能源利用效率。这需要采用新的节能技术,提高能源利用效率,从而降低碳排放。

节能技术的采用及节能产品的发展是降低能耗水平的关键措施。近年来,随着科学技术的不断发展,越来越多的节能技术被研发出来,例如高效节能电机、LED 照明技术、智能控制系统等。这些技术和产品能够显著降低能源消耗,减少资源浪费,从而有效缓解能源供需矛盾。

加强节能管理也是降低能耗水平的重要手段。首先,要建立健全节能管理制度,制定相关法规和标准,明确企业、政府及个人的节能责任和义务。其次,要加强能源统计和监测,及时掌握能源消耗情况,为采取针对性的节能措施提供依据。此外,还要加强能源审计和能效对标工作,及时发现和解决能源浪费问题。

优化产业结构与布局是降低能耗水平的根本途径。在产业结构方面,要大力发展低能耗、高附加值产业,如高新技术产业、服务业等,同时要限制高能耗、低附加值产业的发展。在产业布局方面,要合理规划产业集聚区和工业园区,实现产业集聚和资源共享,从而降低能源消耗和环境污染。此外,要鼓励企业向境外转移高能耗、高污染产业,以减轻国内的能源压力和环境污染压力。

二、双碳目标与区域经济发展的关系

双碳目标与区域经济发展之间存在密切的联系。首先,双碳目标的实现需要依托区域经济的发展,需要各地区协同合作,共同推进环保产业和绿色发展。其次,区域经济的发展也需要适应双碳目标的要求,积极推进产业结构调整和能源结构调整,促进绿色发展和低碳发展。

(一)双碳目标与区域经济发展相互促进

双碳目标是中国政府提出的旨在推动能源转型和减少碳排放的重大战略。在实现双碳目标的过程中,区域经济发展能够提供重要的支撑和促进。

首先,区域经济的发展需要能源的支持。传统能源的生产和使用是导致碳排放的主要原因之一。为了实现双碳目标,需要大力推进清洁能源和可再生能源的发展,这为区域经济发展提供了新的机遇。通过发展清洁能源和智能电网等新兴产业,可以促进区域产业升级和优化,提高能源利用效率,降低环境污染,同时也能够创造更多的就业机会和经济效益。

其次,区域经济的发展也能够促进双碳目标的实现。区域内的企业和地方政府在实现双碳目标方面具有重要的作用。企业和地方政府可以采取一系列措施,如提高能源利用效率、推广清洁能源、加强环保管理等,以降低碳排放和促进可持续发展。这些措施的实施需要区域内的经济支持,而区域经济的发展可以提供更多的资金和技术支持,从而促进双碳目标的实现。

(二)双碳目标对区域经济发展提出了新的挑战

虽然双碳目标与区域经济发展相互促进,但是也存在着一些挑战和问题。

首先,双碳目标的实现需要大量的资金投入。清洁能源和可再生能源等新兴产业的发展需要大量的资金支持,然而,一些地区的经济相对落后,资金支持能力有限,难以满足新兴产业发展的需求。这就需要通过政府引导、社会资本参与等方式,为新兴产业的发展提供更多的资金支持。

其次,双碳目标的实现需要技术创新的支持。清洁能源和可再生能源等新兴产业的发展需要大量的技术支持,然而,一些地区的技术水平相对落后,难以满足新兴产业发展的需求。这就需要通过加强人才培养、技术引进等方式,提高技术水平,为新兴产业的发展提供更多的技术支持。

双碳目标的实现需要对区域经济发展进行相应的调整。

首先,区域内的产业结构需要做出调整。传统的产业结构以高能耗、高排放的产业为主,这种产业结构已经不再适应双碳目标的要求。因此,需要大力推进清洁能源和可再生能源等新兴产业的发展,优化产业结构,降低高能耗、高排放产业的比重。同时,也需要加强传统产业的环保管理和技术改造,提高能源利用效率,降低环境污染。

其次,区域内的能源结构需要做出调整。传统的能源结构以煤炭、石油等化石能源为主,这种能源结构已经不再适应双碳目标的要求。因此,需要大力推进清洁能源和可再生能源等非化石能源的开发利用,优化能源结构,降低化石能源的比重。同时,也需要加强传统能源的清洁化和高效化利用,提高能源利用效率,降低环境污染。

(三)双碳目标对区域经济发展的影响

双碳目标的提出对区域经济发展产生了广泛的影响,其中,最显著的影响包括产业结构调整、能源结构调整和投资方向改变等。

首先,双碳目标推动了区域经济产业结构调整。为了实现低碳发展,各地需要优化产业结构,大力发展新兴产业和高新技术产业,同时减少对传统高耗能产业的依赖。这种产业结构调整对于区域经济发展具有重要意义,不仅可以提高经济效益,还可以提升生态环境质量。

其次,双碳目标影响了区域能源结构调整。为了降低碳排放,各地需要逐步减少对传统化石能源的依赖,大力发展新能源和清洁能源。这种能源结构调整将带来新的发展机遇和经济增长点,对于区域经济发展具有积极的影响。

再次,双碳目标改变了投资方向。政府和企业都将加大对低碳经济领域的投资力度,这有助于促进区域经济发展和产业升级。同时,投资方向的改变也将带动就业市场的变化,为不同专业领域的人才提供更多的就业机会。

双碳目标的提出对区域经济发展产生了广泛的影响，推动了产业结构调整、能源结构调整和投资方向改变等变革。这些变革将为区域经济发展带来新的机遇和挑战，需要政府和企业共同努力应对。

（四）实现双碳目标与区域经济发展的对策建议

为了实现双碳目标与区域经济的协同发展，政府和企业需要采取一系列措施。政府应加大对低碳经济的支持力度。政府可以出台相关政策鼓励企业进行低碳技术的研发和应用，同时加大对新能源和清洁能源领域的投资力度。此外，政府还可以通过提供税收优惠、贷款扶持等方式帮助企业解决资金难题，加快低碳转型的进程。

企业需要积极应对双碳目标带来的挑战。企业应该加大技术创新和研发力度，提高低碳技术的核心竞争力。同时，企业还需要根据市场需求和政策导向积极调整产业结构和发展方向，以适应低碳经济发展的要求。此外，企业还应该注重与政府部门和其他相关机构的合作与沟通，以便更好地把握政策和市场走向。

社会各界应该共同参与双碳目标与区域经济发展的实现过程。公众应该加强对低碳经济的认识和理解，增强环保意识和节能减排意识。同时，媒体也应该加强对双碳目标和低碳经济的宣传和报道力度。通过以上对策、建议的落实可以推动双碳目标与区域经济的协同发展，为我国实现可持续发展做出更大的贡献。

三、双碳目标对区域经济的空间效应

空间效应是指不同地理位置上的经济活动所受到的各种因素的影响，这些因素包括空间距离、产业结构、经济发展水平、政策因素和人口因素等，双碳目标对区域经济的空间效应，即双碳目标对不同区域经济活动的影响。

（一）碳排放空间分布变化

双碳目标的实施将导致碳排放空间分布的变化。一方面，传统产业的萎缩和新兴产业的发展将使碳排放空间分布更加集中；另一方面，清洁能源和可再生能源的推广将使碳排放空间分布更加分散。这种变化将对区域经济的空间布局产生影响。

1. 碳排放空间分布变化的现象

近年来，碳排放空间分布变化的现象越来越受到关注。随着工业化进程的加速，城市和工业区排放的二氧化碳等温室气体不断增加，导致全球气温上升，气候变化问题日益严重。因此，研究碳排放空间分布变化对制定有针对性的减排政策具有重要意义。

2. 碳排放空间分布变化的三个主要原因

经济发展不平衡是导致碳排放空间分布变化的主要原因之一。发达国家和发展中国家在经济发展水平上存在巨大差异，导致各国在能源消耗和排放方面也存在着巨大的差异。发达国家在工业化进程中积累了大量的财富，但同时也排放了大量的温室气体。而发展中国家在追赶发达国家的过程中，也在不断增大能源消耗和温室气体排放。

能源结构不合理也是导致碳排放空间分布变化的原因之一。目前,全球能源结构中煤炭、石油等传统化石能源仍占据主导地位,这些能源的开采和使用都会产生大量的温室气体。而一些新兴经济体在快速发展的过程中,也在不断扩大化石能源的使用量,导致温室气体排放不断增加。

缺乏有效的政策引导也是导致碳排放空间分布变化的原因之一。一些国家在制定能源政策和环保政策时缺乏科学性和前瞻性,一些高污染、高耗能产业得不到有效控制,进而导致温室气体排放不断增加。此外,一些国家在环保技术研发和推广方面也存在不足,制约了温室气体减排工作的开展。

(二)应对碳排放空间分布变化的三个措施

推动经济发展平衡是解决碳排放空间分布变化的重要措施之一。各国应该根据自身的发展阶段和资源禀赋特点,制定符合自身国情的能源政策和环保政策。发达国家应该承担更多的减排责任,并加大对发展中国家的援助和支持力度;发展中国家也应该积极推动产业结构调整和能源结构优化,减少对高污染、高耗能产业的依赖。

优化能源结构也是解决碳排放空间分布变化的重要措施之一。各国应该积极推动清洁能源的发展和使用,减少对传统化石能源的依赖。同时,应该加强国际合作,共同开发和利用清洁能源资源,推动全球能源结构的优化。此外,还应该加强对传统化石能源的资源管理和控制,推动节能减排工作的开展。

加强政策引导和技术研发也是解决碳排放空间分布变化的重要措施之一。各国应该制定科学、合理的能源政策和环保政策,加强对高污染、高耗能产业的控制和管理。同时,应该加大对环保技术研发和推广的支持力度,推动环保产业的发展和创新。此外,还应该加大对公众的环保宣传和教育力度,提高公众的环保参与度。

(三)区域协同发展助力实现双碳目标

由于不同地区在产业结构、能源消费结构等方面的差异,双碳目标的实施将使区域经济发展不平衡加剧。一些地区可能因为产业结构调整和能源消费结构优化的需要而面临较大的经济压力和社会问题;而一些地区则可能因为新兴产业的发展而获得新的发展机遇。这种不平衡现象需要得到关注和解决。

尽管双碳目标的实施将带来一些挑战和问题,但也将为区域经济的协同发展带来机遇。通过加强区域合作与交流,可以促进不同地区之间的资源共享、优势互补,推动区域经济的协同发展。同时,也可以为双碳目标的实现提供更多的支持和保障。

区域协同发展是指不同地区之间的经济、社会、文化等各方面进行协同整合,以实现资源共享、优势互补、协同发展。在实现双碳目标的过程中,区域协同发展具有至关重要的作用。

政府应该加强对区域协同发展的政策引导和支持。通过制定相关政策法规,规范不同地区之间的合作行为和市场秩序,促进资源的优化配置和共享。同时,政府还可以通过投资和财政支持等方式,加大对区域协同发展的投入力度,推动区域协同发展项目的建设和实施。基础设施建设是区域协同发展的重要保障。政府应该加大对基础设施建设的投入力度,包括交通、通信、能源、水利等基础设施,提高不同地区之间的互联互通水平,促进人员和物资的流动和交换。同时,还可以通过优化城市群和城市圈的发展规划,提高城市间的协同效应和集聚效应。人才是区域协同发展的关键因素之一。政府应该加强对人才的培养和引进,通过建立人才交流平台和合作机制,促进不同地区之间的人才交流与合作。同时,还可以通过实施人才激励政策和技术转让政策等措施,吸引更多的人才来到区域协同发展项目中。

实现双碳目标是我国应对气候变化的重要战略之一。双碳目标是指到2030年左右,我国的二氧化碳排放要达到峰值并力争尽早实现碳中和。这一目标的实现对于我国应对气候变化、推动绿色低碳发展具有重要意义。然而,实现双碳目标也面临着一些挑战——大力推动能源结构的调整。然而,目前我国的能源结构仍然以传统能源为主,新能源的发展还受技术、成本等方面的制约。同时,能源结构的调整也涉及能源安全和经济社会稳定等问题,需要平衡考虑各方面因素。

【本章小结】

双碳与社会的相互关系,包括人口、社会主体和社会组织三个方面。本书从不同角度揭示了碳排放对社会产生的影响,以及社会对碳排放的影响。首先,分析了人口与碳排放之间的关系。城市化进程导致了城市人口的集中,增加了碳排放。其次,研究了社会主体与碳排放之间的关系。个人的生活方式和消费习惯对碳排放产生了直接的影响。家庭和企业作为社会主体,也会通过能源消耗和生产过程对碳排放产生影响。最后,讨论了社会组织与碳排放之间的关系。社会组织包括政府、非营利组织和国际组织等。政府在制定政策和法规方面扮演着重要角色,可以通过政策手段来指导和规范碳排放。非营利组织和国际组织则通过宣传和倡导碳减排的重要性,推动社会对碳排放的关注和行动。因此,社会组织的作用对于减少碳排放非常关键。

【案例分析】

双碳战略与乡村振兴——双轮驱动

双碳战略是我国针对全球气候变化问题提出的重大战略,旨在通过减少碳排放,实现碳中和,以应对气候变化带来的影响。乡村振兴战略则是中国政府为了推动农村地区经济和社会发展而提出的重要方针。双碳政策和乡村振兴战略在多个方面相互关联,对于推动我国经济高质量发展具有重要意义。

双碳政策鼓励发展清洁能源,如太阳能和风能。在农村地区,利用这些清洁能源可以减少对传统化石能源的依赖,降低环境污染,同时也可以提高农村能源供应的稳定性和安全性。这有助于推动农村产业转型升级,促进农村经济发展。双碳政策强调低碳农业的发展,通过推广节水、节肥、节药等农业技术,降低农业生产过程中的碳排放。这不仅可以提高农业生产效率，还可以改善农村生态环境，推动农业绿色发展。双碳政策要求推进农村环境综合治理，包括垃圾分类、污水治理等方面。这有助于提升农村人居环境质量，改善农民生活质量，同时也可以促进乡村旅游等产业的发展。

乡村振兴战略强调生态文明建设，这与双碳政策的理念相一致。在乡村振兴过程中，加强生态文明建设可以减少碳排放、降低环境污染，同时也可以提高农村居民的生活质量。这有助于实现双碳政策的目标，推动我国经济高质量发展。乡村振兴战略要求推进农村产业转型升级，发展绿色产业。在实现双碳政策目标的过程中，绿色产业的发展将发挥重要作用。例如，通过发展新能源、新材料等产业，可以降低碳排放，同时也可以促进农村经济发展，提高农民收入。乡村振兴战略要求推动城乡融合发展，实现城乡资源的优化配置。在实现双碳政策目标的过程中，城乡融合发展可以促进城市和农村之间的资源共享和技术交流，推动农村能源结构的优化和农业绿色发展，从而降低碳排放，减少环境污染。同时，城乡融合发展还可以提高农民的生活质量，促进社会和谐稳定。

1. 双碳政策如何与乡村振兴的发展形成良性的互动？

2. 结合自己生活地区新农村的建设，讨论双碳战略对于乡村振兴的意义。

3. 在乡村振兴和双碳战略的执行中，作为大学生的你可以扮演怎样的角色？

【问题探索】

1. 双碳与社会之间的相互关系如何影响能源消费和资源分配？

2. 人口增长和城市化进程如何影响碳排放？有哪些有效措施可以减少人口增长和城市化对碳排放的负面影响？

3. 社会主体的行为对碳排放产生了哪些重要影响？个人、家庭和企业应该如何调整行为以减少碳排放？

4. 政府在双碳目标方面扮演了怎样的角色？政策和法规对减少碳排放有何影响？可以采取哪些可行的政策措施？

第二章　双碳与能源

【本章导读】

随着全球人口的增长和经济的发展,能源需求也呈现不断增长的趋势。能源安全问题备受关注。我国双碳目标的提出,表明了我国决心共建人类命运共同体、促进绿色低碳可持续、积极履行责任与担当的大国形象。能源的发展与双碳目标是相辅相成的,为更快推动双碳目标的实现,我国积极构建现代能源体系的发展战略、推动能源绿色低碳转型、贯彻落实“四个革命、一个合作”(即推动能源消费革命、能源供给革命、能源技术革命、能源体制革命,全方位加强国际合作)新能源安全战略、提出能源双控概念、实行能源消费强度和总量双控并积极发展清洁能源。此外,政府制定和实施相关政策措施,加大对清洁能源技术研发的支持,以实现更加可持续和环保的能源未来。

双碳与能源

【思维导图】(图 2-1)

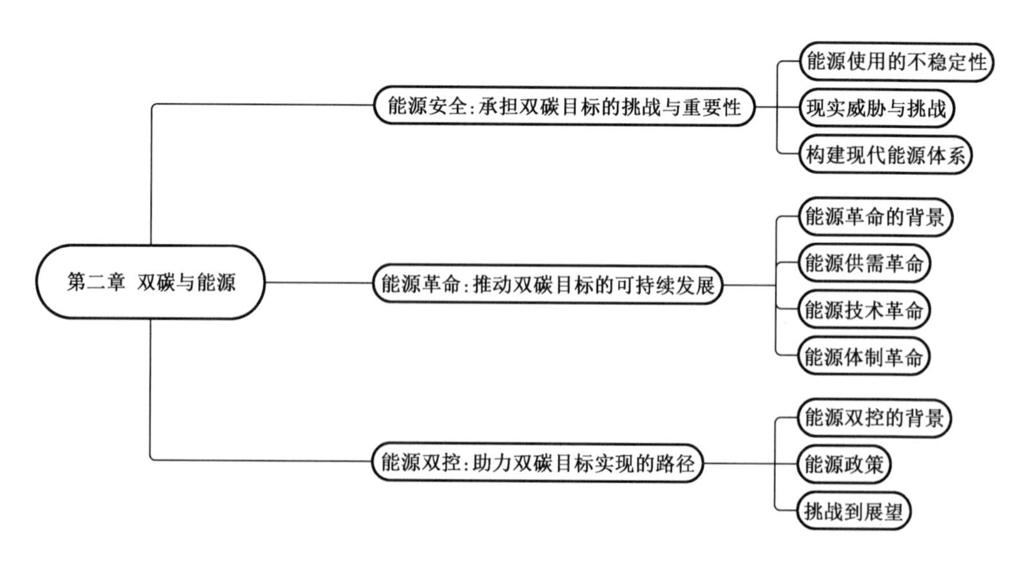

图 2-1　本章思维导图

第一节　能源安全:承担双碳目标的挑战与重要性

能源安全就是有关能源方面的各种安全性问题,国家或地区在保持能源价格可接受、发展可持续、国家政治稳定的前提下,于某个时间段中,能够确保持续稳定地供应能源资源,而且还能够及时满足社会经济发展需要的一种状态。主要包括两个方面:一是关于能源使用的安全问题,这个安全问题是指人类社会自身的生存和发展,在消耗能源和使用能源的时候,不能构成威胁。而能源安全是事关国家经济发展全局性、战略性问题,事关其他领域安全的依托,是国家安全不可缺失的重要组成部分,对国家繁荣发展、改善人民生活、长治久安至关重要;二是有关经济方面的能源安全问题,是在确保稳定供应能源的前提下,通过维系能源的需求与供应之间的平衡,满足国家正常生存和发展需要的一种状态。

一、能源使用的不稳定性

(一)能源储存的不稳定性

能源储存的不稳定性是能源使用中的一个重要问题。首先,能源储存受到多种因素的影响,包括地理位置、资源储量、技术水平等。例如,某些地区可能拥有丰富的石油和天然气资源,但缺乏储存这些资源的技术和经济能力;而其他地区可能拥有更少资源,但具备更先进的技术和经济实力,因此能够获得更高的能源产量。能源储存还受到国际政治、经济和环境等因素的影响。例如,某些国家可能通过控制能源出口来影响其他国家的经济和政治局势,而国际能源合作也可能受到地缘政治和贸易保护主义的限制。

能源储存的不稳定性还表现在能源转换和传输方面。例如,太阳能和风能等可再生能源受到天气和气候的影响,因此其储存量是不稳定的;而化石燃料等传统能源在燃烧过程中会产生大量的二氧化碳和其他污染物,对环境造成严重影响。此外,不同地区之间的能源传输也可能受到多种因素的影响,如距离、交通状况、基础设施等。

为了解决能源储存的不稳定性问题,需要采取多种措施。首先,需要加强国际合作,促进能源资源的开发和利用。其次,需要加强技术研发和创新,提高能源转换和传输的效率和稳定性。再次,需要加强能源基础设施建设,提高能源供应的可靠性和稳定性。

(二)电力供给的不稳定性

1. 计划电价与市场煤价产生冲突矛盾

动力煤指的是火力发电厂燃烧所用的煤,这种用于发电的动力煤不是直接由国家控制价格,是市场化的,即价格的高低受到供需变化影响。我国煤电厂发电销售的电价是阶梯电价,而阶梯电价则是由计划经济主导的。在这两种不同的电价体系下就会产生冲突,一种由市场控制的动力煤价格会随着市场形势不断升高,但是那些非市场化,也就是计划经济控制下的电厂会维持电力价格不变，这就势必会导致这部分企业收益亏损，使得其减少发电量。

从成本收益的角度分析，自2018年以来，部分火力发电企业一直处于亏损经营状态，即生产电力所花费的成本价格远高于售出的电力价格，这必然会导致企业发电量越大，亏损越大。长期处于这种状态下，火力发电企业根本无法生存，为保证其正常经营运行，必然要靠政府财政补贴来维持，而这又将使政府财政不堪重负。

从供需角度来看，一方面，我国煤炭进口量下降，低于往年同期，主要是来自澳大利亚和蒙古的进口煤炭数量减少了；另一方面则是全球新冠疫情肆虐导致商品价格持续上升，动力煤使用成本上涨，因而用电成本加大，但是电力市场不是煤炭市场，其价格不能市场化，不能像煤炭的价格一样随着市场价格的上升而上升，所以才会有企业亏损加剧，要政府巨额的财政支出进行补贴。

2. 能耗双控政策下的限制

“能耗双控”的含义：在创造经济产值时，既控制能源消耗强度（又称单位GDP能耗、能源使用效率），又对能源总消耗量进行控制。在这样的压力下，各地被迫要进行紧急整改，部分地区采取了强硬手段，直接对产业区、工业区进行了一刀切，强制性停工限产、拉闸限电。这种一刀切的处理方法也是导致大规模停电断电的一个重要原因。

促进储能技术发展，提高新能源利用率，提升电网对新能源的消费与接纳能力，减少弃风、弃光等浪费现象。提升电网调度灵活性，强化全网统一调度，充分发挥大电网平台优势，激发电网覆盖范围内的响应能力，实现削峰填谷。发展以新能源为主体的新型电力系统，通过柔性直流电网接入风力、光伏、生物质能、潮汐能等新能源发电，实现高比例新能源并网，从根源上减少火力发电占比。

（三）能源利用效率的不稳定性

除了以上提到的因素之外，能源利用效率的不稳定性也是影响能源使用的一个重要因素。不同地区、不同行业、不同企业之间的能源利用效率存在差异。例如，一些地区的工业生产可能会消耗大量的能源，而其他地区的居民生活则可能消耗更多的能源。此外，不同行业之间的生产效率和工艺水平也可能存在差异。例如，一些高耗能行业可能会采用传统的生产工艺和技术手段，导致能源利用效率低下；而其他行业则可能采用先进的生产工艺和技术手段，提高能源利用效率。

为了解决能源利用效率的不稳定性问题，需要采取多种措施。首先，需要加强技术研发和创新，提高生产工艺和技术手段的水平和效率。其次，需要加大管理和监管力度，确保企业能够按照相关规定和标准进行生产和经营。最后，需要加强宣传和教育力度，提高公众对节能减排和绿色环保的认识和理解。

二、现实威胁与挑战

(一)围绕碳中和的国际博弈

能源问题已上升至国家战略和国际安全的高度,并与政治、经济、社会、科技、意识形态等互动,演变成复杂的全球气候政治。近年来,碳中和越来越受到国际社会的关注,并得到世界多个国家的响应,但是由于南北差异、国家利益等原因,全球气候治理仍面临困境。首先,国际碳排放权面临碳责任转嫁,受国家利益至上的思维禁锢,看似“公平”的碳排放权分配原则下隐藏着权力和利益斗争。如发达国家为维持本国高消费生产水平,一方面急于向全球分配减排任务,另一方面将部分发展中国家当作其转移碳排放的中转站或终点站,让发展中国家成为其高碳生产的替罪羊,严重破坏了碳排放权公平性。其次,碳交易权面临碳贸易壁垒。碳交易即碳排放交易,在国际碳交易市场中,发达国家凭借技术、经济优势向发展中国家购买碳交易权,使发展中国家承受负担,同时将出售的碳减排份额核算进本国贡献中,造成发达国家虚高的国家自主贡献。最后,为了与国际接轨,发展中国家不得不付出更多的碳减排成本,但又面临着被发达国家以“不符合碳排放交易标准”为由阻拦。由此可见,“绿色贸易壁垒”成为妨碍碳中和实现的一大问题。在这一议题上,中国坚持合作共赢原则,坚持绿色发展理念,坚持共享原则,为国际社会贡献中国智慧,做出良好示范。

(二)世界能源的“六个不均”(图 2-2)

图 2-2　世界能源的“六个不均”

能源节能领域不均。单位国内生产总值(GDP)能耗是直接反映一个国家经济发展对能源的依赖程度,间接反映能源利用程度、能源利用效率、节能降耗状况等多方面内容的指标,受经济增长方式、产业结构、能源消费结构、能源技术水平、能源管理水平等因素影响,各国之间单位 GDP 能耗仍存在差距。

人均能源消费量不均。人均能源消费量受人口数量、社会生产力和居民生活水平等因素影响,一定程度上反映了国家或地区经济发展程度,相对富裕的大型能源生产国和高度工业化的发达国家人均能源消费量较高,中国人均能源消费量 2.69 吨油当量,是世界平均水平的 1.4 倍,与发达国家水平相比仍有很大差距。

能源碳排放量不均。温室气体排放是全球变暖的主要原因,化石能源是碳排放的主要来源，为实现碳中和，维护世界能源安全，降低碳排放，实现能源转型。

化石能源分布不均。由于自然地理的影响，世界化石能源资源分布并不均衡。以石油资源为例，截至2021年，世界剩余石油探明储量约444.2×10^8吨，集中分布在中东和美洲。中东地区剩余石油探明储量1 132×10^8吨，占比46.3%；美洲地区869.6×10^8吨，占比35.58%；中国剩余石油探明储量35×10^8吨，仅占世界总量的1.43%。除此之外，天然气、煤炭等化石资源在世界范围内的分布也呈不均衡形势。能源分布情况与能源消费情况的不匹配制约着各国能源安全形势，各国需立足自身资源禀赋，因地制宜，构建能源安全体系。

能源消费地域不均。受各国社会生产力水平、经济发展水平、可利用资源类型、生活消费习惯等因素的影响，世界能源消费呈现明显地域不均衡。2021年，世界能源消费总量142.12×108吨油当量，集中在亚太和北美。能源消费情况直接影响能源流动情况，保证能源安全就需要保证流动环节的正常运行。

能源技术发展水平不均。受诸多因素影响，世界能源技术发展水平不一。随着新一轮的科技革命的发展，各国都将能源科技创新作为保障能源安全重要后盾。

三、构建现代能源体系

（一）全球能源发展环境与形势

近年来，全球高温、海洋酸化、海平面上升、极端强降水等气候问题频发，温室气体排放被认为是全球气候变化的“罪魁祸首”，开展碳减排行动，应对气候变化已成为全球共同面临的挑战，为此国际社会先后出台了《京都议定书》《联合国气候变化框架公约》和《巴黎协定》三个里程碑式的国际法律文件，相关文件的出台推动了全球气候治理格局的向好发展。

面对严峻的气候挑战，各个国家越来越意识到构建现代能源体系的重要性，并做出了不断探索。英国是碳中和行动的先驱者，是全球首个专门立法设立碳减排目标的国家。英国通过碳中和的法律法规明确监管体系，与此同时，英国也是首个推出国际性碳中和制度和标准的国家，通过制度标准保障碳中和主体的权益，完善的政策和制度框架为英国节能减排起到重要保障作用。德国是欧洲的电力生产及消费大国，早在1990年之前就实现了碳达峰。德国为实现碳减排目标制定和出台了一系列政策，同时注重技术推动减排脱碳，在节能建筑、交通电气化改造、有机农业等领域取得瞩目成就。澳大利亚是发达国家中人均碳排放量较高的国家之一，但其自愿碳市场和碳中和认证发展非常成熟。2021年，澳大利亚发布“零排放净额战略”，提出“30%减排+70%碳补偿”战略，战略的核心是依赖生产者和消费者推动碳中和目标，通过碳补偿手段，澳大利亚的碳中和生产消费体系正不断形成。截至2021年10月，全球已有137个国家做出了碳中和承诺，占全球碳排放总量70%以上，大多遵循的是“净零碳”原则，碳中和目标已成为全球共识。

（二）现阶段我国能源体系

目前，我国的能源系统主要依靠煤炭和其他化石能源，生产、生活系统都面临走向绿色低碳系统的巨大压力。经济增长方式粗放、环境污染治理滞后等因素使我国二氧化碳排放量持续攀升,温室气体减排工作迫在眉睫。中国生态文明建设已经成为一项旨在减少碳排放的长远战略。作为全球最大的产煤大国和消费大国,我国的出口量已经跃居全球第一。因此,从能源消费结构来看,我国仍然有以煤炭为主的能源消费习惯,煤炭占能源消费总数的一半以上。天然气、石油等优质化石能源相对不足,煤炭、天然气和清洁能源相对较低,长期以煤炭为主的不可持续的能源消费模式,不仅导致我国环境污染问题严重,也间接影响到民生发展。

(三)构建现代能源体系的发展战略

1. 保障能源安全稳定

当前,我国能源发展和安全保障面临着国际环境形态、全球能源格局和体系的巨大变化和前所未有的挑战。而能源又是人类经济发展的全球大事,它的核心是人类发展安全、国家安全。能源安全是我国经济发展与转型升级的重要内容,也是企业全球气候变化的重要需求。而保障我国的能源安全稳定则是先决条件与依据。

在构建现代能源体系、大力提高能源自主供给能力的前提下,我国城镇化工业化稳步推进,能源需求不断增加,供给短缺、不足仍是能源最大的不安全。合理建设先进煤电,根据实际发展需要,继续有效、有序地淘汰落后煤电,使煤炭主体的能源资源禀赋得以优化,煤炭产业结构和布局得到改善。积极开发页岩气,积极开展油气国际合作,加大国内油气勘探开发力度。积极推广储备油气资源先进技术,不断丰富能源安全供应的保险手段,加大开发油气储备勘探技术的力度。只有如此,才能真正实现双碳的目标。

当然,要实现这一目的并非一朝一夕之功,必须付出长久、艰难的奋斗。可以根据最近的煤炭和电力的供求冲突,对其进行深度分析和论证,并对其进行深入的分析。每个相关部门都要坚持先立后破,坚持举国一盘棋,不能急于求成,不能有丝毫松懈。立足国情,从现实出发,对一些地方政府进行“一刀切”限产或“减碳”,保证人们的能源利用和安全,保证产业链供应链的稳定与经济的稳定发展。促进煤炭的洁净,深入推进节能减排转型重点领域,倡导全社会节约能源,持续提高绿色能源的发展水平。

进一步推动节能减排转型的重点领域和提倡全社会节约能源的目标。必须加快能源核心技术与设备攻关,强化绿色全覆盖前沿技术研究与开发;促进电网智能发展,促进新能源安全平稳运行;完善阶梯电价,深化输配和其他重点领域改革,促进节能减排降碳,提高能源服务水平,更加倚重市场机制,保障我国能源安全稳定。

2. 推动能源绿色低碳转型

全面提升能源安全绿色保障水平,建立健全绿色低碳循环发展经济体系,以推进碳达峰、碳中和,坚持绿色生产、绿色科技、绿色生活、绿色体系有机推进。要坚持环保低碳发展、生态优先、稳定发展的能源行业,实现可再生能源取代的行动,建立新电力体系,推动新能源比例逐步提高,促进煤炭、新能源优化等功能。坚持在全国范围内,所有行动听指挥,科学、有序地推动碳达峰、碳中和目标,使其发展水平得到提高。坚持“能源转型、绿色发展”思想,加强技术能力创新,加快形成助力生态文明建设,促进可持续发展的绿色生产和消费模式,让产业发展从高碳向低碳,从化石能源向以非化石能源为主转变。

3. 构建现代能源体系的举措

核电是指核能发电,即利用受控的核能,进行核裂变所产生的巨大能量转化成可以利用的电能的过程。其释放的能量巨大,产生的效益诸多。核电比煤电更加清洁,比风电和光电更加可靠稳定,同时更具备一定的经济优势,是保障我国用电安全稳定,实现能源结构转型必不可少的基荷电源。

支持、鼓励、大力提倡地方加大扶持力度,积极推进分散式农村风电开发,支持农民利用现有建筑物屋顶建设太阳能光伏户用发电。通过作价入股、收益共享等机制,统筹谋划农村能源革命与集体经济的协同发展。鼓励村集体依法依规利用存量集体土地参与新能源项目开发,大力培育农村能源合作社等新型市场主体。鼓励银行和其他金融机构提供创新的产品和服务,让农民投资风能和太阳能项目。

我国国土面积广袤无垠,适合发展水电的地形地势众多,因此,我国水能开发潜力巨大。我国常规能源(其中,水能资源为可再生能源,按100年技术可开发量计算)剩余可采总储量的统计构成为:原煤占61.6%、水能占35.4%、原油占1.4%、天然气占1.6%。水力资源仅次于煤炭,战略地位举足轻重。因此,大力发展水电资源,是我国调整能源结构、发展低碳能源的绝佳途径,不但可以节能减排,还可以保护生态。同时,水电项目除发电效益外,还具有灌溉、防洪、供水、旅游、航运等综合效益。

第二节　能源革命:推动双碳目标的可持续发展

能源革命战略的实施是实现双碳目标的重要推进器,贯彻好能源革命战略就是在为实现双碳目标做贡献。能源是与百姓息息相关的基础工程建设,是国民经济重要的基础投入之一,其成本和价格的变化将直接影响经济和居民生活。为实现能源领域的双碳目标,付出的牺牲往往是巨大的。在新技术、新业态尚未形成或与低碳能源体系相结合前景不明朗的情况下,在高效减排传统能源、利用清洁低碳能源的情况下,如果不计“成本”地推行低碳,势必造成整个能源使用成本的上升。这会极大增加人民的负担,同时也不利于我国经济持续、健康、稳定发展。

因此,必须围绕落实“四个革命、一个合作”新能源安全战略,大力推进能源消费革命、能源供给革命、能源技术革命和能源体系建设,构建以新能源为主体的新能源体系,加强全方位的能源国际合作。

一、能源革命的背景

(一)能源资源日益紧张

与主要发达国家相比,我国在遭遇生态环境和气候变化、能源安全等问题的同时,正处在工业化和城市化发展阶段,发展思路必须有所创新。中国实现双碳目标的路径是以能源消费革命来控制能源消费总量。

改革开放以来,中国经济持续高速发展,但一直处在粗放式发展模式,只重速度而不重质量,以及“按需供应”的能源供应方式,使中国能源消耗规模急剧上升,能源开发强度快速上升,能源资源消耗的压力越来越大。现如今,我国虽已成为全球能源消费第一大国,但能源消费模式的“敞口”式不加节制,使我国日益紧张的能源资源状况突显出来。

1. 能源资源总存储量日益降低

我国地大物博,煤炭产量十分丰富,但由于我国地形复杂多样,山地高原众多,这就导致了部分开采煤炭的地区地质条件复杂,含煤量丰富的区域大都生态环境脆弱不堪,更是缺乏水资源,故而对我国煤炭资源的开采造成了很大的难度。而有的地区煤炭产量已经接近开采上限,继续增产的潜力有限。我国东部地区主力油田经过长期大规模、高强度开采,增储增产潜力有限,目前已经逐渐进入开采中后期。非常规油气资源的开采勘测处于萌芽阶段,其大规模开发仍受到生态环境、水资源等方面的制约,其发展前景仍存在较大不确定性。

2. 能源安全问题日益加剧

主要表现在对外依存度越来越高。从 1993 年中国成为石油进口国开始,整体对外依存度就一直超过 10%,其中石油对外依存度接近 60%,天然气对外依存度超过 30%,而关于煤、油、气、铀等资源更是全品种净进口国。

3. 生态环境问题越发恶劣

能源开发高强问题导致生态环境破坏严重。矿区及周边地区因长期高强度开采煤炭资源,破坏土地、水资源等,生态环境稳定受到严重影响。

(二)传统能源结构限制发展步伐

我国传统能源结构自身所呈现出的不合理性,给能源发展进程造成障碍。2010 年我国已成为全球能源消费第一大国,同时也是全球少数几个以煤炭消费为主要消费方式的国家。2022 年,我国能源消费结构为:煤炭消费比例为 56.2%,天然气、水电、核电、风电和太阳能发电等清洁能源消费比例为能源消费总量 25.9%,化石能源消费比例较高。

1. 能源消费结构存在的问题

(1)我国能源消费结构仍以煤炭为主

高效洁净地使用煤炭,其困难程度要远远超过油、气燃料,而且国内大量煤直接燃烧利用,仅有少量发电发热。尽管近几年风电、光伏等可再生能源得到了快速发展,天然气开发和利用显著增加,但是煤炭消费仍然是能源结构中所占比例最大的能源。据国家发展和改革委员会(简称“国家发改委”)公布的资料显示,2022 年中国煤炭消费量仍占能源消费总量一半以上。尽管煤炭的利用造成了严重的环境污染与健康问题,但由于煤炭价格比较低廉,很多中国企业及居民仍依靠煤炭为其提供主要能源。

(2)石油、天然气等主要能源也存在能源结构问题

我国石油资源以进口为主,近年来消费量约占能源消耗总量的 18%以上,天然气等清洁能源消费量不足 10%。尽管近年来中国石油、天然气消费量逐步上升,但仍面临进口依赖度过高、价格波动较大等诸多问题。2022 年我国能源消费结构分布如图 2-3 所示。

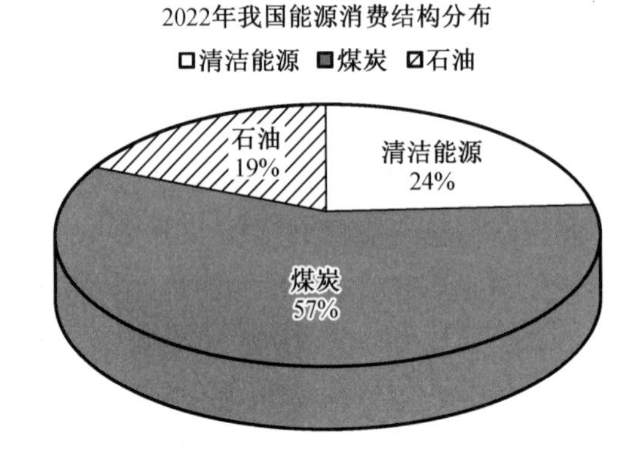

图 2-3　2022 年我国能源消费结构分布

2. 可再生能源丰富,但发展存在瓶颈

以水能为例,我国大陆水能资源规模以上技术可开发装机容量约 6.6 亿多千瓦时,年发电量约 3 万亿千瓦时,位居世界之首。由这些奔腾的大江大河所提供的能源清洁、低碳,并且是绿色的可再生能源。目前我国水能资源只开发了不到 50%,还有很大的开发利用空间。历史上所有的西方发达国家都是以优先开发水电来满足自己能源需求的,部分欧美国家水电的发电比例是非常高的,甚至能达到 90%以上。

我国仍然依赖传统的水电和核能源,尽管这些能源技术具有优势,但由于其自身的局限性,难以实现对能源安全的保障,也给当地生活等方面带来了一定的压力。可再生能源如风能、太阳能、生物能等,虽然在近年来得到了迅速的发展,但在能源结构中仍然占据着较小的份额。截至 2022 年,中国可再生能源占比仅在 25.9%左右。

(三)高碳排放量与双碳目标实现

2009—2022 年我国碳排放量从 77.1 亿吨上升到 114.77 亿吨,其中能源领域是碳排放最大的领域,占我国碳排放总量的 77%。碳排放过多将造成全球气候变暖、诱发温室效应、极端恶劣天气和生态平衡被打破。实现双碳目标是我国主动应对气候变化,促进人类命运共同体建设的职责。

1. 能源消费结构导致了高碳排放量现状

我国作为世界上较大的能源生产国和消费国，面临着能源消耗问题和环境污染压力。目前，我国主要以高能耗、低附加值的产品为主，导致碳排放强度大、能耗高。据统计，2020年我国的碳排放量约占世界二氧化碳排放总量的1/3，这使得我国成为全球二氧化碳排放量最高的国家。实现从碳达峰到碳中和，并不是一项容易的任务。考虑到我国现有的高碳能源消费结构，传统高投入、高能耗、高污染、低效益产业仍然占据较高比例。因此，在短期内，能源需求仍然会增长。在这样的背景下，我国需要找到一条合适的能源循环利用路径，以期实现双碳目标。

2. 我国现阶段的产业结构决定了碳排放的增长现状

改革开放以来，中国经济快速增长，产业结构不断调整。第一产业在经济中的份额逐年下降，而第三产业在经济中的份额逐年增加。工业特别是重工业，尤其是能源集约型工业，近年来也占有相当大的份额，超过了轻工业整体的份额。能源集约型产业的快速发展不可避免地导致能源需求的持续增长，带来长期的大量碳排放。

二、能源供需革命

能源是现代社会的重要物质基础和推动力，也是影响世界和国家人口发展的战略资源。作为世界上最大的发展中国家，我国一方面面临经济增长与总能源、环境能力、空气质量和人民安全之间的矛盾，另一方面面临全球变暖和地缘政治变化对能源供应安全的影响，以及外部能源相互依赖的增加，中国面临经济增长、总能源产出与环境能力之间的矛盾。因此，必须坚持国家经济发展和能源安全战略方面的双碳目标，集中精力促进能源供需革命。

（一）能源消费者转变为产消者

在双碳政策背景下，中国能源消费者的角色开始转变，市场逐步激活能源生产与消费者之间的作用。在传统化石能源为主的能源体系下，对能源进行生产、处理、储运、消费等各个环节主体划分清晰，在能源体系下，消费者是终端需求用户，它的功能比较单一，这种情况已经持续了很长一段时间，所以，就能源体系而言，消费者角色简单。

但是在风能、太阳能和核能的推动下出现了地热能和其他新能源，由原来简单的能源消费者地位，渴望成为能源生产者和公共建筑的公司企业、家庭等日益增多。能源消费者可进入电力市场，也可进入综合能源服务市场，除了满足自身能源需求，自己发电或者储存能量，也可以卖给别人，既能获得额外的收入，还能更进一步实现其社会价值，逐渐摸索出新的规律，使生产和销售一体化。

由于我国能源消费市场环境不断成熟，因此消费身份由过去的被动接受向现在的主动选择转变。在电力体制改革、油气体制改革不断走向深入的今天，能源消费者对能源品种自主选择的意识逐渐增强，开始从单向供求关系向双向互动格局过渡。像智能表计这样的智能终端，开始逐步为广大人民群众使用，能源消费者可以根据市场信号及系统运行情况进行消费，对自身能源利用情况有了更加及时的认识。

（二）大力推进能源供给与消费方式变革

1. 健全能源法规和标准化体系

建立健全工业、建筑、交通运输、机关事业单位等重点领域节能制度，完善节能监察、能效标识、节能审查等配套法律制度，按照已修订实施的相关节约能源法执行。节能管理主要包括用能设施的固定资产投资项目。加强标准化引领作用，完善节能标准体系，实行百项能效标准提升项目工程，发布主要在能源消费产业和能源密集型产品全覆盖的国家节能标准 340 多项、强制性标准近 200 项。加大节能执法监察力度，强化事中、事后管理，严格责任追究，确保节能法律法规和强制性标准得到贯彻落实，使节能监察工作和节能工作取得真正效果。

2. 提高重点领域能效水平

推进产业结构转型优化和升级，推动绿色低碳产业发展，加强现代服务业，推动产业向智能清洁过渡。积极开展能效评价工作，建立和完善节能监测和执法机制、节能诊断机制。推动低碳产业绿色循环升级，积极推进清洁生产。通过深化既有建筑节能改造、优化建筑能源结构等措施，提高新建建筑节能标准。为提高交通能源的纯度和车辆能源效率，打造节能环保绿色的现代立体交通体系。全面推动节约型能源市场和企业单位的形成，在全社会推动其做出节能表率。为促进绿色技术研发、转化和推广，建立以市场为导向的绿色技术创新体系。推广节能低碳技术，例如绿色低碳环保技术、工业节能装备、交通运输业低碳节能技术等。倡导全社会节约能源，反对浪费和不明智的消费行为，引导正确的消费观念，提倡简单、适度、绿色、低碳的生活方式。

3. 大力推动终端用能清洁化

大力开展污染型、重排放的煤炭综合整顿工作，大力推广使用天然气、电力等可再生能源来代替低效、污染严重的燃煤锅炉，使清洁、高效燃煤锅炉得到推广和利用。以京津冀及其周边地区，长三角，珠三角和汾渭平原为主要整治地区。在北方地区积极开展冬季取暖清洁工作，推动大气环境质量改善，并出台资金和价格支持政策。在终端能源领域大力推广新能源汽车、热泵和电窑炉，推广用电代替煤和石油。在城市燃气、工业燃料、燃气电站、交通运输领域，加强天然气基础设施建设，实现互联互通，促进天然气的高效利用。推广以终端用能为导向的天然气热电冷联供，多能协同及能源综合梯级利用，推动分布式可再生能源开发。

4. 建立多元供应体系

我国能源利用现状：以煤为主，兼顾利用石油、天然气，积极发展水电，慎重发展核电，因地制宜发展太阳能、风能、沼气、地热能、海洋能等。

目前中国能源利用之所以供应紧张，主要在于：中国经济发展很快，因此对能源的需求越来越大；能源消耗较大的工业企业在中国的发展更为迅速，使得本就紧张的能源供给问题雪上加霜；能源的低利用率和严重的资源浪费；没有跟上国民经济需求的能源勘探和开采;国际油价节节攀升;缺失的石油储备制度。

大力推行煤炭高效利用之路,正是“能源多元供应”的目的所在,这才能使能源生产和消费革命的各项举措都能为能源安全需求服务,如此才是基于我国当前发展阶段的适合道路。

因而,必须立足我国实际国情,确立绿色发展、生态优先的道路,把发展中保护和保护中发展两者密切结合,同时大力推动能源供给侧结构性改革,优先发展非化石能源,完善能源储运调峰系统,促进区域多能互补、协调发展,促进化石能源清洁化开发利用。

三、能源技术革命

中国是目前世界能源生产和消费第一大国,能源供给能力相比过去有了极大的飞跃,能源科技水平也有了显著的提高,但是,这并不意味着我国能源发展一帆风顺。世界能源格局发生了极大变化,各国之间能源技术竞争日趋激烈,极端天气、全球变暖等环境问题更是导致国际经济发展环境越来越不稳定,同时我国资源约束日渐加剧,经济也由过去高速发展转变成高质量发展。这些都是我国必须应对的挑战。我国应从促进能源消费、供应及体制革命方面大力着手,建设清洁低碳、绿色环保和安全高效的现代能源体系。

技术决定未来的能源,技术造就未来的能源。对能源革命起着关键性影响的恰恰是能源技术革命,这确定了在未来相当长的一段时间里,中国能源发展的着力点是能源技术的发展与创新。

(一)能源技术的发展态势

1. 世界能源技术的发展形势

当前,国际形势风云变化,地缘政治冲突持续已久,尚有扩大化趋势。各国对于能源的重视已经超出了以往任何一个时期,纷纷投入重金以求在能源技术设备等方面实现重大突破。新一轮全球能源技术革命正如雨后春笋,到处萌芽,而新的能源科技成果更是不断涌现。各国之间的竞争愈演愈烈,能源领域不断涌现出新技术和新设备。

纵观世界能源发展情况,全球各大国家和地区都在大力倡导能源科技创新革命,以求在新一轮全球竞争中居于领先地位。能源技术发展突飞猛进,科技的更新迭代推动着能源发展持续呈现新态势,在全球范围内影响巨大且影响深远的能源技术也发展到了全新阶段。世界各国在能源技术方面的创新更是大量涌现。绿色低碳是我国能源科技创新发展的大方向,为此应着重在传统化石能源的清洁有效利用、新能源的规模化开发和利用、核能的安全使用、能源互联网和规模化储能、先进能源装备和关键材料方面进行研究。世界主要国家纷纷将能源科技创新视为新一轮科技革命与产业革命的突破点,为了占领发展制高点,提升国际竞争力,推动综合国力的发展,纷纷出台各种政策措施以保障其优势地位。

2. 我国能源技术的发展形势

进入21世纪以来,我国能源技术有了飞跃式发展,各种新能源技术、设备不断涌现。例如,在勘探开采等“卡脖子”技术上实现了极大突破,大型液化、煤气化等煤炭深度加工技术已经实现了规模化和产业化等。我国有关项目负责人表示，当前我国能源产业发展已经进入了崭新阶段。

不难发现，我国现阶段的能源科技水平虽有了长足的进步和显著提升，但相比于世界能源大国，以及达到能源革命的目标而言，仍还存在着很大的差距，因而应加大科研攻关力度，提高自主创新能力，在能源技术领域需要持续努力，攻坚克难。核心技术匮乏，关键领域关键设备和原材料过度依赖进口，页岩气、燃气轮机、高温材料等关键技术领域缺乏自主创新，长期以来，海洋石油和天然气技术装备勘探开发滞后；科研与生产结合比较松散，企业作为创新主体的地位不明确；创新活动不符合行业实际需要，存在诸多脱节现象；创新体制、机制亟待调整和完善；企业在创新中的领导地位需要加强，需要进一步加强科技资源配置中的市场功能；技术人才的培养、管理和激励机制需要完善，知识产权的保护和管理能力也需要提高；对能源战略方向、科技创新战略和未来发展规划缺乏长远规划和认识，尚未在国家层面制定和全面实施，科技创新尚未成为能源政策体系的核心。

3. 国家能源战略需求

中国的能源技术革命必须落实国家能源战略的需要，为解决能源安全、结构调整、污染排放、利用效率和应急调峰能力等严重问题提供可持续的技术支撑和动力，为经济和社会发展、应对气候变化和环境质量等提供技术工具和解决方案。

实现“两个一百年”奋斗目标，中国正在经历着能源需求的漫长发展历程。能源问题无法回避，因此，必须通过能源技术创新来加速能源勘探开发及高效利用，开发新能源及可再生能源，构建常规与非常规、化石与非化石、能源与化工，以及各种能源形态相互作用的多元能源技术体系。

我国以“绿水青山就是金山银山”科学理念为引领，加快“天常蓝，地常绿，水常清”秀美绿色中国建设，因此需要通过能源技术创新强化能源伴生资源综合利用，提供更洁净绿色能源产品，建立清洁循环能源技术体系，并大力降低能源生产污染排放。

（二）能源政策支持保障

建立健全科技成果转化、知识产权保护、标准化等能源领域有关规定及配套政策；培育科学研究文化，主要有多元包容、尊重创新、宽容失败、良性竞争、强化能源科技创新文化等方面；健全包括能源新技术、新模式在内的新能源技术创新知识产权创造、利用、管理与保护机制；适时向标准转化，完善能源自主创新能源技术标准体系；建立健全能源技术装备的标准、测试、认证、质量监测等组织制度，保障能源技术装备质量。

建设和完善能源技术创新机制的主体是企业。激发企业创新内在动力，着力培育一批全球范围内有竞争能力的能源技术公司，以促进其成为中国能源技术和能源行业紧密衔接的创新平台；完善中国国有能源企业技术创新运行绩效评价体系，强化技术创新在中国国有能源企业运行绩效评价中所占的比重，切实促进中国重大能源技术装备的开发和工程应用已成为当前的主要工作；鼓励私营企业主动承接国家能源技术创新任务并自主进行；着力健全能源领域中小微企业创业孵化和其他创新服务体系，鼓励和扶持能源领域中小微企业加强自主研发,激发“双创”的良好氛围。

立足世界实际发展形势,做出合理的国际化战略规划,大力推动能源互助友好合作。同时要充分利用我国现有的能源技术资源,以小撬大,积极主动融入世界能源网络,在全球范围内开展能源战略资源配置管理;大力提倡推动企业、大学和科研单位与海外有关能源单位机构合作交流;以重要能源项目为依托,以扩大国际影响力为出发点,推动我国先进能源技术装备和标准“走出去”。

四、能源体制革命

只有能源体制革命的成功才能促进能源革命的成功。众所周知,好的制度才能指导好的政策,好的政策才能引领好的行动。在能源革命这项政策中,能源体制革命居于核心地位。然而,能源体制革命的推进过程困难重重,错综复杂的体制问题盘根错节、根深蒂固。

首先,政府部门应认识并摆正自己的位置,通过推动能源立法,转变政府职能,通过制定前瞻性、指导性战略,减少行政直接干预,加大监管力度,更多地采用财政税收补贴、强化能源监管等经济鼓励手段。其次,要充分发挥市场的作用,在形成有效竞争的市场结构和市场体系的同时,建立主要由市场决定能源价格的体制机制,建立现代新能源管理制度,完善能源法治战略思想。

(一)能源体制革命的战略目标

能源体制革命是能源革命的重要组成部分,是实现能源消费革命、能源供给革命、能源技术革命和全方位国际合作的制度保障,也是推动能源革命的助推器和加速器。在2014年6月13日中央财经领导小组第六次会议上,习近平总书记就推动能源革命提出五点要求,其中一条是“推动能源体制革命,打通能源发展快车道”,强调要“坚定不移推进改革,还原能源商品属性,构建有效竞争的市场结构和市场体系,形成主要由市场决定能源价格的机制,转变政府对能源的监管方式,建立健全能源法制体系”。这为能源体制革命指明了方向,是推动能源体制革命的基本遵循。必须按照党中央的战略部署,进一步明确2030年我国能源体制革命的具体内涵、指导思想、基本原则、战略目标和主要任务,加快推进能源体制革命的步伐。

(二)推动能源体制革命运行有序

1. 建立健全能源法律体系

构建以能源行政法规、部门规章、地方性法规、地方政府规章为保障和补充,以能源法为基础和统领,以标准规范为技术支撑,以煤炭法、电业法、石油天然气法等为主要内容的能源法律法规体系。深化依法行政,通过公布机关权力和责任清单、落实地方能源监管职责、建立现代能源监管框架等措施,推动能源管理和监管机构分层法定化、职能法定化、权限法定化、程序法定化、责任法定化,提升监管效能,完善能源市场准入制度,加强动态监管,加强对能源市场主体行为的调控能力。

2. 推进能源交易市场化

大力发展混合所有制能源企业，培育新的市场主体，使其国有经济在能源领域充分发挥主导作用，改善能源市场结构。有序放开油气管网与售电业务分离和售电业务，在能源基础设施公平开放方面，推进垄断环节改革。健全并完善能源市场交易制度，成立运行有序、公平合理的能源交易机构，在合理合法的前提下，推动企业在能源市场的多元化竞争。确立恰当门槛，形成合理的市场准入制度。同时建立市场诚信体系，大力褒扬诚信守法，严格惩戒失信违法，使得能源市场呈现出良好、健康的风气。

促进能源价格由市场决定的机制的形成。按照“管住中间、放开两头”的总体思路，稳妥处理，逐步减少补贴，加快推进能源价格市场化，按照“准许成本加合理收益”的原则，对自然垄断环节的价格进行科学合理的核定，并对电网和天然气管网的输配价格进行合理制定。

第三节　能源双控：助力双碳目标实现的路径

随着经济社会的高速发展，经济与环境之间的矛盾日益突出，其中能源消耗和环境污染之间的矛盾也逐渐显现，为了我国人民身体健康，为了社会和谐稳定，实现能源双控迫在眉睫。能源双控具有巨大的意义，首先能源双控转变将会影响能源行业的发展，这也是最直观、最现实的意义。能源双控向碳排放总量和强度双控转变，控制能源消费的强度与总量，有利于改善我国的生态环境。随着我国进入高质量发展时期，能源双控的政策也有了一定的调整。对于我国国情而言，发展仍然是重中之重，要在保证我国国家发展的前提下，在保证民生的前提下，合理地进行能源双控，既不能耽误发展，又不能污染环境。环境发展固然重要，但是如何协调好环境与发展之间的关系，更值得思考。

一、能源双控的背景

（一）能源双控的概念

“能源双控”即能源消费总量和强度双控制度，旨在通过约束性指标推动节能降耗。早在“十三五”期间，我国各部分地区就落实党中央国务院决策部署，能源双控是进行生态文明建设的必然要求，同时也是进行节能减排，实现双碳目标的必要途径，因此能源双控的意义十分重大。

能源消费强度是衡量一个国家能源利用效率的指标，强度越低，效率越高，因此能源双控要控制并降低能源消费强度。降低能源消费强度要求进行生态文明建设，节能减排，实现能源转型。目前我国经济是高消耗、高增长、高排放的“三高”型粗放式发展，利用能源的效率比较低，其中又以工业能源消耗强度最高。近年来我国能源消耗强度有所下降，主要依赖两个方面，一是产业结构调整，二是提高产业内部能源利用效率，其中主要依赖提高工业部门能源利用效率,因此降低工业部门能源消耗强度是重中之重。

顾名思义,能源消耗总量是指在一定时间、一定区域内能源消耗的总数量,既包括国民经济各行业,也包括居民家庭消耗。根据数据显示,我国 2021 年全年能源消耗总量大约为 52 亿吨标准煤,相比于 2020 年,煤炭、原油、天然气、电器等消耗量均有所增长。“十三五”期间,我国指标总体完成较好,2020 年我国能源消耗总量得到了合理的控制,该年我国设定目标为低于 50 亿吨标准煤,实际能源消费总量为 49.8 亿吨标准煤。节能减排取得了很大的成就,我国能源自给率达到 80%以上,能源应急能力得到了提升,保障了我国能源安全,新能源发展成效显著,清洁能源进入了新发展阶段,取得了良好的成就,电动汽车等产业积极响应,我国政府积极改革,保障电动汽车有序充放电,积极实现供给侧结构性改革。绿色能源产业链逐渐形成,能源市场化逐步提高。2020—2021 年,我国能源消耗总量保持低速增长,态势良好。

能源双控主要包括能源消费总量与工业增加值耗能强度两大指标,而单位工业增加值耗能直接体现出经济发展对于能源的依赖性,这在某种程度上表明能源在经济中所扮演的角色,同时也反映出产业结构、技术等因素同样会影响单位工业增加值耗能强度。实现能源双控就能构建环境友好型的社会,营造绿色发展经济环境,打造节约型社会,构建富强民主文明的社会主义现代化强国。

(二)清洁能源的发展

实现能源双控最主要就是发展清洁能源,那么什么是清洁能源呢?清洁能源是一种不会产生污染的能源,或者是对环境具有很少污染的能源,它是一种技术体系,因此清洁能源是实现双控的首要环节。发展清洁能源有利于应对气候变化,有利于我国经济发展。能源双控在一定程度上,影响了我国工业化和城镇化,因此发展清洁能源必不可少,清洁能源有利于我国的经济发展。我国的清洁能源,如水电、太阳能和风能等得到了很大发展,发展清洁能源可以保护环境。

我国清洁能源分布十分广泛,并且资源很多。地球上分布最广的清洁能源是太阳能,其次是潮汐能。我国清洁能源利用的现状态势良好。随着经济社会发展,我国逐渐意识到清洁能源的重要性,清洁能源占总能源的比例不断上升。

太阳能需要并网光伏,这是目前世界上发展最快速的能源技术。我国建设了许多基地,用于发展清洁能源。清洁能源在世界很多发达国家也在使用。风能是一种取之不尽、用之不竭的能源,风能装机容量仅次于太阳能。德国是风能利用位列第一的国家。美国是生物能最主要的使用国家,目前中国也有几个城市进行试点。潮汐能储存量十分巨大,并且潮汐能有一定的稳定性,具有很明显的优势。

实现能源双控必然要减少化石能源的使用,虽然化石能源仍然是当今世界的主要使用能源,清洁能源所占比例比较小,但是清洁能源所占的比例在逐年上升,特别是一些发展中国家和发达国家清洁能源发展态势良好。最近几年我国清洁能源发展也取得了一定的成就,顺应世界发展潮流,掀起清洁能源发展浪潮。我国积极建设风电基地,积极开发清洁能源。

清洁能源并不是没有缺点,清洁能源发展也存在着一些问题,这些问题关乎我国经济发展,关乎人民生活,更关乎我国的国际地位。部分清洁能源需要寻找替代的原料,比如乙醇,目前粮食是乙醇的主要原料,但是世界上粮食供应不足,乙醇的原材料来源就成了问题,既不能放弃世界各国人民的温饱问题,同时也不能放弃发展清洁能源,因此寻找一种可以替代的原料就尤为重要。然后就是技术问题,太阳能光伏发电需要突破光电转化效率技术,这就需要政府给予积极的政策,企业积极响应,个人积极作为,加大研发力度,调动企业的积极性。我国仍然要提高对清洁能源的重视程度,投入更多的资金和原料,研发清洁能源,给予更多的政策支持,制定好法律法规,充分认识清洁能源的战略意义,坚持发展清洁能源,创造更多的条件,促进清洁能源更快、更好、更优的发展。

(三)能源双控与清洁能源发展的互动关系

能源双控即控制能源消费总量和提高能源利用效率,是我国推动能源转型和绿色发展的重要手段。清洁能源的发展与能源双控策略的实施具有密切的互动关系。

能源双控通过限制化石能源的消费,为清洁能源的发展提供了空间。鼓励使用风能、太阳能等可再生能源,以减少对煤炭等高碳能源的依赖。能源双控通过对不同地区的能源消费进行差异化管理,有助于促进区域间能源资源的合理配置和清洁能源项目的均衡发展。

一方面,清洁能源的发展有助于实现能源双控目标。清洁能源如太阳能、风能等,具有可再生、无污染的特性,能够减少对化石燃料的依赖,从而有效降低能源消耗和碳排放。通过大力发展清洁能源,可以减少对化石能源的依赖,降低能源消费总量,同时提高能源利用效率,降低单位工业增加值耗能强度。这不仅有助于应对气候变化,保护环境,还能推动经济结构的优化升级,实现可持续发展。清洁能源的发展是实现能源双控目标的重要手段之一,能够带动相关产业的创新和发展。清洁能源产业链涉及设备制造、技术研发、运营维护等多个领域,可以创造大量的就业机会和经济效益,推动经济社会的可持续发展。加大清洁能源的研发和应用力度,推动能源结构的优化和升级,提高能源利用效率,降低能源消耗和碳排放,为经济社会的可持续发展提供有力支撑。

另一方面,能源双控的实施也为清洁能源发展提供了有力保障。通过能源双控,可以推动能源消费结构向清洁低碳方向转变,提高清洁能源在能源消费中的比重。能源双控强调节能优先,通过提高能源利用效率来减少能源消耗,有助于减少碳排放,同时为清洁能源的利用提供了更多机会。控制能源消费总量和提高能源利用效率,可以引导社会资本和技术资源更多地投向清洁能源领域,推动清洁能源产业的快速发展。同时,能源双控还能促进清洁能源技术的创新和升级,能源双控促使企业和行业寻求更高效的能源使用方式和清洁能源技术,提高清洁能源的竞争力和市场占有率。

清洁能源的发展与能源双控是相互促进、共同发展的关系。在未来的发展中,我们应继续加大清洁能源的研发和推广力度,同时加强能源双控的实施力度,推动能源转型和绿色发展取得更大成就。

二、能源政策

国务院对于能源消费的总量和能源消费的强度提出了方案，根据习近平总书记关于新时期中国特色社会主义思想的指导，结合我国实际，以坚持能源利用效率优先、保障合理用能为工作原则，确立了到2025年能源消耗双控体系更加健全、能源资源配置更加合理、使用效益大幅提高的总体目标。到2030年，进一步完善能耗双控体系，继续大幅度降低能耗强度，优化能源结构，合理控制能源消费总量。到2035年，更加成熟、定型的能源资源优化配置和综合节约体系，将有力支持碳排放高峰后实现稳中有降的目标。

我国实现能源双控，需要发挥宏观调控和市场调节两方面的作用，同时中央和地方协同，既需要发挥中央的调控作用，也需要发挥地方的积极性。基于国情，首先，我国合理设置了地方和中央能源双控指标，各地方结合自己的实际情况，比如经济发展、环境安全、能源储存、能源消费现状、发展定位、产业结构和布局等合理安排，完成目标。其次，我国为增强能源消费的总体弹性结构，中央预留了一定的空间，组织实施重大国家项目。我国还鼓励地方超额完成目标，鼓励低消耗，鼓励使用可再生资源，推行市场化交易。最后，我国完善了制度化保障，加强了组织领导。

（一）我国政策

下面分析三个典型地方政府的能源双控政策。

1. 广西壮族自治区人民政府的政策

广西壮族自治区响应我国新的双控举措，对一系列耗能高的企业进行现场指示，给出了明确的减产标准。这些产业包括电解铝、氧化铝、钢铁、水泥等高耗能企业。广西壮族自治区人民政府办公厅发文，重点控制重点行业能源消费，例如石油加工、炼焦、化学原料和化工制造品，并且严格控制重点区域能源消耗，将目标分解至各个市区，从基层控制，加强监督，各市区人民政府及自治区工业和信息化厅发展改革委等部门，通过淘汰落后产能的方式减少能源的消耗，推进节约型企业的建设，整顿违规违法的行为，加强质量检测，力争不浪费能源。

广西壮族自治区积极运用信息产业，利用大数据进行精准监测，统筹全局，协调各方，纵观全局提出合理的政策，并且予以实施和运营，出台相关法律法规，完善相关制度。

与此同时，广西壮族自治区在宣传上加大了力度，通过多种途径对政策进行解读，加强绿色宣传，鼓励全社会、全党各族人民参与节能减排，创造良好的文明环境。在此基础上，自治区还设立了责任评价考核，加强对地方的监督，进行责任问责，促进节能减排的实行，促进双碳目标实现。对于考核不及格的领导干部，采取了不得参与评优的办法，不可以授予荣誉称号，倒逼领导干部积极作为，拒绝不作为、乱作为的行为。严格落实工作责任制，对于不合格的人员进行约谈和批评，每件事情都落实到人员，促使人员认真负责，积极作为。

2. 内蒙古自治区人民政府的政策

我国根据地区可再生能源情况对不同地区设立了不同的标准，比如说内蒙古自治区，具有非常多的可再生能源的地区，即使引入了国家发展新科技、高新技术产业，也可能得不到充分的发展，但是现在只要充分发展可再生能源就可以实现发展。国家的双碳政策不仅严格地设立了标准，同时也是在引导地方经济高质量发展，引导地方积极进行创新。比如说内蒙古自治区一年的碳排放量约为7亿吨，鄂尔多斯就占据了其中的很大一部分，鄂尔多斯的产业结构比较传统，迫切地需要能源结构转型，迫切地需要经济结构调整。鄂尔多斯拥有体量非常大的可再生能源资源，因此，部分产业在鄂尔多斯展开了一系列的努力，积极地响应国家政策，比如远景科技集团联合鄂尔多斯市政府，打造了工业样板间，这种工业样板间是零碳工业的，可以帮助内蒙古自治区构建新型工业体系，使用可再生能源如氢气、风力发电。这些新型能源是目前的制高点，可建立产业园，联合上下游企业，自主发电，自给自足，同时联合品牌效应，助力内蒙古自治区发展，这是一种全新的尝试。

3. 新疆维吾尔自治区人民政府的政策

新疆维吾尔自治区在能源低碳发展方面实施了一系列政策和战略，推动新能源产业发展，鼓励投资主体在沙漠、戈壁、荒漠等地区建设风电、光伏发电等新能源项目；构建现代能源体系，致力于打造清洁低碳、安全高效的现代能源体系，促进新能源产业高质量发展。

作为能源资源富集区，新疆维吾尔自治区拥有丰富的煤炭、石油、天然气和可再生能源资源，在全国能源发展中具有战略地位。新疆维吾尔自治区坚持绿色低碳发展道路，即坚持生态优先、节约集约、绿色低碳的发展道路，大力发展风能、太阳能等新能源，推动能源系统绿色转型。新疆维吾尔自治区能源利用效率显著提高，能源结构加速向低碳化转变，风电产业取得显著发展。新疆维吾尔自治区推动煤炭产业绿色发展，加快绿色矿山建设，实施煤电机组灵活性改造和超低排放改造工程，提升煤炭清洁高效利用水平。

新疆维吾尔自治区加快提升新能源消纳能力，推动终端用能转型升级，提高电能占终端用能比重，加强“疆电外送”通道建设，扩大清洁电力对外供给能力；推进能源革命，即深入推进能源革命，加快新型能源体系规划建设，为经济社会绿色低碳转型提供能源保障；加快构建碳达峰碳中和“1+N”政策体系，推动双碳工作不断取得新进展；推动产业集群绿色发展，即推动“八大产业集群”绿色发展，通过传统能源与新能源耦合发展，实施光伏治沙、捕集二氧化碳驱油等措施，实现减污降碳的同时，带动相关产业发展。新疆维吾尔自治区实施这些政策和战略，旨在优化调整能源结构，促进经济绿色转型，为实现国家双碳目标提供支持。

（二）纵观全球

实现能源双控，不仅要看中国，更要看世界，能源双控并不是中国的事情，而是世界的事情，更好地实现能源双控，对实现碳达峰和碳中和具有重要意义。

相比于发达国家而言，发展中国家实现碳达峰和碳中和更具挑战性，要发展必然要发展工业，而工业最主要的能源依旧是煤炭。我国展现大国担当，坚定地实现能源双控，既面临着挑战也蕴藏着机遇。

虽然大多数都在积极地承担国际责任，保护国际环境，但是与此同时也有个别国家放弃碳中和，这对于这些国家在短期内无异于是非常有益的，但是从长期发展来看，这样的行为必然是不负责任的。能源双控，实现碳中和碳达峰，从而应对全球气候变化，这应该是全体人类的共同使命。从历史数据来看，西方国家从工业革命的时候就已经开始不断地排放碳，其所排放的碳远远超过发展中国家，发展中国家要想发展，必然要使用煤炭来发展，纵观历史，此时保护环境其实也是在挽救当时工业革命时期西方国家所造成的大量碳排放，这对于发展中国家而言是不公平的。但是中国不纠结于历史，中国秉承着国际责任，体现中国大国担当，积极作为发挥自己的作用。

三、挑战到展望

（一）能源双控面临的挑战

“十四五”期间，我国能源双控工作有许多挑战。首先是能源总量供需不平衡。我国是能源生产大国，同时也是能源消费大国，能源消费在一定程度上不能实现完全的自给自足，需要进口，并且我国能源利用效率比较低，能源结构主要以煤炭为主，属于粗放型经济，清洁能源虽然仍在发展，但是短时间内我国化石能源不可能马上退出市场，因此这种现状要持续很长时间。我国能源结构是比较传统的，能源使用效率比较低，污染比较高，因此面临着能源结构转型。近几年来，我国能源消费总量持续增长，虽然从“十二五”后期全国能源消费有了比较大的回落，但是我国能源消费的一些缺陷短时间内无法改变。我国是发展中国家，经济社会发展并不完全，与世界相比，我国 GDP 能耗较高。这些都是我国存在的问题，同时新冠肺炎疫情与经济复苏的双重压力给我国带来了更大的挑战。

其次是能源总量管理缺乏弹性。一些硬性的规定不一定符合实际条件，需要进行整改，不同地方的管理具有差别化。我国近年来应当给予地方更大的权利，给予地方更大的空间，鼓励地方增加可再生能源消费，提升绿色环保的能力，发展可再生能源。从各地方落实情况来看，也并不是尽善尽美。

（二）能源双控的未来前景与展望

能源双控的前景呈现出积极和复杂的态势。一方面，随着全球对气候变化和资源紧缺问题的关注度不断提高，实施能源双控成为推动绿色发展和可持续发展的重要手段。通过控制能源消耗总量和强度，可以更有效地利用资源，减少污染排放，推动经济结构的优化和转型升级。另一方面，能源双控的实施也面临着一些挑战。不同地区的能源结构、产业结构、经济发展水平等存在差异，因此能源双控的目标和措施需要因地制宜。同时，能源双控的实施也需要在保障经济发展和民生需求之间取得平衡，避免对经济发展造成过大的冲击。

从长期来看，能源双控的前景仍然是积极的。随着技术的进步和政策的不断完善，能源双控的实施将更加精准和高效。同时，可再生能源、节能技术等领域的快速发展，将为能源双控提供更多的技术支持和解决方案。

我国对能源双控政策有一个很漫长的探索历程,历经了多个阶段,取得了显著的成果。我国在能源双控政策的探索历程中,从“十一五”时期开始,节能就是一项重点安排。“十二五”期间,我国建立考核机制,利用考核机制进一步激发地方政府的积极性,倒逼地方政府认真负责,制定合理的目标、合理的考核措施和合理的责任评价考核体系,抑制了部分地区能耗过快增长的势头。实现能源双控的意义巨大,有利于企业转型,有利于国家环境的建设,有利于提高我国国际地位和话语权,是必然之行,必要之行。为发展清洁能源,实现能源的强度和总量的合理控制,国家制定了相关法律法规,出台一系列合理措施和策,鼓励创新发展;企业也在积极响应国家政策,加快转型步伐,研发更优秀的产业链,实现供给侧结构性改革,积极研发技术,发展环保产业,紧跟国家政策,积极为国家做出企业的贡献。

【本章小结】

围绕双碳与能源话题展开,讨论了在能源领域实现双碳目标的挑战与重要性,以及推动可持续发展的能源革命和能源双控的路径。

第一节从我国断电现象出发,分析能源的相关政策,探讨当今世界能源现状,以及构建现代能源体系的重要性。第二节围绕能源革命展开,从当前我国能源资源的紧张局面出发,探讨能源供需革命、能源技术革命和能源体制革命。第三节介绍能源双控的有关背景和相关概念,对清洁能源发展趋势进行预测,分析我国和全球的能源政策,探讨能源双控面临的挑战与展望。

能源安全越来越成为国际关注的重点,能源安全的实现需要以双碳目标为导向,持续推进能源革命,构建现代能源体系,实现双碳目标,促进可持续发展。

【案例分析】

以双碳战略助力复兴征程

国际足联世界杯(简称“世界杯”),每四年举办一次的足球盛宴。这是一场享誉全球的盛事,更是一个彰显实力和热情的舞台。2022 年的卡塔尔世界杯更是因东道主卡塔尔豪掷千金而备受关注,引爆全球热点。据公开报道,此次世界杯卡塔尔预计共花费 2 200 亿美元,是近 7 届世界杯总支出的 5.2 倍。人们在震惊其财力的同时,也不禁产生了疑惑,卡塔尔何以如此富裕?答案就是能源。

要想达到双碳目标,即碳达峰和碳中和目标,仍然面临着一系列严峻而棘手的问题和考验。这些问题涉及许多方面,如污染物的排放、能源储量的不可持续性、能源供应的不稳定性等。与此同时,基于世界能源分布不均、国际形势的波谲云诡,以及气候变化对全球造成的不可忽视的威胁,国际社会越来越意识到需要采取共同的行动来减少温室气体的排放,并努力寻求实现碳中和,即减少的温室气体排放量和吸收的温室气体排放量达到平衡。然而有合作就必然有竞争,由于碳中和的世界格局涉及各国之间的地缘政治,以及发达国家和发展中国家在国际贸易中的一些经济竞争等因素,围绕碳中和的国际博弈更是愈演愈烈。在这一系列问题下,我国未来的发展之路又何去何从呢?

国家发改委、国家能源局于2022年1月29日联合印发的《"十四五"现代能源体系规划》(发改能源〔2022〕210号)明确提出,从我国现有的能源体系着手,确立了要构建现代能源体系的发展战略。在保障能源安全稳定的前提下,积极推动能源绿色低碳转型和积极主动参与全球能源治理。同时大力推动能源革命,从供给和消费、技术和体制四方面展开。首先,通过采用节能技术、能源管理系统和智能电网等手段提高能源利用效率;其次,大力发展新能源等清洁能源,推动电动汽车新电池技术的推广,大力建设智能电网和能源互联网建设;最后,要发展多种能源来源,减少对单一能源的依赖,增强能源供给和安全,让能源供给多元化。

双碳目标,是中国作为一个有着五千多年历史的文明古国为世界环境治理和现代化进程贡献的中国智慧,不仅代表着我国对于环境保护的重视力度,更体现着我国胸怀天下、积极倡导构建人类命运共同体的大国责任和担当。在实现双碳目标过程中,在对双碳与能源的探索过程中,必将面临困难和挑战,但也一定会有无限的机遇。路虽远行则将至,事虽难做则必成。通过勇敢的创新、不懈的努力和全球治理的协作,必将成功实现双碳目标,向世界再一次展现中国奇迹。

1. 根据案例分析,你对《"十四五"现代能源体系规划》的具体措施有何认识?请分析其重要意义。

2. 结合案例和生活实际,分析双碳目标对国家能源安全的重要性。

3. 我国在践行清洁能源发展方面面临哪些困难?

【问题探索】

1. 分析推动能源转型和实现双碳目标存在哪些挑战和困难?

2. 在能源双控的背景下,如何进一步推动清洁能源技术创新和产业发展?政府和企业可以采取哪些措施?

3. 如何在日常生活中积极参与能源转型,采取可持续的能源消费行动,为环境保护做出贡献?

第三章 双碳与环境

【本章导读】

在新时代的伟大征程中，中国正坚定不移地推进生态文明建设，将实现双碳目标作为核心战略任务。这一目标的实现，不仅有助于显著提升生态环境质量，促进绿色发展理念深入实践，更是推动经济实现高质量发展的关键所在。同时，生态环境的持续优化也为实现双碳目标提供了有力支撑和坚实保障。

一个健康稳定的生态系统具备强大的碳吸收和储存能力，对减缓温室效应具有至关重要的积极作用。因此，良好的生态环境是实现双碳目标的重要基础和关键支撑，其状况直接关系到碳排放量的减少和气候变化的应对效果。我国将继续加强生态文明建设，努力构建人与自然和谐共生的现代化新格局，为实现双碳目标提供有力保障。为深入推进新时代生态环境保护工作，习近平总书记自“十八大”以来就高度重视生态文明建设，并提出了“大力推进生态文明建设”的战略决策。在中共中央政治局第三十六次集体学习时，习近平总书记进一步强调要将双碳工作纳入生态文明建设整体布局，这充分体现了党中央对生态文明建设和双碳工作的高度重视和坚定决心。同时，我们也应深刻认识到环境保护与双碳目标之间的内在联系，通过加强生态环境保护、促进绿色发展、引导产业转型升级等多措并举，推动经济高质量发展，为建设美丽中国、实现中华民族伟大复兴的中国梦贡献智慧和力量。

双碳与环境

【思维导图】(图 3-1)

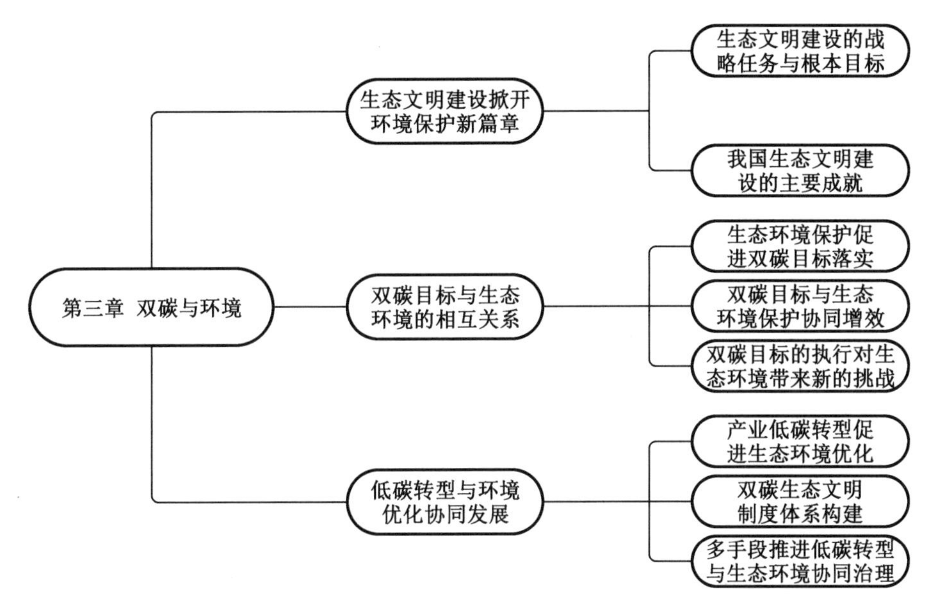

图 3-1　本章思维导图

第一节　生态文明建设掀开环境保护新篇章

中华民族向来尊重自然、热爱自然,中华文明孕育着丰富的生态文化。《易经》中说:"观乎天文,以察时变;观乎人文,以化成天下"。《孟子》中说:"不违农时,谷不可胜食也;数罟不入洿池,鱼鳖不可胜食也;斧斤以时入山林,材木不可胜用也。"《齐民要术》中有"顺天时,量地利,则用力少而成功多"的记述。中国传统文化强调尊重自然规律,取之有时,用之有度。然而随着人类经济活动的发展,气候变化之下,极端气象增多、生态系统退化、自然灾害频发、平均气温上升,对人类生存发展构成严峻而紧迫的威胁。

一、生态文明建设的战略任务与根本目标

习近平总书记在全国生态环境保护大会上发表重要讲话,从党和国家事业发展全局的高度,对以美丽中国建设全面推进人与自然和谐共生的现代化做出重大战略部署。其中对于生态文明建设战略任务与根本目标的表述,可概括为"六项重大任务""一个重大要求"。

"六项重大任务"明确了当前和今后一个时期美丽中国建设的重点任务。党的二十大报告擘画了全面建设社会主义现代化国家、以中国式现代化全面推进中华民族伟大复兴的宏伟蓝图,提出到 2035 年"广泛形成绿色生产生活方式,碳排放达峰后稳中有降,生态环境根本好转,美丽中国目标基本实现"的目标任务,围绕"推动绿色发展,促进人与自然和谐共

生”做出重大部署。持续深入打好污染防治攻坚战,加快推动发展方式绿色低碳转型,着力提升生态系统多样性、稳定性、持续性,积极稳妥推进碳达峰碳中和,守牢美丽中国建设安全底线,健全美丽中国建设保障体系等六项重大任务。这“六项重大任务”是贯彻落实党的二十大决策部署,瞄准未来5年和到2035年美丽中国建设目标做出的重大战略安排,为美丽中国建设提供了行动纲领和科学指南。

“一个重大要求”既是生态文明事业不断发展的“定海神针”,又是新征程实现美丽中国建设目标的根本保障。习近平总书记强调,建设美丽中国必须坚持和加强党的全面领导。中国共产党始终以人民为中心,带领人民创造更加幸福美好的生活。各地区各部门要不断增强责任感、使命感,不折不扣贯彻落实党中央决策部署。生态环境是关系党的使命宗旨的重大政治问题。党的十八大以来,党中央以前所未有的力度抓生态文明建设,从思想、法律、体制、组织、作风上全面发力,开展一系列根本性、开创性、长远性工作,推动生态文明建设取得历史性成就,发生历史性变革。新时代的伟大实践证明,党的领导是生态文明建设不断成功的根本保障。美丽中国建设是一项长期而艰巨的重大战略任务,必须充分发挥党的领导的政治优势,不折不扣落实党中央决策部署,切实推动各项任务落地见效。

二、我国生态文明建设的主要成就

党的十八大以来,我国把生态文明建设作为关系中华民族永续发展的根本大计,开展了一系列开创性工作,决心之大、力度之大、成效之大前所未有,生态文明建设从理论到实践都发生了历史性、转折性、全局性变化,美丽中国建设迈出重大步伐。经过顽强努力,我国在环境质量、生态保护、绿色转型、制度体系、全球贡献等方面都取得重大成就、发生巨大变化,祖国天更蓝、地更绿、水更清,万里河山更加多姿多彩。生态文明建设的成就举世瞩目,成为新时代党和国家事业取得历史性成就、发生历史性变革的显著标志。

在制度体系方面,制定几十项涉及生态文明建设的改革方案,生态文明“四梁八柱”性质的制度体系基本形成。建立健全生态文明建设目标评价考核制度、河湖长制、排污许可制度、生态保护红线制度、生态环境保护“党政同责”“一岗双责”等制度。开展两轮中央生态环境保护督察,成为推动地方党委和政府及其相关部门落实生态环境保护责任的硬招实招。形成“1+N+4”中国特色社会主义生态环境保护法律制度体系,相关法律达30余部。

在全球贡献方面,站在对人类文明负责的高度,提出共建地球生命共同体,共建清洁美丽世界。推动《巴黎协定》达成生效实施,做出碳达峰碳中和的庄严承诺。作为主席国,成功举办《生物多样性公约》第十五次缔约方大会(COP15),达成兼具雄心又务实平衡的“昆明-蒙特利尔全球生物多样性框架”,得到国际社会广泛赞誉。建设“一带一路”绿色发展国际联盟,与31个共建国家共同发起“一带一路”绿色发展伙伴关系倡议,积极开展应对气候变化南南合作。

第二节 双碳目标与生态环境的相互关系

“十四五”时期,我国生态文明建设进入了以降碳为重点战略方向、推动减污降碳协同增效、促进经济社会发展全面绿色转型、实现生态环境质量改善由量变到质变的关键时期。2018 年,习近平总书记在全国生态环境保护大会上提出“积极稳妥推进碳达峰碳中和”作为生态环境建设主要任务之一。2021 年,习近平总书记提出把碳达峰、碳中和纳入生态文明建设整体布局。

双碳目标的落实促进了生态环境的改善。同时,生态环境改善也会反哺作用于双碳目标。生态环境通过其固碳能力,吸收碳排放,促进碳平衡的实现。同时,双碳政策的落实,能加强生态环境的保护,减缓气候变暖,维护生物多样性。同时,双碳政策的实行也对生态环境提出了新的需求。

一、生态环境保护促进双碳目标落实

实现降碳目标,关键一环在于提升生态系统的碳汇及固碳能力。这要求我们加强生态系统的保护与发展,充分发挥森林、草原、湿地、海洋等自然生态系统在碳吸收方面的积极作用,同时强化土壤、冻土对碳储存的固定效果,进而提升整体的生态碳汇能力。

究竟何为碳汇?碳汇指的是那些具备吸收并储存大量二氧化碳或其他温室气体能力的自然生态系统、人工生态系统及人为管理区域。碳汇涵盖了森林、湿地、草原、海洋、土壤等多样化的生态系统。这些生态系统中的植物通过光合作用从大气中捕获二氧化碳,并转化为植物生物质,如树木、植被等。部分吸收的二氧化碳被储存在植物体内,而另一部分则在植物死亡和分解过程中进入土壤,形成有机碳储存,从而有效减少大气中温室气体的浓度,对全球气候变暖的趋势起到减缓作用。生态系统碳汇在地球生态系统中扮演着重要的角色,发挥着关键的生态功能与气候调节作用,可进一步细分为绿色碳汇和蓝色碳汇。

(一)绿色碳汇

绿色碳汇概念的核心理念在于充分利用绿色植物的光合作用,以有效吸收大气中的二氧化碳。作为陆地生态系统中最关键的碳储存库,森林在维持碳平衡方面发挥着举足轻重的作用。为进一步增强森林的碳储存能力,我国各地积极开展大规模的国土绿化行动,显著改善了生态环境。

过去的十年间,我国森林面积与蓄积量均呈现出持续增长的态势。具体而言,森林面积由原先的 31.2 亿亩扩展至 34.6 亿亩,而森林蓄积量则从 151.37 亿立方米提升至 194.93 亿立方米。在此背景下,我国森林植被的总碳储量已高达 92 亿吨。据统计,我国陆地生态系统的碳储存总量约为 1 000 亿吨,年均固碳能力达到 2.01 亿吨,这一固碳量可有效抵消 14.1%同期化石燃料燃烧所产生的碳排放量。其中,森林生态系统在固碳方面的贡献尤为

显著，约占整体固碳量的80%。值得一提的是，森林固碳是一种自然环境的利用方式，无须高成本的技术手段。同时，这一过程还具有多重生态效益，包括保护生物多样性、涵养水源、防风固沙等。因此，提升森林的碳汇能力不仅是应对气候变化的有效手段，也是实现生态文明建设的重要途径。

关于森林保护与生态恢复工作，需进一步加强森林的保护力度，以有效防止非法砍伐和森林火灾的发生。同时，应致力于开展森林生态系统的恢复与修复行动，通过植树造林、森林更新等有效措施，不断扩大森林面积，并丰富森林的生物多样性。为实现可持续林业管理，应积极推广可持续的林业管理模式，力求降低林木采伐的速度和强度，以保障林木的持续生长和碳储存能力。在林木利用方面，应强调合理利用与保护，避免过度伐木和滥砍滥伐的现象发生。此外，应重视提高林地质量，努力改善土壤质量和肥力，以增加土壤的有机质含量。为此，应采取合理施肥、保护林下植被及减少土壤侵蚀等一系列措施，旨在提高土壤的碳贮存能力，为森林生态系统的可持续发展奠定坚实基础。

(二)蓝色碳汇

“蓝色碳汇”，指海洋生物吸收大气中的二氧化碳，并将其有效固定在海洋中的一系列过程、相关活动及机制。我国正大力实施的海岸带生态保护和修复重大工程，不仅推动了滨海湿地的生态健康发展，而且成功构建了以红树林、海草床和滨海盐沼为主体的“三大滨海蓝碳生态系统”。据权威数据统计，滨海湿地吸收二氧化碳的速率远超陆地生态系统，高达其10倍至100倍，显著加速了二氧化碳的储存进程，对于应对全球气候变化具有重要意义。为了提升海洋的碳汇能力，可以采取以下措施。

为有效维护海洋生态环境，我国致力于加强海洋保护工作，坚决制止过度捕捞、海洋污染等破坏海洋生态系统的行为，同时，积极推动海洋生态系统的恢复与修复工作，以加强海洋生物多样性的保护，并提升海洋生物固碳能力，为海洋生态的可持续发展贡献力量；积极推动海洋生态工程的发展，致力于修复和保护海草床、珊瑚礁等关键生态系统，以增强海洋生态系统的碳汇能力，为应对全球气候变化提供有力支持；加强海洋酸化监测与管理，高度重视海洋酸化问题，加强对其监测与管理，以减少二氧化碳进入海洋后对海洋生态系统造成的负面影响；通过控制大气中的二氧化碳排放，减缓海洋酸化进程，保护海洋生物固碳的能力，维护海洋生态系统的稳定与健康；促进海洋碳汇研究与合作，加强海洋碳汇相关的科研工作，积极推动国际间的合作与交流；提升对海洋碳汇机制的理解，为制定科学的政策和管理措施提供坚实依据，共同推动全球海洋碳汇事业的发展。

(三)土壤碳汇

土壤也具有固碳的功能。植物通过光合作用将大气中的二氧化碳转化为有机物质，这些有机物质中的碳元素随后通过植物的根系进入土壤。在土壤微生物的作用下，这些碳元素进一步转化为土壤有机质，并长期存储在土壤中，从而形成了土壤碳汇。农田土壤的固碳量，即土壤中存储的碳元素总量。研究表明，土壤有机碳库在整个陆地生态系统中所占比例相当可观，约占据了2/3的份额，其数量远超植物碳库，约为后者的3倍，同时也达到了大气碳库的2倍之多。据《第二次气候变化国家评估报告》的数据统计，我国土壤碳库的储量高达1 029.6亿吨，这一数字突显了土壤在碳储存方面所具有的巨大潜力。

为充分发挥土壤固碳功能，我国不断加强土地利用规划的科学性，严格执行耕地保护制度，并严格把控土地的用途，以实现土地资源的可持续利用与生态环境的保护。

为了进一步提升土地的碳汇能力，可以采取以下措施。

（1）在推广可持续农业模式方面，致力于减少化肥和农药的使用，同时增加有机质的输入，以提升农田的碳汇能力。对于草地管理，强化适宜的畜牧和放牧管理，以促进草地的生态恢复并积累草原土壤的有机质。

（2）在沙漠化土地治理与恢复工作中，加大力度，采取一系列有效措施来防止土壤侵蚀，并增强土地的植被覆盖和保护层的形成。通过植树造林、草地恢复等手段，进一步增强沙漠地区的碳吸收和储存能力。

（3）为增加土壤有机质，实施合理施肥、植被覆盖、秸秆还田等策略，以提升土壤有机质含量，并增强土壤的碳贮存能力。合理的农业管理和土地利用措施将有助于有机质的积累，改善土壤结构，并提升碳的储存效率。

（4）为提高土地利用效率，合理布局农田、林地和其他用地，最大限度地提升土地的碳吸收和储存能力。例如，通过加强农田水利工程的建设，提高灌溉效率，减少土壤水分蒸发；通过实施农田轮作和间作制度，提高土壤的养分利用效率，并降低化肥的使用量。

提升生态系统碳汇能力，是达成双碳目标的关键步骤之一。为增强生态系统的固碳效能，需强化对森林、海洋及土地等自然环境的保护与修复工作，这需要政府、企业、科研机构及广大公众的协同努力。

据中国科学院战略性先导科技专项“应对气候变化的碳收支认证及相关问题”的调查数据显示，中国陆地生态系统的固碳能力已达到每年10.96亿吨二氧化碳的水平。结合同期多项研究成果与评估，近十年来，我国陆地生态系统的固碳能力保守估计为每年10亿至13亿吨二氧化碳。关于中国陆地生态系统碳汇能力是否能够在既有基础上实现倍增目标，种种迹象显示，这一前景是积极且可期的。

为实现生态碳汇的倍增目标，首要任务是稳固现有基础，进一步整合陆地与海洋全域国土空间资源，充分发挥森林、草原、湿地及滨海地区的固碳潜力。在这方面，仍存在巨大的发掘空间，例如，城市绿化面积的扩大、人工造林项目的持续推进、海洋牧场建设的加强等，均可为提升碳汇能力贡献力量。此外，通过更加系统、深入的论证，还可补充和完善当前核算体系中可能存在的遗漏或被忽视部分。

值得注意的是，当前我国森林资源的平均年龄为30~40年，一般而言，林龄低于80年的森林具备较强的碳汇能力。与此同时，受益于近年来气候变暖带来的降水量增加及氮沉降现象，预期我国生态系统的碳汇能力将得到进一步提升。通过综合多种途径，我国区域生态系统的碳汇能力有望达到每年20亿吨~25亿吨，具备实现倍增目标的巨大潜力。

未来通过不断提升生态系统碳汇能力，并结合工程性碳捕获、利用及封存技术，每年固持5亿吨~10亿吨二氧化碳,将为国家发展腾出约30亿吨的碳排放空间。这对于降低双碳行动的经济成本、缓解社会风险具有重要意义,也具有重要的战略价值。

二、双碳目标与生态环境保护协同增效

(一)双碳助力环境质量改善与气候变化应对

双碳目标的落实,有利于减少主要污染物和温室气体排放,实现减污降碳协同增效。二氧化碳和常规污染物的排放具有同源性,大部分都来自化石能源的燃烧和利用。我国生态环境问题,本质上是高碳能源结构和高耗能、高碳产业结构问题。做好碳达峰、碳中和工作,有利于推动总量减排、源头减排、结构减排,实现减污与降碳、改善环境质量与应对气候变化协同增效。

气候变暖将对生态环境的质量与稳定性产生巨大冲击。气候变化导致极端天气气候事件频发、常发。联合国政府间气候变化专门委员会(IPCC)第六次评估报告以大量证据表明,人类活动是气候变暖的主要推手。全球变暖引发了生物适宜生存地的变化,外来生物进入新的栖息地可能引发新的传染性疾病、生物多样性丧失等,从而破坏长期以来建立的生态平衡。此外,气候变化与生态系统稳定性削弱、生物多样性丧失之间的关系并非简单因果、线性关系,各因素、各系统相互交织、相互作用,使得最后的变化呈现复杂性和网络特性。其演化结果、危害程度远超人类想象。生态系统对气候变化固然有一定限度的自适应特性,但这一适应过程可能伴随难以预估的生态灾难。

双碳为气候应对提供重要契机。总体上看,二氧化碳排放2030年前达到峰值可以为2035年“生态环境根本好转”奠定坚实基础。减缓气候变化有两种方式,一种是大力发展太阳能、风能、氢能等可再生能源,另一种则是发展绿色低碳产业,降低碳排放。

国务院印发的《气象高质量发展纲要(2022—2035年)》中明确提到要强化气候资源合理开发利用。目前,在全世界范围内,我国风、光能资源开发总量和每年新增风、光能资源开发利用规模都处于世界前列。风、光能资源开发属于减排措施,是实现碳中和的重要举措。碳中和的核心是低碳能源转型,低碳能源转型的核心是构造以可再生能源和新能源为主体的新型电力系统,新型电力系统构建的核心是经济性和安全性。未来,在双碳目标下,我国需要大规模开发利用风能和太阳能。在当前应对气候变化的新形势下,广大气象科技工作者要积极把握碳达峰、碳中和目标的契机,将低碳发展和气候适应工作全面融入经济社会发展大局,强化自然生态系统和经济社会系统的气候恢复力,构建适应气候变化的区域格局,助力生态文明和美丽中国建设,以及经济高质量发展。

绿色低碳产业的发展有利于减缓温室气体排放。造成气候变化的主要温室气体是二氧化碳和甲烷。二氧化碳的来源包括汽车所用的汽油、为室内供暖而燃烧的煤炭及开垦土地等。甲烷的主要来源则是农业、石油和天然气作业。那么如何减少温室气体的排放呢?在做好减碳目标的前提下,优化调整产业结构,推动供给侧结构性改革;建立农业生态园,打造绿色循环农业;发展新能源汽车市场,推动交通运输业绿色发展;建立公共绿色低碳服

务体系，形成绿色低碳产业生态。

（二）双碳提升生态系统服务功能

双碳目标的落实有利于减缓气候变化不利影响，提升生态系统服务功能。气候变化对全球自然生态系统产生显著影响，温度升高、海平面上升、极端气候事件频发给人类生存和发展带来严峻挑战。做好碳达峰、碳中和工作，不仅能够减少气候变化导致的极端天气增多、气象及自然灾害频发对人民生命财产和经济社会造成的损失，而且能够降低由此带来的生态系统退化和物种灭绝风险，提升生态系统质量和稳定性，为构建人与自然生命共同体提供有力支撑。

以生物多样性为例，生物多样性是生物与环境形成的生态复合体以及与此相关的各种生态过程的总和，包括生态系统、物种和基因三个层次。生物多样性关系人类福祉，是人类赖以生存和发展的重要基础。但伴随着人类活动及气候变化，生物多样性也受到了影响。

如海洋生态系统中，如果气候变化造成地表的平均气温上升 1 ℃，人类对这 1 ℃的温差也许并没有太直观的感受，但是，这 1 ℃的上升对于珊瑚而言，可能就是致命的。珊瑚礁被誉为“海洋中的热带雨林”，为丰富多样的海洋生物提供了繁衍生息场所，同时也被认为是非常敏感的生态系统之一。如果海水水温超过一定范围，珊瑚就会抛弃虫黄藻，恢复成白色，如果虫黄藻不再回来，珊瑚就会死去，严重时会破坏珊瑚礁生态系统的平衡，伴之生存的海洋生物也会大量死亡。

随着碳减排行动的开展，更多的资金和政策将会用于生态保护和修复，从而维护生物多样性。如果生物多样性能够得到有效的保护，也就意味着野生动植物的栖息地数量和面积增多，对于人类应对气候变化也大有裨益，能够帮助实现碳达峰、碳中和的目标。

三、双碳目标的执行对生态环境带来新的挑战

（一）低碳能源产业发展消耗大量经济资源

低碳能源是指在能源生产和使用过程中可减少或避免温室气体排放的能源形式，如太阳能、风能、水能等。相比传统能源，低碳能源具有较低的碳排放和更高的可再生特性。然而，在低碳能源的开发和利用过程中，由于技术、环境等因素限制，短期内可能造成资源浪费、成本提高的问题。如非化石能源规模化、产业化的普遍应用不仅面临诸如调峰、远距离输送、储能等技术问题，还面临电网体制机制问题。种种原因在一定程度上抬高了可再生能源电力成本，进而影响消纳，制约了可再生能源长远健康发展。

从自身技术特性来看，风电、光伏、光热、地热、潮汐受限于昼夜和气象条件等不可控的自然条件，不确定性大；生物质供应源头分散，原料收集困难；核电则存在核燃料资源限制和核安全问题。可再生能源发电具有波动性、随机性和间歇性的特点，电源与负荷集中距离较远。同时，我国尚未建立全国性的电力市场，电力长期以省域平衡为主，跨省跨区配置能力不足，严重制约了可再生能源大范围优化配置。下面进一步列举部分低碳能源短期内

开发使用过程中可能存在的问题。

1. 太阳能

太阳能是一种广泛利用的低碳能源，主要通过太阳能电池板转换太阳辐射为电能。然而，太阳能电池板的生产和制造过程需要消耗大量的水、能源和化学材料。例如，太阳能电池板的制造需要使用硅材料、铝材料和化学品。同时，太阳能电池板的制造过程中涉及能源消耗，如电力和燃料，以及大量的水资源用于冷却和清洗。因此，为了减少太阳能的资源消耗，可以通过提高太阳能电池板的转换效率，减少原材料的使用量，并开发更加环保和高效的生产工艺。

2. 风能

风能是一种可再生的低碳能源，通过风力发电机将风能转换成电能。然而，风能发电的建设和运营过程需要消耗一定数量的经济资源。例如，风力发电涉及大规模风机的制造和维护，需要大量的金属和能源。此外，风力发电厂的建设需要使用大量的钢铁、水泥等建筑材料。因此，为了减少风能的资源消耗，可以通过提高风力发电技术的效率，延长风机的使用寿命，并加强建筑材料的回收和再利用来降低资源消耗。

3. 水能

水能是一种重要的可再生能源，主要通过水电站将水能转换为电能。然而，水电站的建设和运营也需要大量的资源消耗。例如，水电站的建设需要消耗大量的水泥、钢铁和其他建筑材料。此外，水能的开发和利用也会对水资源造成一定的影响，可能导致水资源的浪费和生态系统的破坏。因此，为了减少水能的资源消耗，可以通过采用小型水电站，减少对水资源的占用，改进水轮机的效率，并进行科学的水资源管理来降低资源消耗。

4. 生物质能

生物质能是指利用植物和动物的有机物质进行能源转换的过程。生物质能具有循环利用的特点，但在其生产和利用过程中也需要消耗一定数量的资源。例如，生物质能的生产和利用需要消耗农作物、水资源和化学品。农作物的种植需要使用土地、水资源和化肥等，而生物质能的转换过程涉及能源消耗和化学处理。为了降低生物质能的资源消耗，可以选择适宜的生物质能源种植方式，避免不可持续的土地利用，提高农作物的产量和资源利用效率，同时，还可以推动生物质能的技术创新，改进生物质能的转换过程，减少能源和化学品的消耗。

从化石能源向可再生能源转变，需要在技术装备、系统结构、体制机制、投融资等方面进行全面变革。

为了有效降低低碳能源的资源消耗，必须坚决支持绿色技术创新，大力推进清洁生产，积极发展环保产业，并全面推进重点行业和重要领域的绿色化改造。构建清洁低碳、安全高效的能源体系，实现能源清洁低碳安全高效利用，离不开先进科学技术的有力支撑。近年来，大数据、云计算、区块链、人工智能等前沿技术正日益融入能源产业，深刻改变着能源业态的发展格局。能源、电力与互联网、大数据的深度融合，正催生出能源物联网、节能的人工智能及综合能源服务业等新兴业态。当前，我国一些地区正积极开展“智慧能源大脑”

建设,推动能源系统与信息技术的深度融合。这一创新举措将进一步拓展基于数据的能源服务领域,有力提升能源利用效率,促进能源产业的绿色低碳发展。

低碳能源是实现碳达峰、碳中和目标的重要策略之一。我们必须坚持清洁低碳导向,树立人与自然和谐共生的理念,将清洁低碳作为能源发展的主导方向,推动能源绿色生产和消费。同时,要优化低碳能源的生产布局和消费结构,加快提高清洁能源和非化石能源的消费比重,大幅降低二氧化碳排放强度和污染物排放水平,加快能源绿色低碳转型,为建设美丽中国贡献力量。我们必须清醒认识到,只有在全面考虑资源消耗和环境影响的前提下,低碳能源才能充分发挥其最大的环境保护和可持续发展作用。因此,我们必须以更加严谨、稳重、理性的态度,推动低碳能源的发展,为实现可持续发展目标做出积极贡献。

(二)双碳产业发展占用大量土地资源

在追求双碳目标的道路上,我们必须正视双碳产业对土地资源的占用问题。土地资源,作为人类生存与发展的重要基石,其合理利用与保护显得尤为关键。双碳产业,涵盖了可再生能源发电、新能源汽车制造、能源储存及碳捕捉利用等多个领域,尽管这些产业在推动碳减排和替代传统能源方面扮演了重要角色,但其对土地资源的占用也不容忽视。

首先,可再生能源发电设施的建设往往需要占用大量土地。无论是风电场还是光伏电站,都需要广阔的空地来安装风力发电机组和光伏板。特别是在风能、太阳能资源丰富的地区,这些设施的建设往往涉及大片土地的征用和开发,这无疑对土地资源构成了压力。

其次,新能源汽车产业的蓬勃发展也对土地资源提出了新的挑战。随着电动汽车市场的不断扩大,对电池生产工厂和充电基础设施的需求日益增长。这些设施的建设同样需要占用土地,并且在生产过程中还可能产生土地污染等环境问题。

再次,能源储存设施的建设也占用了一定的土地面积。尽管能源储存是实现可再生能源大规模利用的关键环节,但其用地需求也给土地资源管理带来了挑战。特别是在城市地区,土地资源的稀缺性使得能源储存设施的布局和规划更加复杂。

最后,碳捕捉利用技术作为解决二氧化碳排放问题的重要途径,其设施的建设同样需要占用土地。碳捕捉设备和二氧化碳储存库的建设不仅需要大片的空地,还可能对周边生态环境造成一定的影响。

对于双碳产业占用土地资源的问题,我们必须采取科学规划、合理利用土地资源的措施,通过优化产业布局、提高土地利用效率、加强土地生态保护等方式,实现双碳产业的可持续发展与土地资源的合理利用。只有这样,我们才能在追求双碳目标的同时,保护好宝贵的土地资源。具体可采取的措施如下。

第一,政府应当强化土地规划与管理,以保障双碳产业的健康发展与土地资源的科学利用相契合。为此,政府需制定并出台一系列法规和政策,以明确土地规划的方向与目标,并合理划定土地的用途及保护区域。同时,政府还需加大对土地资源的监管与执法力度,严防滥用与浪费现象的发生。

第二,企业在推进双碳产业项目时,应充分重视土地资源的保护及利用效率。企业应积极运用技术创新手段,提升生产和建设的效率,以尽可能少的土地资源实现更大的经济效益。此外,企业还应切实开展环境评估工作,对项目可能造成的土地占用及环境影响进行科学评估与有效控制,努力避免不可逆的生态破坏。

第三,社会各界亦应加强对土地资源保护的宣传教育工作,提升公众的环保意识。公众应充分认识到土地资源的重要性及其有限性,积极支持并参与相关环保行动。同时,社会组织及非政府组织亦应发挥其监督与参与的作用,共同推动双碳产业的可持续发展,确保土地资源的合理利用。

在推进双碳目标实现的过程中,我们不仅要聚焦碳排放的减少,还需高度重视土地资源的合理利用。实现可持续发展的目标关键在于找到碳减排与土地保护之间的平衡点。通过加强政府监管、企业自我约束及提升公众环保意识,我们可以在保护土地资源的同时,推动双碳产业的稳步发展,为构建清洁、可持续的未来贡献力量。

(三)双碳产业发展产生大量新兴固体废物

在追求双碳目标的征程中,我们既要致力于解决碳排放问题,又需高度重视并妥善管理由双碳产业所衍生的固体废物问题。双碳新兴产业,诸如可再生能源和电动汽车等,固然在降低碳排放方面发挥了积极作用,但与此同时,这些产业的运行过程中也产生了大量的固体废物。由于新兴固体废物的处置与高效利用工作往往滞后于项目的建设与运行,因而常被忽视,这既可能导致固体废物中蕴含的巨量可再生资源的浪费,又可能抑制其潜在的碳减排能力的释放。此外,新兴固体废物的产生源较为分散,这增加了规范收集的难度,而无害化处置能力的不足又使得其可能流向非正规渠道,进而对生态环境安全与人民健康构成威胁。因此,有效管理这些固体废物对于推动环境可持续发展具有重要意义。

首先,在可再生能源发电领域,我们需对产生的固体废物进行妥善处理。以风电和光伏发电为例,废弃的风机叶片和光伏板等固体废物,因材料结构复杂且可能含有有害物质,难以直接进行回收再利用。为此,我们应深入研究并应用高效的废弃物处理技术,如物理或化学分解、焚烧及回收等,力求最大限度地减少环境污染与资源浪费。

其次,电动汽车产业的快速发展也带来了电池废物的管理挑战。电动汽车所使用的锂离子电池,在其生命周期结束后,若未得到妥善处理,将可能转化为危险废物,对环境和人类健康构成潜在风险。因此,我们应加快建立和完善电池废物的回收与处理体系,利用先进的回收技术实现废旧电池的拆解、分离和资源回收,从而降低电池废物对环境的影响。

此外,双碳新兴产业还涉及其他类型的固体废物,如建筑废料、碳捕捉利用设备废料等。对于这些废物,我们同样需要实施合理的管理与处置措施。例如,建筑废料可通过再生利用、回收再利用等方式减少对原材料的需求,进而减轻对生态环境的压力;对于碳捕捉利用设备废料,我们应积极探索研发高效且安全的处理技术,以降低其对健康和环境的不良影响。在双碳新兴产业的发展中,固体废物管理应被视为一个重要的环境议题。为了有效管理这些固体废物,以下几个方面的努力是必要的。

1. 完善支持政策,强化法律保障

政府应建立和完善固体废物管理法规,明确责任和标准,并加强对企业和机构的监管和执法力度。同时,政府还可以提供经济激励措施,鼓励绿色信贷,支持固体废物综合利用企业发放绿色债券,鼓励和支持固体废物处理技术的创新和推广。

2. 创新固体废物综合利用关键技术

需要加大对固体废物处理技术的研究和开发力度,探索更高效、更环保的处理方法。例如,可以发展先进的回收和再利用技术,提高固体废物资源化的水平;同时,可以推动研发安全、可持续的焚烧和填埋技术,实现无害化处理。

3. 注重废物分类和回收

建立有效的废物分类和回收体系,鼓励公众和企业积极参与,通过正确的分类和回收,可将废物转化为资源,实现循环利用。政府可以加强对废物分类和回收系统的宣传和教育,提高公众的环保意识和参与度。

双碳新兴产业的发展不仅需要解决碳排放问题,还需要关注和管理产生的固体废物。在促进双碳产业发展的同时,更好解决双碳新兴产业产生的固体废物,实现环境的可持续发展。这将为未来的低碳经济和可持续发展奠定坚实的基础。

第三节 低碳转型与环境优化协同发展

推行绿色发展,保护生态环境已成为国家意志和全民共识。为此,国家全力推进三大产业中重点领域的绿色低碳转型。低碳转型将改变过去“以牺牲生态环境为代价换取一时经济发展”的做法,在一定程度上会促进生态环境的优化。要想实现生态优化,农业、制造业、服务业低碳转型是低碳发展的重要举措。然而,落实低碳转型的道路并不是一帆风顺的,低碳发展面临着产业结构、能源结构难改变,生态文明体系未建立等挑战。为应对这些艰巨挑战,从空间、过程、保障三方面提出实施举措,来保护生态环境,促进生态优化。

一、产业低碳转型促进生态环境优化

(一)推进农业低碳转型是生态环境优化的基本前提

当前世界农业正处在一个由“高碳”向“低碳”的重大转型期。低碳农业是全球性的生态危机特别是全球气候变暖催生的生态革命产物。与传统高碳农业相比,低碳农业具有明显的优势,集中体现在:节约性、环保性、安全性、高效性、和谐性,其发展理念体现了低碳农业是资源节约型农业、环境友好型农业。农业绿色低碳转型具有重要意义,具体体现为以下四点。

第一,温室气体排放减少:农业是全球温室气体排放的重要来源之一,通过绿色低碳转型,可以减少农业活动中的温室气体排放,为应对气候变化做出贡献。

第二,资源利用优化:农业生产过程中对土地、水资源、化肥等的需求较高,通过优化资源利用,可以提高农业生产效率,降低资源消耗。

第三,生态环境保护:农业活动对生态环境产生一定的影响,通过绿色低碳转型,可以减少农药、化肥等对环境的污染,保护生态系统的健康。

第四,可持续发展:农业绿色低碳转型是实现农业可持续发展的关键,有助于保障粮食安全、农民收入和农村经济的可持续增长。

要实现农业低碳转型,就要科学构建绿色低碳循环的农业产业体系,不断加大农业生态环境保护力度,积极稳妥推进农业农村减排固碳。同时中国农科院强化使命担当,突破一批关键核心技术,示范推广一批新模式,探索农业碳标签、碳交易有效路径,参与制定农业绿色低碳发展扶持政策,为促进农业绿色发展、加快生态优化。实施农业绿色低碳转型的具体策略和方法如下。

第一,理论上,应加强与科研机构和高校的合作,开展农业绿色低碳转型的科学研究和技术创新。促进农业科技成果的推广和应用,提高农业生产效率和资源利用率,更多地使用可再生清洁能源或生物能源以减少农业用能的碳足迹,构建出科学完整的产业体系,为低碳转型奠定理论依据。

第二,政策上,应制定和完善相关政策,为农民提供资金和税收支持,鼓励农民采取绿色低碳种植、养殖和农业生产方式。建立农业碳市场和碳配额交易机制,为农业绿色低碳转型提供经济奖励和激励措施,为低碳转型提供政策保障。

第三,技术上,应加大对农民的技术培训和转型指导力度,推广绿色农业技术和管理方法,提高农民对绿色低碳转型的认知水平和技能,促进技术的普及和应用,争取早日突破关键核心技术,为低碳转型提供技术支持。

第四,市场监督监管上,应建立农业绿色低碳转型的标准和指南,加强对农业生产环节的监管和管理。加强农产品的质量和安全监测,推动绿色低碳农产品的认证和标识体系建设,提高消费者对于绿色低碳产品的认可度和购买意愿。

第五,需求端上,应加强对消费者的宣传和教育,提高对绿色低碳农产品的认知和关注度,培育绿色消费习惯。通过市场机制和价格激励,鼓励消费者选择绿色低碳农产品,推动农业绿色低碳转型的市场需求。

农业绿色低碳转型是实现农业可持续发展和生态优化的基础前提,生态的优化离不开农业的绿色低碳转型。推进农业绿色低碳转型,将为农业可持续发展、生态环境保护和人民生活质量的提升做出重要贡献。社会各界也要共同努力,才能实现农业绿色低碳转型的目标,共建一个更加可持续和繁荣的农业生态系统。

(二)推进制造业低碳转型是生态环境优化的核心举措

制造业低碳发展是应对生态环境优化的核心举措,同时制造业是中国能源消耗和二氧化碳排放的最主要领域。经过多年努力,我国制造业低碳发展已经取得了较为显著的成效:近年来,我国制造业在保持快速发展势头的同时,碳排放强度也在持续下降。2020 年 12

月发布的《新时代的中国能源发展》白皮书显示，2019 年，碳排放强度比 2005 年下降 48.1%，超过了 2020 年碳排放强度比 2005 年下降 40%~45%的目标，制造业碳排放量的高速增长局面已被扭转，制造业碳排放强度显著降低。但是，我国制造业能源消耗强度仍与世界先进水平存在差距。我国仍面临诸如制造业低碳发展与降本减负并重、制造业去煤化任务艰巨、部分关键低碳技术水平薄弱的挑战。应对这些挑战，推进制造业低碳转型的关键措施和策略可有以下几点。

第一，加大财税支持，精准引导绿色低碳转型，加大财税扶持力度，促进能源清洁化与产业绿色化。发挥财政资金的引导激励作用，提升可再生能源利用比例，多能互补，风、光、水、生物质能、储能技术协同互补；充分利用清洁技术改造、节能减排等资金渠道及政府和社会资本合作模式，加大相关专项支持力度；继续落实资源综合利用以及合同能源管理、环境污染第三方治理等绿色环保产业的所得税、增值税等优惠政策。

第二，建立完善碳排放管理机制，为碳排放总量和强度“双控”提供制度支撑。加紧制定重点用能制造业碳排放评价通则，指导和规范企业降低碳排放；提升碳排放核算监测能力，加快遥感测量、大数据、云计算等新兴技术在碳排放实时在线监测领域的应用；加强事中事后监管，将碳排放监管引入到环保执法督查体系中；在汽车、电子电器、通信、大型成套装备等行业选择龙头企业开展碳足迹评估体系试点，强化产品全生命周期碳排放精细化管理。

第三，强化能源管理和节能减排：企业应加强能源管理，通过能源监测和数据分析，识别能源浪费和低效问题，并采取相应的节能措施。推广先进的节能技术和装备，提升生产过程的能源效率，降低温室气体排放。

第四，开展资源循环再利用试点示范。示范建立完整再生资源产业链，利用以物联网技术为核心的现代化信息技术，着力培育一批新型再生资源回收利用龙头企业，搭建再生资源回收利用信息服务平台，打造线上线下融合、流向可控的高效率再生资源逆向物流系统，从而提高资源利用率，减少生态污染。

第五，培养制造业低碳转型所需的专业人才，包括技术人员、管理人员和决策人才。加强产学研合作，推动科技交流和合作，引进国内外专业人才和技术创新。

推进制造业低碳转型是生态优化的核心举措。新征程中，加快推动制造业绿色低碳发展，不仅是践行“绿水青山就是金山银山”理念、助力工业领域实现碳达峰碳中和目标的必由之路，也是建设现代化产业体系、实现高质量发展的应有之义。推动制造业低碳转型，才能实现经济效益、生态优化的可持续发展。

（三）推进服务业低碳转型是生态环境优化的重要支撑

推进服务业低碳转型是生态优化的重要支撑。进入 21 世纪以来，我国服务业呈现出规模迅速壮大、质量效益不断提升的良好发展势头，服务业在稳增长中发挥了中流砥柱作用。在双碳战略背景下，服务业低碳转型发展面临新的机遇和新的潜力空间。作为经济发展的重要领域，在低碳转型方面也扮演着重要角色。推动服务业低碳转型的意义具体如下。

第一，减少碳排放：服务业在交通、餐饮、旅游和物流等领域的活动中产生大量的碳排放。推进低碳转型可以降低碳排放，减少对气候变化的负面影响，从而保护生态环境。

第二，提高资源效率：服务业的活动有很大程度上依赖于资源消耗，通过优化服务流程和提高资源利用效率，可以降低资源消耗和浪费，实现可持续发展。

第三，增加竞争力和市场机会：随着全球对低碳经济的需求增加，推进服务业低碳转型可以为企业提供竞争优势和创新机会，满足消费者对低碳产品和服务的需求。

第四，资金回报与成本节约：低碳转型可以带来成本节约，例如通过节约能源和减少废物处理成本。此外，采用低碳技术和创新方案可以获得政府和金融机构提供的资金回报和奖励。

2021 年 2 月 22 日，国务院印发《关于加快建立健全绿色低碳循环发展经济体系的指导意见》（以下简称《意见》），提出以节能环保、清洁生产、清洁能源等为重点率先突破，做好与农业、制造业、服务业和信息技术的融合发展，全面带动一二三产业和基础设施绿色升级。在《意见》中，可以得出服务业低碳转型的关键举措和战略。

1. 提高服务业绿色发展水平

促进商贸企业绿色升级，培育一批绿色流通主体。有序发展出行、住宿等领域共享经济，规范发展闲置资源交易。加快信息服务业绿色转型，做好大中型数据中心、网络机房绿色建设和改造，建立绿色运营维护体系。推进会展业绿色发展，指导制定行业相关绿色标准，推动办展设施循环使用。推动汽修、装修装饰等行业使用低挥发性有机物含量原辅材料。倡导酒店、餐饮等行业不主动提供一次性用品。

2. 构建绿色供应链

鼓励企业开展绿色设计、选择绿色材料、实施绿色采购、打造绿色制造工艺、推行绿色包装、开展绿色运输、做好废弃产品回收处理，实现产品全周期的绿色环保。选择 100 家左右积极性高、社会影响大、带动作用强的企业开展绿色供应链试点，探索建立绿色供应链制度体系。鼓励行业协会通过制定规范、咨询服务、行业自律等方式提高行业供应链绿色化水平。

3. 打造绿色物流

积极调整运输结构，推进铁水、公铁、公水等多式联运，加快铁路专用线建设。加强物流运输组织管理，加快相关公共信息平台建设和信息共享，发展甩挂运输、共同配送。推广绿色低碳运输工具，淘汰更新或改造老旧车船，港口和机场服务、城市物流配送、邮政快递等领域要优先使用新能源或清洁能源汽车；加大推广绿色船舶示范应用力度，推进内河船型标准化。支持物流企业构建数字化运营平台，鼓励发展智慧仓储、智慧运输，推动建立标准化托盘循环共用制度

4. 促进绿色产品消费

加大政府绿色采购力度，扩大绿色产品采购范围，逐步将绿色采购制度扩展至国有企业。加强对企业和居民采购绿色产品的引导，鼓励地方采取补贴、积分奖励等方式促进绿色消费。推动电商平台设立绿色产品销售专区。加强绿色产品和服务认证管理，完善认证

机构信用监管机制。推广绿色电力证书交易,引领全社会提升绿色电力消费。严厉打击虚标绿色产品行为,有关行政处罚等信息纳入国家企业信用信息公示系统。

服务业低碳转型是实现可持续发展的重要步骤,对减少碳排放、降低资源消耗、提高竞争力和市场机会都具有重要意义。实现服务业低碳转型,能促使污染物排放总量减少,碳排放强度降低,生态环境持续改善,为生态优化提供重要支撑。

二、双碳生态文明制度体系构建

(一)双碳生态文明制度体系建立的必要性

实现碳达峰、碳中和是一场广泛而深刻的经济社会系统性变革,要把双碳目标纳入生态文明建设整体布局中。生态文明建设并非孤立存在,而是与政治、经济、社会、文化等方面的建设相互分工、相互协调、相互促进。因此,双碳战略与生态环境优化在本质上是目的一致的。因此建立双碳生态文明制度体系对于实现经济社会发展与生态环境保护的良性循环具有重要意义,其必要性有如下三点。

1. 保护生态环境

建立双碳生态文明制度体系可以有效降低温室气体排放,控制气候变化,保护生态环境。通过制定严格的减排目标和措施,推动清洁能源发展和能效提高,实现可持续发展。

2. 促进经济发展

双碳生态文明制度体系的建立可以推动经济结构优化升级,促进新能源、清洁技术和环保产业的发展。创造新的经济增长点,提升经济竞争力。

3. 实现全球共享

双碳生态文明制度体系的建立需要全球合作和共享。通过建立合作机制和技术交流平台,各国可以共同分享先进的技术和经验,实现共同发展和共享成果。

尽管双碳生态文明制度体系尚未完全建立,但其建设是解决气候变化和环境问题的关键措施。通过加强全球合作、完善监管机制、制定激励政策、加强科技研发、加强教育宣传和建立信息共享平台等多方面的努力,可以逐步推动双碳生态文明制度体系的建立。这将为全球经济社会的可持续发展提供重要保障,实现经济繁荣与生态环境的良性循环。各国政府、企业和公众需共同行动,共同努力,共同推动双碳生态文明制度体系的建设,为可持续的未来做出贡献。

(二)双碳生态文明制度体系建立存在的问题

目前全球范围内的双碳生态文明制度体系尚未完全建立起来。目前中国本土双碳生态文明制度体系建立困境在于,生态环境保护体制机制问题仍旧突出。

一是基础性相关法律制度不完善。这导致下游制度依据不足,进而对整个制度链效能产生影响。例如,中国排污权、碳排放权交易起步较晚,还未真正建立起完善的市场交易机制,在实践中存在总量控制指标难以确定和指标原始分配难以做到公平的问题。

二是生态文明制度的“督政”职能发挥不畅。长期以来，中国地方环保部门既没有被赋予完整的执法主体资格，也未能有效发挥对政府及其相关部门履行生态文明建设责任的“督政”职能。在环保系统内部存在“查企”的执法职能与“督政”的监察职能混为一谈的现象。由于缺乏有效的约束性压力，一些地方领导干部在实践中更加难以自觉承担生态环境保护的政治责任。

三是公众参与生态文明建设的机制尚未建立。公众对生态文明建设的认识缺乏深度和广度，参与程度较低，其根源在于公众参与决策过程相对间接和滞后，往往是在决策基本完成后提出意见和建议，或者通过调查问卷、书面意见等方式向有关部门表达看法。然而大多数情况下，各方利益群体在决策时没有合适的渠道进行协商，决策参与者的意愿和价值观就不能被准确反映。

以上问题产生的根本原因可总结如下。

1. 缺乏全球协调

气候变化和环境问题是全球性挑战，需要各国共同应对。然而，目前全球范围内缺乏有效的合作机制和协调机构，各国在能源转型和环境保护方面的政策存在差异，导致双碳生态文明制度体系的建立困难。

2. 利益冲突

在能源转型和环境保护过程中，不同利益主体之间存在冲突。传统能源行业和一些利益集团可能受到转型的影响，对建立双碳生态文明制度体系持抵触态度。这种利益冲突导致制度体系建设进展缓慢。

3. 缺乏有效监管

双碳生态文明制度体系需要强有力的监管机构和法律法规支持。然而，目前监管体系尚未完善，法律法规执行不严格，缺乏对违规行为的严厉处罚和有效监测手段，导致部分企业和地区对环境污染问题不够重视。

（三）促进双碳生态文明制度体系建立的建议

那么如何去建立双碳生态文明制度体系呢？目前有以下几个重点方向可有效促进体系的建立。

1. 加强全球合作

各国应加强沟通和协调，建立全球合作机制，制定共同的减排目标和行动计划。加强技术合作和创新，共同推动新能源和清洁技术的发展和应用。

2. 完善监管机制

建立全面、严格的监管机制，加强环境保护法律法规的制定和执行力度。加大对环境违法行为的打击力度，提高违规成本，确保各方遵守环境保护要求。

3. 制定激励政策

政府可以制定激励政策，鼓励企业和个人参与双碳生态文明制度体系建设。通过提供税收减免、补贴和奖励等措施，促进清洁能源的投资和使用，鼓励绿色技术的创新和应用。

4. 加强科技研发

加大科研投入,加强技术研发和创新能力,提升清洁能源技术的成熟度和市场竞争力。鼓励企业和研究机构加强合作,推动技术的转化和应用。

5. 加强教育宣传

通过教育和宣传活动,增强公众对双碳生态文明制度体系建设的认识和理解。提高环境保护意识,引导社会舆论的支持和参与,形成全社会共同推动双碳生态文明制度体系建设的合力。

6. 建立信息共享平台

建立全球范围的双碳生态文明制度信息共享平台,促进各国之间的经验交流和合作。共享最佳实践和成功案例,促进创新和快速复制,在全球范围内加快双碳生态文明制度体系的建设进程。

三、多手段推进低碳转型与生态环境协同治理

我国工业化城镇化尚未完成,节能减排压力较大,绿色创新能力偏弱,新能源、新产业发展不足,因此双碳目标落实与生态文明建设依然任重道远,我国需要采取多方面、多样化的政策措施持续推进低碳转型与生态环境协同治理。

(一)推动区域生态环境协同治理

双碳目标的实现必须加强从国际到区域层面的合作,推动区域生态环境协同治理,共享生态环境优化成果。

从国际来看,各个国家和地区要信守承诺,遵守《联合国气候变化框架公约》及《巴黎协定》的原则和要求,坚持多边主义、坚持共同但有区别的责任,构建公平合理、合作共赢的全球气候治理体制机制。发达国家要言而有信,积极承担碳排放的历史责任,为发展中国家提供应对气候变化的资金、技术等方面援助。各个国家要加强经验、知识、技术等方面的交流和分享,联合开展节能减碳方面关键核心技术攻关,突破节能降碳瓶颈,也为我国双碳目标实现提供良好的国际合作环境。

从区域来看,着眼于全国"一盘棋",打破行政边界,强化区域之间的协同治理。例如,可以把节能降碳行动融入中国区域发展战略中,着力解决区域性的碳排放突出问题,打造节能降碳、绿色发展示范区,并且对周边区域和落后地区产生持续的扩散和溢出效应。积极推进城乡环境共治,补齐农村生态环境治理短板,统筹推进绿色城镇化和绿色乡村振兴,形成城乡生态环境治理一体化格局。

从省域来看,双碳目标提出后,需要各省份进行目标任务分解和细化,如北京提出要做应对气候变化的北京示范,河北提出要打造塞罕坝生态文明建设示范区,山东要着力打造山东半岛"氢动走廊",等等。各省份具体目标和细则的出台与实施,不仅能够因地制宜地推动区域生态环境治理,还可以充分发挥各地优势,形成推动区域生态环境优化的合力。

（二）源头–生产–消费全程节能减碳

1. 要从源头上加快中国能源结构调整

大力推进新能源设施建设，特别是在沙漠、戈壁、荒漠等地区建设大型风电、光伏基地，增强低碳清洁能源的供给能力。推进工业领域的天然气代煤和电代煤，有效降低煤炭在工业生产中的使用量。提升能源使用效率，如可以充分利用燃煤电厂的余热进行取暖和转化为热能；积极推进建筑节能，加大开发和利用地热能，充分将地热能转化为冬季北方供暖使用。建设低碳高效的交通运输体系，提高铁路、水路在承运中的比重，加快发展新能源和清洁能源交通工具。当然，能源结构调整要遵循化石能源有序降低的规律，在短期内仍要注重煤炭、煤电的兜底保供作用。

2. 要从过程上加快中国产业结构调整

要统筹做好各产业节能降碳的总体部署，加快构建节能降耗的产业体系，运用先进的环保技术改造传统产业，推进产业链和供应链的低碳化。充分运用数字经济、人工智能、互联网、5G 等先进技术与能源产业链、人才链、创新链深度融合，形成集研发与运用于一体的新兴产业创新发展格局。准确把握国家重大战略产业化目标，大力开展新能源汽车、智能电网技术装备、能源智能化开采技术装备、能源高效利用与节能技术、可再生能源与氢能技术等关键核心技术攻关，为中国产业结构优化与质量提升提供充足的技术保障。

3. 要从末端上促进中国消费结构调整

加强生态环境保护教育，利用媒体、互联网、社区宣传等各种渠道宣传低碳生活方式，创建一批绿色家庭、绿色社区、绿色学校，使广大民众了解什么是低碳生活，以及如何实现低碳生活。制定绿色消费指南，引导广大民众合理消费，抵制资源能源浪费行为，确保低碳理念贯穿于从意识到行动的全过程。此外，还要统筹推进城镇绿色发展和乡村绿色振兴，形成城乡低碳绿色发展新格局。

（三）加快实现双碳目标的软硬基础设施建设

1. 要严格制定和实施基础设施建设的绿色化标准

按照最新的要求和标准加强对传统基础设施和技术装备绿色化、低碳化提标改造，该淘汰的淘汰、该新建的新建，特别要对新建基础设施进行低碳规划。在市政基础设施建设上开展全过程绿色评价，推广绿色施工模式，特别要注重把市政基础设施与生态景观、绿地系统、生态廊道等生态环境建设与修复相结合，一方面有利于打造优美的城市生态空间，提高居民的生活品质；另一方面有利于恢复和提升生态系统功能，使经济发展与生态环境保护更加协调有序。

2. 要推动新型基础设施低碳绿色发展

在数据中心建设上，引导大型和超大型数据中心主要集中布局在国家枢纽阶段数据中心范围内，避免盲目重复建设，对东部地区有关后台加工、存储备份等非实时算力需求，可以向西部风能、光能等资源富集地区转移。在数据中心运转上，要提高服务器的利用率，采用先进制冷技术,降低供电系统的电能损耗,对数据中心所涉及的温度、电压、电流、功率等关键数据进行实时监测,开展系统化管理。在5G基站建设上,大力推进绿色基站建设,推广自然冷源等配套设施,提升基站供电系统能效。在通信网络建设上,打造全光纤传送网,大幅降低由于光电转换而导致的能耗损失;着力构建"一张物理网、多张逻辑业务网"的运行格局。

3. 要完善要素保障支撑体系

积极推动以绿色投资为导向的绿色金融发展,着力开展碳基金、碳资产质押贷款、碳资产授信、碳保险等各项碳金融服务,促进碳金融产品创新,更好地发挥碳金融体系深化对区域环境优化的投融资作用。要积极培养既懂低碳发展、绿色发展、生态环境保护理论,又知晓生态环境保护前沿技术,还对互联网、人工智能等现代信息技术有一定了解的通用型、复合型人才,为双碳目标实现提供智力支持。要围绕双碳目标核心技术、生态环境保护关键技术积极布局创新,力争取得关键性技术突破,为区域生态环境优化提供技术支撑。此外,还要加强顶层设计,着眼于全国"一盘棋",确保区域生态环境优化的有序推进。

【本章小结】

双碳目标,即碳达峰和碳中和,是我国积极应对全球气候变化的重要战略部署。而生态环境建设则是实现双碳目标的基石,两者相辅相成,缺一不可。只有加强生态环境建设,才能为实现双碳目标提供坚实的支撑和保障;而双碳目标的实现,也将进一步促进生态环境的改善与优化。

要充分认识到我国在实现双碳目标过程中所展现出的坚定决心和强大力度。我国政府不仅制定了详细的政策措施,还将双碳目标纳入国家发展战略,体现了我国应对气候变化问题的决心和担当。

我们也要明确自己在实现双碳目标过程中的责任和使命。作为社会的一分子,我们不仅要增强环保意识,积极学习相关知识,更要付诸实践,参与到环保行动中去。无论是日常生活中的节能减排,还是参与环保组织的活动,我们都可以为实现双碳目标贡献自己的力量。

双碳目标与生态环境建设是紧密相连的。只有我们共同努力,加强生态环境建设,才能实现双碳目标,推动我国社会的绿色转型和发展。

【案例分析】

塞罕坝生态文明建设

塞罕坝是中国河北省的一个县级林场,也是中国生态建设的一个典型案例,体现了生态文明建设对双碳目标的积极作用。

塞罕坝位于内蒙古与河北、北京三省市的交界处,原本是一个贫瘠的草原地区。然而,自20世纪五六十年代起,中国政府开始在这里进行大规模的植树造林工程,目的是改善当地环境、保护水源、保持土壤稳定,并推动经济发展。这一工程成为中国历史上最大规模的生态建设项目之一。

塞罕坝林场通过几十年的生态修复工程,累计造林 7.3 万公顷,森林覆盖率从 11.4%提升至 82%。通过引进适宜的树种,加强土壤保护、水源管理和植被保护等措施,塞罕坝林场已经形成了一个广阔的森林生态系统。这些森林不仅使得塞罕坝地区的生态环境得到了持续改善,还为当地的经济发展提供了可持续的资源和产业基础。

塞罕坝生态建设的成功不仅使得当地环境得到了保护和改善,还对双碳目标的实现发挥了积极作用。首先,森林的建设和恢复促进了二氧化碳的吸收和储存。树木通过光合作用吸收大量的二氧化碳(每公顷森林年均可吸收 6~8 t 二氧化碳),并将其转化为有机物质,同时释放出氧气。这不仅有助于减少大气中的二氧化碳浓度,还为塞罕坝地区的生态系统注入了新的生命力。

其次,塞罕坝林场的生态建设也提供了可再生的生物质能源。生物质能源是一种可替代传统的化石燃料的清洁能源,其燃烧过程中产生的二氧化碳释放量相对较低。塞罕坝林场可以通过科学管理和可持续利用林木资源,为当地提供生物质能源,减少对高碳能源的依赖。

此外,塞罕坝林场还通过生态旅游等方式,促进了低碳经济的发展。当地的森林景区和生态旅游项目吸引了大量的游客,为当地带来了经济收益。同时,生态旅游也使游客更加关注环境保护和碳减排,促进了可持续发展理念的传播。

塞罕坝生态文明建设的成功案例充分展示了生态文明建设对双碳目标的重要作用。通过植树造林、保护生态系统、推动低碳经济发展等措施,塞罕坝林场实现了环境保护与经济发展的良性互动,为减少碳排放、改善生态环境做出了积极贡献。这一案例不仅在中国,也在全球范围内得到了广泛的关注和借鉴。

【问题探索】

1. 生态问题涉及哪些方面的挑战?如何解决这些挑战?
2. 如何增加碳吸收?有哪些生态保护和修复措施可以采取?
3. 如何推动可持续发展?可持续发展与生态问题之间有怎样的关系?
4. 在双碳与生态问题的探索中,作为学生的我们可以做些什么呢?

第四章　双碳与垃圾

【本章导读】

建设美丽中国，是全面建设社会主义现代化国家的重要目标，也是满足人民日益增长的优美生态环境需要的必然要求。要实现这一战略目标，必须形成绿色生产方式和生活方式，重视资源的再生循环利用，加快构建废弃物循环利用体系，推动各种废弃物和垃圾集中处理和资源化利用。

本章将深入分析我国在垃圾处理方面的实践和经验，同时也汲取全球范围内的先进做法和创新思路。深入探讨垃圾分类、回收利用、资源化利用等技术和策略，以及它们在减碳过程中的作用和潜力。同时，也将探讨如何通过政策引导、奖惩制度和公众教育等方式，形成良好的垃圾处理文化和习惯。通过研究助推垃圾处理行业的绿色转型，为城乡垃圾处理提供科学的政策支持，同时为全球碳减排贡献中国智慧和中国方案。

双碳与垃圾

【思维导图】（图 4-1）

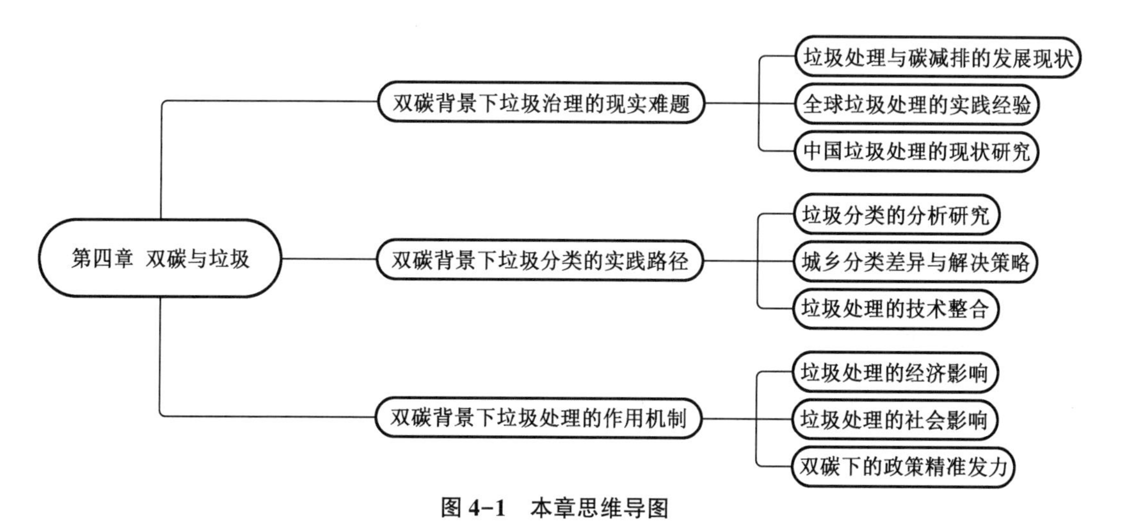

图 4-1　本章思维导图

第一节 双碳背景下垃圾治理的现实难题

在全球范围内,垃圾处理均被视为一个亟待解决的问题,各国政府均致力于应对此挑战并寻求有效的解决方案。恰当且高效的垃圾处理方式不仅对于环境卫生至关重要,更是实现碳减排目标的关键途径。因此,对垃圾回收与处理的深入研究,对于优化垃圾处理策略、推动低碳生活方式的实践具有深远的理论和实践意义。

一、垃圾处理与碳减排的发展现状

随着全球气候变化的加剧,碳减排已成为国际社会的共同目标。在这一背景下,垃圾处理与碳减排之间的关系日益受到关注。随着社会的发展和人口的增加,垃圾的产生量大幅增长,其处理过程中的碳排放问题也随之突显。垃圾处理不仅涉及环境保护,还关联到社会经济发展和居民生活质量。

生活垃圾处理过程中,无论是垃圾的收集、运输还是最终的处理方式,都会产生不同程度的温室气体排放,如二氧化碳(CO_2)、甲烷(CH_4)等。根据IPCC(联合国政府间气候变化专门委员会)国家温室气体清单指南,固体废物领域的温室气体排放量排在第5位。据IPCC第六次评估报告(2021年),固体废物领域温室气体排放量占全球总量的3.2%,主要来自生活垃圾填埋场的甲烷排放。一些生活垃圾包括很多有机物,在未进入垃圾收集处理系统前就会释放出温室气体,除此以外,在垃圾填埋、堆肥、焚烧的处理过程中也会产生温室气体排放。因此,优化垃圾处理模式,减少垃圾处理过程中的碳排放,已成为实现绿色、低碳发展的重要途径。

为了实现双碳目标,同时形成绿色生产和生活方式,如何资源化无害化进行垃圾处理成为全球关注的重要议题。1997年《联合国气候变化框架公约的京都议定书》和2015年《巴黎协定》均要求或鼓励削减垃圾处理的碳排放。国际上,许多城市在垃圾处理过程中通过采用先进的处理技术和优化处理流程,不仅实现了垃圾减量,还有效降低了碳排放。我国也不断完善环境保护、循环经济、清洁生产和节约能源等相关法律法规。2020年修订的《中华人民共和国固体废物污染环境防治法》为垃圾处理提供了法律支持,推进了生态文明建设和经济社会可持续发展。未来,随着技术进步和公众意识的提升,垃圾处理在碳减排中的作用将更加显著。需要继续探索更高效、更环保的垃圾处理方法,为实现全球碳中和目标贡献力量。

二、全球垃圾处理的实践经验

垃圾处理对环境保护至关重要。不当处理垃圾会导致土壤、水源和大气的污染,对生态系统造成破坏。垃圾填埋产生的渗出液可能污染地下水,垃圾焚烧释放的有毒气体会对空气质量造成危害。通过适当的垃圾分类、回收和处理,可以减少垃圾对环境造成的负面影响,保护生态系统的健康。同时垃圾处理有助于资源的有效利用。垃圾中含有许多可回收和可再利用的物质,如金属、塑料、玻璃等。通过垃圾分类和回收,这些物质可以被重新加工和利用,减少了对自然资源的需求。资源的循环利用有助于节约能源、减少碳排放,并促进可持续发展。此外,垃圾处理对公共卫生具有重要意义。不适当的垃圾处理会吸引害虫、啮齿类动物和病原体,增加疾病传播的风险。适当处理垃圾可以减少卫生问题,保护公众健康。最后,垃圾处理还是一项社会责任。每个个体、企业和政府都有责任对产生的垃圾负责。通过积极采取垃圾分类、回收和处理措施,能够营造更干净、更美好的社区环境,提高居民的生活质量,这也是满足人民日益增长的优美生态环境需要的必然要求。

在全球范围内,不同国家根据自身的资源、技术发展、经济条件和环境需求,发展出各具特色的垃圾处理技术和循环经济模式。这些模式不仅体现了技术创新,也反映了对环境保护和资源持续利用的重视。

(一)发达国家垃圾处理

发达国家在垃圾处理上投入较大,实施严格的垃圾分类,高度重视材料回收和再利用,并广泛采用垃圾焚烧发电技术,同时政府通过立法和财政激励支持垃圾管理的高效运作。

日本采取垃圾分类管理方面的政策和激励措施。日本政府通过《推进循环型社会形成基本法》等法律文件,构建了完善的生活垃圾分类管理的法律体系。这些法律文件明确了政府、企业、社会组织和公民在生活垃圾分类、回收和再利用方面的责任和义务。在垃圾分类上,日本政府要求居民按照严格的垃圾分类规定进行分类。通常包括可燃垃圾、不可燃垃圾、资源回收物、有害废物等分类。同时,日本鼓励企业对其制造过程中产生的废弃物负有处置责任,并支持企业回收和再利用废弃物资源,促进循环经济。此外,日本政府还特别强调家庭参与的重要性,每户家庭被要求定期参与垃圾分类和回收工作。居民需要遵守当地政府制定的分类准则,将垃圾放置在指定的收集箱中,并按照指定时间进行投放。与此同时,日本各级政府推出了丰富的激励措施,鼓励企业和公民积极参与生活垃圾分类和回收。激励措施包括奖励制度、税收优惠、减免垃圾处理费等,以鼓励居民和企业的积极行动。并通过各种渠道进行广泛的宣传推广,包括学校教育、主题参观、专题培训等,增加居民对垃圾分类相关规定的认知和理解。通过这些政策和措施,日本成功构建了健全的生活垃圾分类法律体系,促进了居民和企业的积极参与,推动了循环经济和资源回收利用的发展。

美国采用垃圾分类回收的市场化模式。美国采用市场化垃圾分类回收模式(图4-2),垃圾分类回收业务通过政府购买服务方式交由专业公司经营,专业公司收取部分垃圾处理费用来获取利润,使整个垃圾分类回收系统可持续运转。尽管美国对于垃圾精细化分类回收处理的需求较低,但他们采取了源头初步分类的方式,将垃圾运送至处理工厂进行二次分类处理。这种市场化模式的成功得益于美国政府在推行该政策方面的不断努力,例如制定切实可行的规定和标准,以及提供资金和税收减免等经济激励措施,让市场竞争力得以增强。此外,垃圾分类回收市场化模式也受益于美国消费者对环境保护和可持续发展的不断关注和追求。

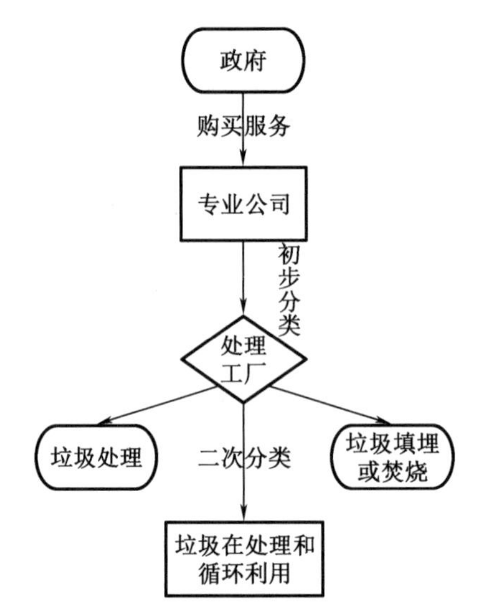

图 4-2　美国垃圾分类回收的市场化模式

新加坡采用“3R”核心理念，严格进行生活垃圾分类处理。“3R”指的是减量化（reduce）、再利用（reuse）、再循环（recycle）。新加坡政府制定了完善的城市生活垃圾分类处理相关法律法规和标准，并采取多种手段积极推行。在减量化方面，新加坡政府推行产品精简包装、采取可循环材料包装等措施，鼓励减少包装的数量。政府发起了“自愿包装协议”，要求产品生产商、批发商等广泛参与，以减少包装的使用。再利用方面，新加坡政府部署了大量的垃圾分类回收设施，涵盖政府、企事业单位、社区和学校等场所。垃圾回收企业负责收集和加工处理工作，通过收取垃圾处理费、废弃资源再利用等方式获得盈利，形成可持续的垃圾分类回收模式。在再循环方面，新加坡实施了垃圾资源化循环，通过跟踪垃圾的类型和来源等信息，在垃圾收集、运输和处理的各个环节实现了各类非填埋垃圾的再利用和处置，实现资源的循环利用。新加坡的生活垃圾分类处理模式以政府主导、企业参与为基础。政府通过公开招标选取有资质的垃圾收集商承担垃圾处理工作。

德国采取垃圾分类与资源化利用的综合措施。德国在推进垃圾分类与资源化利用方面采取了多种措施，涵盖法律法规、基础设施和市场化手段：首先，德国于 1972 年颁布了《废弃物处理法》，后于 2012 年修订为《废弃物管理法》。这些法规明确了垃圾分类处理的减量化、再利用、再循环原则，并在产品包装减量、废弃物处理、垃圾填埋等方面制定了具体的管理措施。德国联邦和各个州还颁布了超过 8 000 部环保法规，进一步规范垃圾分类和资源化利用。其次，德国拥有超过 15 000 座垃圾处理设施，为垃圾分类和资源化利用提供了强大的基础设施支持。此外，自 20 世纪 90 年代起，德国启用条形码技术对城市生活垃圾进行溯源，提升了管理和追踪的效率。最后，德国采取了市场化手段，由企业承担垃圾收集和回收等工作，利用多元的市场化激励措施鼓励公众参与垃圾分类。举例而言，对回收价值较低的垃圾进行收费，通过采取包装押金制度鼓励饮料销售商减少包装废弃物，还对垃圾分类回收处理行业提供补贴等手段。德国的综合措施在促进垃圾分类与资源化利用方面发挥了重要作用,为循环经济的发展提供了良好的基础。

(二)发展中国家垃圾处理

发展中国家在垃圾处理上的投入相对较低,主要依赖基础的垃圾收集和简易的填埋、焚烧处理,且由于资源和技术限制,其回收体系和政策法规的完善度还有待提高。

巴西的赛普利模式:可持续发展的垃圾管理创新。巴西是发展中国家,居民的环境保护意识、垃圾分类意识等相对发达国家比较欠缺,但却有自己独特的一套垃圾处理模式。巴西有着世界上最严格的环保法令。巴西自 1992 年开始垃圾分类回收,至 2006 年,巴西有 327 个城市加入了垃圾分类处理的队伍,组建了 430 多个合作社,共创造了 50 多万个就业机会。巴西的垃圾处理模式以赛普利(CEMPR)为核心,体现了发展中国家在资源回收和社会责任方面的创新。赛普利是一个非营利组织,由私企发起,致力于推动城市固体资源性垃圾的回收利用。它的主要任务包括组织拾荒者成立合作社、提供资金支持、实施垃圾分类培训和协调政府支持。巴西的回收网络以居民的粗分类为起点,政府收集干垃圾并运至合作社,合作社则负责详细分类和资源化处理。居民需缴纳垃圾税以支持此系统。该模式在 2004 年达到了显著成效,例如铝易拉罐回收率达到全球最高的 96%。同时,此模式显著提高了拾荒者的收入和工作条件,创造了超过 50 万个就业机会。赛普利的模式具有多方合作和社会责任感强的特点,适应了巴西的国情和社会需要。它强调公益导向,有效地整合了拾荒者、政府、企业和居民的力量,不仅提高了垃圾回收率,还改善了社会和环境问题,为其他发展中国家提供了有益的参考。

印度庞大的人口规模与垃圾管理挑战。印度是一个人口众多的发展中国家。目前有城市人口 3.77 亿,约占总人口的 31.2%,分布在 7 935 座城镇中。据预测,到 2051 年印度的总人口将达到 18.23 亿,每年固体废弃物的产生量将会达到 3 亿吨。由于基础设施和技术限制,其垃圾处理和回收利用效率较低。普遍存在垃圾不规范处理和大量垃圾直接被填埋或焚烧的问题。如果印度继续沿用垃圾填埋为主的处理手段,将会用掉 1 450 平方千米的土地。印度政府在垃圾处理方面的努力包括颁布了《城市固体废物管理法规》在内的城市固体废物管理法规,以及增加公众对垃圾分类和回收的意识,但各市政当局缺乏有效的实施方案,只有 70%的垃圾得到了收集,在所有被收集的垃圾中,只有 12.45%得到了科学的处置,剩余的都进入了露天垃圾场。所以,印度现在也面临垃圾围城的重大社会问题。

发达国家的垃圾处理更倾向于采用高效、环保的技术和方法,且政府支持力度较大;发展中国家仍需要在法律法规、资金投入、技术研发等方面加大力度,以提升垃圾处理的效率和效果。未来,随着技术的进步和国际合作的加强,全球垃圾处理的现状有望得到进一步改善。

三、中国垃圾处理的现状研究

随着人口增长和城市化进程的加快,城市生活垃圾产生量逐年增加。“垃圾围城”成为城市治理难以回避的困境。为此,国务院在2017年相继颁布《垃圾强制分类制度方案》《关于在全国地级以上城市开展垃圾分类工作的通知》等一系列国家政策,进一步规范垃圾分类工作,并将其提高到影响国家战略安全的高度。党的十八大以来,我国对垃圾处理特别是垃圾分类工作高度重视,实施了一系列政策和措施,取得巨大进步,在污染物和温室气体减排方面成效显著。然而,我国的垃圾处理仍面临诸多挑战。包括垃圾分类执行力度不足、部分地区处理设施落后、公众参与度有待提高等问题。在未来,我国将继续推进垃圾处理的技术创新和制度建设,以期达到更高效、环保的垃圾处理体系。

(一)垃圾回收实施困境

一是垃圾分类和回收程度不高。垃圾分类和回收是实现可持续垃圾处理的重要环节,然而,与国外相比,我国在垃圾分类和回收方面的普及程度仍然较低。这种现象导致大量有价值的可回收资源被浪费,同时也增加了垃圾处理的成本和环境负担。

首先,很多地区在垃圾分类和回收体系的建设方面存在不足。目前,在我国的一些城市和乡村地区,还未能建立起完善的垃圾分类和回收网络。这使得许多居民无法方便地进行垃圾分类,习惯性地将各类垃圾混在一起,降低了回收过程的效率。其次,公众对垃圾分类和回收的意识和认知度还有待提高,垃圾分类和回收在教育和宣传方面也存在不足。虽然近年来垃圾分类已经成为社会热点话题,但很多人仍缺乏对垃圾分类的正确理解和实践经验。缺乏正确的分类知识和意识,使得很多可回收垃圾被误判为一般垃圾,无法得到有效回收和再利用。在学校和社区,对于垃圾分类和回收的教育和宣传还需加强,培养更多人的垃圾分类意识和习惯。垃圾分类和回收的宣传力度和方式也需要创新,以吸引更多人的参与和支持。此外,垃圾处理产业链的协调和配套设施建设亟待加强。垃圾分类和回收的有效运作需要健全的产业链配套支持。然而,目前我国的垃圾处理产业链尚未完全成熟,缺乏统一的标准和规范。同时,垃圾处理设施的建设也面临一定的困难,特别是在资源和资金方面的保障。

二是垃圾处理方式上仍以废物填埋为主。国内的垃圾处理以填埋、焚烧和堆肥等传统方法为主。据统计,我国城市垃圾80%以上采用填埋处理,焚烧占15%,其他处理方式较少。废物填埋等传统方法不仅占用了大量的土地资源,而且对土壤、水体和大气环境产生污染。填埋场的建设需要大片的土地,这对于人口密集的城市和地区来说是一项挑战。随着城市化进程的加速和人口的增长,废物填埋场的需求也随之增加,加剧了土地资源的紧张局势。当废物被填埋时,其中的有害物质可能会渗入土壤和地下水,污染周围的水资源。此外,废物填埋还容易产生有害气体,如甲烷,这是一种强效的温室气体,对气候变化有负面影响。另外,由于填埋场通常位于城市地区的边缘地带,监控和管理填埋场变得更加复杂。监测大量填埋场的污染情况、预防渗漏和漏滴、处理废物填埋产生的环境污染问题需要耗费大量的人力、物力和财力。为了应对废物填埋的问题,我国已经开始采取一系列措施。首先,加强废物减量和垃圾分类工作,以减少废物的总体产生量。其次,推进垃圾焚烧和垃圾发电等技术,减少废物填埋的需求。此外,国家还制定了相关政策,鼓励和引导废物资源化利用,以最大限度地减少废物填埋对环境的影响。

三是垃圾处理基础设施不足。国内垃圾处理基础设施不足是当前垃圾处理领域的一个重要问题。在一些地区,缺乏先进的垃圾处理设施,导致垃圾无法及时得到有效处理,给环境带来污染和公共卫生风险。这是由于多种原因造成的,包括资金投入不足、技术和管理水平的差异以及地区发展不平衡等。资金投入不足是垃圾处理基础设施不足的一个重要原因。基础设施的建设和维护需要大量的资金支持,然而,一些地区的财政预算有限,无法满足垃圾处理设施的建设和改进需求。此外,由于垃圾处理是一个长期、持续的过程,对资金的持续投入也是一个挑战。技术和管理水平的差异也导致了垃圾处理基础设施不足。垃圾处理涉及多种技术和工艺,包括分类、焚烧、填埋、化学处理等。一些地区缺乏先进的技术和设备,无法有效处理垃圾。同时,垃圾处理的管理水平也不尽相同,一些地区面临管理、运营和监管等方面的挑战。地区发展不平衡也是垃圾处理基础设施不足的原因之一。中国地域辽阔,经济发展水平差异明显,一些发达地区在垃圾处理设施上投入较多,拥有较为完善的基础设施,而一些欠发达地区在垃圾处理方面面临较大的困难。这导致了地区之间的差距,也给垃圾处理的均衡发展带来挑战。尽管垃圾处理基础设施不足是当前的一个突出问题,但随着政府的关注和社会的共同努力,通过加大投入、提高技术水平、加强管理和合作,可以实现垃圾处理基础设施的全面提升,更好地保护环境、维护公共卫生,实现可持续发展的目标。

(二)城市与农村垃圾处理对比分析

城市和农村作为两种不同的人居环境,它们在垃圾生成的性质、数量、处理方式和效率上存在显著差异。城市地区由于人口密集和消费水平较高,产生的垃圾量大且多样化,涵盖了从日常生活垃圾到电子废弃物等各种类型。相比之下,农村地区的垃圾产生量相对较小,但由于基础设施和资源回收系统的不足,垃圾处理面临的挑战不亚于城市。

城市垃圾处理通常有更完善的收集、分类、运输和处理系统,但也面临空间限制、成本高昂和环境影响等问题。而农村垃圾处理则常因设施缺乏、技术滞后以及居民环保意识不足而变得更为复杂。在许多农村地区,垃圾处理仍然依赖于传统的焚烧或简易填埋,缺乏有效的分类和资源回收机制。

城市与农村在垃圾处理方面的差异不仅是技术和设施的差异,更反映了不同社会经济背景下的环境管理和政策制定的差异。因此,分析城乡垃圾处理的对比,对于理解和解决垃圾处理问题,以及推进中国环境保护和乡村振兴战略具有重要意义。通过比较城市和农村的垃圾处理现状,可以更全面地理解各自面临的挑战,从而制定更加有效的策略和措施,促进垃圾处理领域的均衡发展。

1. 城市生活垃圾处理现状

城市生活垃圾的处理问题是现代化城市管理中的一个重要方面,它不仅关系到城市环境的整洁与健康,也是评价一个城市综合管理能力的重要指标。随着经济的快速发展和城市化进程的加快,城市人口密集度持续增加,相应地,城市生活垃圾的产量也在不断上升,城市垃圾的产生结构也日益复杂。这些垃圾中包含有机废弃物、塑料、金属、纸张等多种成分,它们的合理分类和处理对于资源的回收利用、环境保护以及可持续发展具有重要意义,这对垃圾处理技术和管理模式提出了更高的要求。然而,城市生活垃圾的管理面临着众多挑战,如分类收集的效率、处理技术的更新、处理设施的布局等。此外,城市化进程中对土地资源的需求与垃圾填埋场的土地需求之间的矛盾,也是城市垃圾处理面临的一个重大问题。在应对这些问题的过程中,探索有效的垃圾减量和资源化途径,以及提升公众参与垃圾分类的意识和能力,成为城市可持续发展战略的关键组成部分。

2022年6月,住房和城乡建设部、国家发展改革委联合印发了《城乡建设领域碳达峰实施方案》,将城镇污水处理、生活垃圾处理低碳化作为城乡建设领域碳达峰的一项重要任务。近年来我国城市生活垃圾清运量逐年增多,而受多方因素影响,各地生活垃圾在处理过程中产生的碳排放量呈现明显差异。据重庆大学城乡建设与发展研究院出具的一份中国城市生活垃圾碳排放研究报告,2020年,我国净排放前五名的地区分别为广东、河南、湖北、辽宁、湖南,大约占全国生活垃圾温室气体排放的42.1%,排在后三位的分别为西藏、山东和宁夏;碳抵消量贡献前三分别为广东、山东、江苏。各城市生活垃圾碳排放量的差异主要来自以下三个原因。

首先,生活垃圾处理设施处置能力不足。随着我国城市化步伐不断加快,城市生活垃圾产生量不断增多,生活垃圾处理设施数量严重缺乏。在一些大中城市,生活垃圾产生量远远大于垃圾处理量,导致大量生活垃圾未能得到及时处理。一些中小城镇,垃圾填埋场的基础处理量已经远超出其本身的处理能力,导致填埋场库容告急,使用年限减少。

其次,垃圾产生量与处理设施能力不匹配。生活垃圾虽然越少越好,但很多城市,却因为垃圾产生量不足而犯难。在一些采用焚烧技术处理生活垃圾的地区,焚烧炉被设计成要达到一定的垃圾量才能开始运作,当垃圾量低于处理设施的设计质量,只能停炉等待。目前,一些地区由于人员外流导致人口减少,城市生活垃圾产生量也随之减少。加上一些地区未考虑实际情况,多建或超建垃圾焚烧项目,导致大量焚烧炉长期停炉以致垃圾处理企业亏损。

最后,资金缺乏导致基础设施建设滞后。垃圾处理是一项重要的公共事业,工程大,成本费用耗费大,需要长期持续性财政资源投入。政府虽然向产生垃圾的单位和个人收取垃圾费,但收取的费用在巨大的财务支出面前仍显单薄,给政府带来了巨大的财政压力。在很多中小城镇,由于财政资金紧张,垃圾处理设施普遍存在设备老化、数量不足等问题。

2. 农村生活垃圾处理现状

农村生活垃圾处理是中国环境保护和乡村振兴战略中的一项重要内容。作为农业大国,我国农村人口数量众多,随着农村经济的发展和生活水平的提升,农村地区的生活垃圾量也在逐年增加,其成分日益复杂化,不仅包括传统的农业废弃物,还有不断增加的塑料、电子废物等。这对处理设施缺乏、分类意识不足、处理技术落后的农村地区带来巨大挑战。在双碳背景下,我国高度重视农村地区的生活垃圾处理问题,有关部门不断提升整顿力度,随着乡村振兴战略的实施,我国农村地区生活垃圾处理工作初见成效。但不可忽视,作为农村建设的重要环节,我国农村地区生活垃圾的处理和利用仍面临以下问题。

农村生活垃圾数量庞大、产生源较分散。近年来,随着我国城镇化水平提高,农村经济得到发展,农民收入增加,生活质量改善,消费习惯产生了变化,导致农村生活垃圾产生数量不断增长,农村地区的垃圾实际产生量和处理能力失衡,生活垃圾并未得到及时处理。且由于部分农村居民环保意识较差,常发生在河滩、村中空地、田头、路边等地堆放垃圾行为,导致农村地区生活垃圾处理不及时,对农村水源、土地、空气等带来污染。除此以外,由于城镇化进程发展不够充分,农村人口居住分散,容易导致垃圾堆放分散问题,阻碍垃圾回收效率。

农村生活垃圾结构复杂,分类困难。农村生活垃圾产生来源广泛,主要来源于农村居民家用垃圾,如厨余垃圾、塑料垃圾等;农业生产垃圾,如秸秆、废弃农药;动物粪便垃圾,即农村家畜的排泄物。随着农村经济的发展,农村生活垃圾种类日渐复杂,与城市生活垃圾产生种类出现趋同。除了大量厨余垃圾外,近年来由于农村老屋改造和新建房兴起,废弃家电、建筑垃圾等产生量增多。同时,农村生活垃圾还包括农村地区特有的在农业生产中产生的垃圾。如秸秆等农作物,地膜、农药等化学制品,动物粪便等,增加了农村地区生活垃圾构成的复杂性。当前,一部分村民缺乏对垃圾分类工作的认识,未对生活垃圾进行准确分类,进一步加剧了生活垃圾分类处理难度。

农村地区垃圾处理资金投入与垃圾处理难度不匹配。农村生活垃圾处理费用主要来源于政府拨款,一部分来自企业捐助,资金用于垃圾分类基础设施建设、清洁人员工资、垃圾清运车运输费用以及垃圾处理费用等。大部分农村地区垃圾处理资金投入不足的问题。这导致垃圾处理配套设施建设不完善。农村地区所投放的垃圾箱数量明显不足,且难以及时清理、更换,因此大量生活垃圾无处安放。加上村民垃圾分类意识不强,由于长期生活习惯所致,生活中并未养成良好的垃圾分类习惯,面对精细化的垃圾分类标准难以快速适应。导致农村地区普遍存在露天随意堆放垃圾的行为,严重降低了垃圾回收效率。另外,与城市完备的垃圾回收系统相比,农村地区垃圾配套性设施投入不足,加之某些农村地区道路情况不是良好,路面狭窄,相关的施工操作、运营管理、后期维修难度较大,垃圾的分类、收集、运输回收过程不系统、不规范,且相关工作人员专业素养不高,这些都成为制约农村地区生活垃圾处理回收的阻碍因素。

农村垃圾回收处理机制不健全,职责分配不明确。农村生活垃圾处理是农村建设和发展的重要环节,应严格明确乡村环保责任的归属问题,做好城乡建设、农村生态管理的统筹规划。现阶段大部分农村生活垃圾处理工作由乡镇政府与村委会互相配合开展,由乡镇政府进行总体规划,发布相关政策,各村委会进行具体安排。在法律法规层面,农村生活垃圾责任主体划分不明确。体制上,垃圾处理过程界限划分不清晰,地方政府尚未建立统一的生活垃圾处理部门,出现监督、管理权责交叉等情况,影响工作效率,导致垃圾处理工作落实不到位。另外,相关农业部门与乡村地方村委会责任分配仍然不到位,出现垃圾清理力度较差,公共卫生、厕所改造、生活废弃区域工程不系统、资金应用较分散等问题。

农村地区的生活垃圾处理现状反映了城乡发展不平衡的现象。与城市相比,农村地区在垃圾处理的基础设施建设、技术应用、资金投入以及居民意识等方面都存在明显的短板。这些问题不仅影响了农村环境的质量,也制约了农村社会经济的健康发展。因此,提高农村地区的垃圾处理能力,加强农村居民对垃圾分类和环保意识的培养,已成为推进农村环境整治和乡村振兴的重要任务。同时,探索适合农村特点的垃圾处理方式,如通过引入社区参与模式、增强地方政府的服务能力、推广适用的垃圾处理技术等,对于改善农村环境、促进农村可持续发展具有重要意义。

第二节　双碳背景下垃圾分类的实践路径

党的二十大报告指出,协同推进降碳、减污、扩绿、增长,推进生态优先、节约集约、绿色低碳发展。垃圾分类与处理技术是完成这一目标的重要手段。面对巨大的垃圾产生量,需要不断更新垃圾处理技术,探索更加科学合理的垃圾处理模式,在技术层面做好垃圾的收集、分类、回收利用、资源化处理。本节着重对垃圾分类技术进行了探讨,垃圾分类是垃圾处理的重要环节之一,对垃圾的回收与再利用起到了关键作用。同时,通过对国内外的垃圾分类研究进行比较,介绍了垃圾处理领域的有关研究成果。针对垃圾分类面临的挑战,由于城市和农村在经济水平、基础设施等方面的差异,对城市生活垃圾分类和农村生活垃圾分类困境以及他们各自的处理策略行阐述。另外,本节也对其他一些垃圾处理技术进行了介绍,从中可窥见我国目前垃圾处理的一些基本手段。垃圾处理技术是不断进化、不断成长的,更先进、更绿色的垃圾处理技术有赖于持续探索。

一、垃圾分类的政策与趋势

(一)垃圾分类相关政策

习近平总书记就垃圾分类问题多次做出重要指示,实行垃圾分类,关系广大人民群众生活环境,关系节约使用资源,也是社会文明水平的一个重要体现。习近平总书记指出,推行垃圾分类,关键是要加强科学管理、形成长效机制、推动习惯养成。要加强引导、因地制宜、持续推进,把工作做细做实,持之以恒抓下去。要开展广泛的教育引导工作,让广大人民群众认识到实行垃圾分类的重要性和必要性,通过有效的督促引导,让更多人行动起来,培养垃圾分类的好习惯,全社会人人动手,一起来为改善生活环境做努力,一起来为绿色发展、可持续发展做贡献。

垃圾分类越来越成为城市卫生管理、城市社会主义物质文明建设和精神文明建设的重要一环,近年来,我国针对固体废弃物处理、可回收垃圾处理和生活垃圾分类措施等问题出台了相关政策。政府围绕对垃圾分类设施投放类型、布局、数量分布、垃圾分类教育等方面不断完善相关法律法规。我国在2017年出台垃圾分类政策,要求46个城市先行实施生活垃圾强制分类。2019年11月15日发布新版生活垃圾分类标准,于12月1日正式实施,新版标准按照可回收垃圾、厨余垃圾、有害垃圾、其他垃圾四项标准进行分类。2021 年,我国在垃圾分类领域出台了《住房和城乡建设部办公厅关于印发生活垃圾分类工作“1 对 1”交流协作机制实施方案的通知》,提出建立生活垃圾分类工作“1 对 1”,19 个先行省份、重点城市向 19 个中西部和东北地区省份交流先进经验,两地互相沟通协作,实现互促互进。截至 2022 年底,全国 297 个地级及以上城市居民小区垃圾分类平均覆盖率达到 82. 5%,力争在 2023 年底前使地级及以上城市居民小区垃圾分类覆盖率达 90%以上,2025 年底前基本实现全覆盖。

(二)垃圾分类的方法与趋势

垃圾分类是对生活垃圾进行区分处理的过程,其是一个系统的过程,旨在将垃圾根据其性质、可回收性和处理方法分类,以减少环境污染和提高资源回收率。有效的垃圾分类不仅能减轻垃圾处理压力,还能促进资源的循环利用和环境保护。其目的在于将垃圾中的可回收物和有害物质分离出来,减少填埋或焚烧的垃圾量,减少环境污染。垃圾分类有助于提高资源的回收率,降低资源的浪费,同时也是实现低碳环保生活的重要一环。不同国家和地区对垃圾分类的标准和方法各有不同。例如,中国的垃圾分类通常分为可回收物、有害垃圾、湿垃圾(厨余垃圾)和干垃圾等几类;而欧洲和美国的分类标准则侧重于材料的类型,如塑料、纸张、金属、有机物等。各种分类方法各有优势,但也存在一些局限性,如分类标准的复杂性和公众参与度的不足等。

垃圾分类的成功实施需要从家庭和社区层面开始。首先,家庭成员需要了解和掌握当地的垃圾分类标准。其次,应在家中设置不同的垃圾收集容器,按类别分别收集垃圾。社区也应提供足够的垃圾分类设施,并进行定期的垃圾分类教育和宣传活动,增强居民的分类意识和参与度。通过这些步骤和方法,可以有效提高垃圾分类的效率和准确性,促进垃圾的资源化和减量化处理。

垃圾分类技术的发展正在迅速变革。随着技术进步和创新,垃圾分类变得更加高效和智能化。这些变化不仅提高了垃圾分类的精度,还大幅提升了处理效率,为资源回收和环境保护开辟了新途径。近年来,垃圾分类技术的一大创新是智能化设备的应用。例如,智能垃圾桶能够自动识别垃圾的类型并进行分类,极大地提高了分类的准确性和效率。此外,自动分类机器人在一些大型处理中心投入使用,它们通过机器视觉和机械臂技术自动分拣垃圾,提高了处理量,同时减少了人工成本。信息技术和智能技术在垃圾分类领域的应用日益广泛。大数据和人工智能技术被用来分析垃圾生成模式和分类效率,从而优化垃圾收集和处理过程。例如,通过分析收集到的数据,可以精准预测某个区域的垃圾产生量,从而合理安排收集频率和资源分配。同时,人工智能在垃圾识别和分类方面展示出巨大的潜力,通过学习大量的数据,这些系统可以更准确地识别和分类各种垃圾。未来的垃圾分类技术预计将更加侧重于自动化和智能化。随着技术的进步,可以预见到更高效、更精确的分类系统的出现。然而,这些技术的发展也面临着诸如技术成熟度、成本效益、用户接受度和隐私保护等挑战。此外,技术的普及和应用也需要政府政策的支持和公众的广泛参与。

二、城乡分类差异与解决策略

(一)城市垃圾分类现存问题

城市居民垃圾分类面对的首要问题是垃圾分类习惯并未形成。根据有关调查显示，2018年对46个重点城市的入户调查结果显示，进行生活垃圾分类的家庭仅占38.3%。居民垃圾分类习惯薄弱主要面临三项挑战。首先是居民垃圾分类知识掌握少，部分居民对垃圾分类知识不了解甚至处于陌生状态，更不用说垃圾分类习惯的养成；其次是居民垃圾分类行为模式不一致，由于目前垃圾分类试点推行的分布不一，部分居民形成了在单位进行垃圾分类，在居民小区不分类的习惯；另外，家庭垃圾分类设施和城市垃圾分类设施不匹配也成为阻碍居民养成良好垃圾分类习惯的一大因素，居民家庭垃圾分类往往设置干垃圾和厨余垃圾两类垃圾桶，而城市垃圾分类往往分成四类，这种垃圾分类设施的不匹配成为居民垃圾分类衔接环节的阻挠。

其次，低价值废弃物分类回收利用程度低亦是城市生活垃圾分类要面临的问题。部分可回收垃圾，如废旧书纸、钢铁等回收经济价值空间大，这些废弃物可以在市场上得到很好的回收。相比于这类回收经济价值较高的垃圾，一些废弃物，如废玻璃、废塑料等，受制于回收技术、回收设备等限制，回收成本高，利润低，回收经济价值低，这导致低价值废弃物并没有得到很好的回收。有关资料显示，德国、比利时、法国、荷兰等国家废玻璃回收率高达85%，甚至90%以上，而我国废玻璃回收率不到30%，这部分未被得到很好利用或回收的低价值废弃物通过焚烧、填埋等手段处理，造成了巨大的经济损失，同时也形成了资源浪费，对低价值废弃物做好分类收集，不仅有利于减缓城市后端生活垃圾处理压力，也有助于实现资源的循环利用，助力双碳目标。

同时，垃圾分类产业链不完善阻碍垃圾分类的普及推广。垃圾分类推广难表面是由于居民垃圾分类意识不强，内在上，垃圾分类未形成完整的产业链则是困扰垃圾分类推行的重要原因。现阶段，我国垃圾分类全过程仍然存在诸多问题，例如源头端居民垃圾分类设施不完整、收集端存在混合收集情况、投放端缺乏监控等问题，尤其是回收垃圾存在易腐烂垃圾及有害垃圾和其他垃圾混合堆放的情况，严重影响垃圾分类工作。另外，垃圾分类工作涉及市容、城管、环保、交通、教育、国土等多个部门，是一项系统性工程，要求各部门协调运转，系统合作，当前管控机制的碎片化不利于垃圾分类工作的顺利进行。《中国再生资源回收行业发展报告(2018)》指出："回收企业难以延伸产业链，再生产品技术含量低，创新性差，竞争力弱，企业利润微薄，难以发展壮大，行业'低小散'格局难以改变。"由此可见，要想畅通垃圾分类全过程流转，就要不断完善垃圾分类产业链，形成从"垃圾源头分类—垃圾投放分类—垃圾收集分类"的全过程分类收集链条。

(二)农村垃圾分类现存问题

农村生活垃圾分类面临主体困境、外部困境和政策问题。当前，我国农村去往城市务工人员大量向城市转移,农村人口结构趋于单一,剩下年龄较大或文化水平较低人口留居村中,这部分人口由于各种原因,缺乏相应的环保理念及垃圾分类知识,对垃圾分类意识和能力的缺失使其更降低了垃圾分类工作的主动性和积极性,而年轻人环保意识往往较强,良好行为习惯养成也更容易,他们在农村中可以起到很好的动员和示范作用,年轻人口的流失给农村垃圾分类带来打击。此外,现阶段,农村垃圾分类的主要依靠村干部的监督和指导,村民对垃圾分类缺乏主动性。在村民和村干部之间,形成了村民依赖村干部监督,村干部依赖政策规范的局面,这种双重依赖的情况导致村民和村干部只能单一地接受来自上方的"命令",不利于激发村民、村干部进行垃圾分类的内在动力,村民更是对垃圾分类工作缺少热情。如何激发农村居民进行垃圾分类的主动性,调动农村生活主体的垃圾分类工作的主导能力,成为农村垃圾治理要面对的首要问题。

从外部困境来看,过去,我国对农村环境治理程度不够,更忽视了农村生活垃圾分类工作。根据《中国环境统计年鉴 2020》的相关资料,2012—2017 年,我国城市环境基础设施投资的比例为 61. 34%,57. 79%,57. 06%,56. 17%,58. 69%,63. 79%。城乡环境基础设施投资比例明显失调,农村环境基础设施资金投入要低于城市环境基础设施资金投入。同时,农村地区的垃圾治理工作需要长期稳定的资金投入和金融资源注入,政府投入资金远无法支撑起这项工程。另外,某些地区政府资金只是投入在一部分试点,一些地区的垃圾分类设施并不完善,且投入垃圾分类设施的地区也面临缺乏后期维修、监管、替换的情况,导致农村地区垃圾分类状况并不乐观。此外,农村垃圾治理工作也遭遇投资主体单一、投资渠道狭窄的问题,如何加强社会资本和企业的参与,成为推动垃圾分类工作不得不思考的问题。

从政策困境来看,在政策层面,农村生活垃圾分类工作主要面临的问题是政策执行力不足。一方面,我国针对农村生活垃圾分类的相关法律法规还有待完善,一些省份虽然出台了相关的政策文件,但从整体来看,这些政策缺乏体系化、制度化、规范化,无法为政策的向下推行提供有力保障。由于缺乏相应的监督和奖惩制度,也导致政策无法达到预期效果。另一方面,政策中较多使用"改善""提高"等模糊性语言,缺乏具体的实施方案及量化标准,这也降低了相关政策的可操作性。此外,因为农村不同地区的可实施条件不同,村民受教育水平不一,对相关政策的理解可能存在不足,而相关省级文件分类标准又过高,也阻碍了农村地区生活垃圾分类治理的步伐。

(三)城乡垃圾分类困境解决策略

对于城市生活垃圾分类工作推进过程中存在的问题,目前有以下三个方面的解决策略。

首先要加大对生活垃圾分类的宣传力度。加强垃圾分类宣传教育是提高居民参与垃圾分类的最直接方式。政府可以从垃圾分类的实施标准、奖惩措施、法律规范等大政方针方面进行宣传教育;社区则可以从垃圾分类知识、环境保护理念等小切口入手,对社区居民进行垃圾分类行为习惯养成。为强化垃圾分类宣传的效果,避免教育形式单一化、枯燥化,有关部门可以采用"线上+线下"宣传模式。线下通过垃圾分类创意竞赛、发放小礼品、设置垃圾分类示意图等形式引导居民了解垃圾分类相关知识;线上,可利用视频平台,微信小程序等加大宣传力度。通过多种多样的形式,引导居民逐步养成垃圾分类习惯,提高居民垃圾分类积极性,从而助力城市垃圾分类。

在技术层面,城市生活垃圾分类必须重视技术创新,不断推动云计算、大数据等技术渗透。首先要重视生活垃圾分类收集技术创新,一方面,要从源头减少生活垃圾的产生,加大对环保产品、易降解产品、环保餐盒等产品的研发力度。另一方面,要提升后端处理能力,不断改进垃圾收集分拣技术,提升垃圾回收二次分拣效率和质量。其次,要强化垃圾再利用技术创新。针对某些低价值废弃物产生量大、可回收潜力大等特点开展技术研究,提高低价值废弃物的利用率。最后,要重视大数据、互联网技术在垃圾分类工作中的应用,通过对城市生活垃圾产生量、分布情况、居民投放习惯等方面的监督,建立城市生活垃圾分类信息管理系统,优化原有空间,整合、开拓新空间,提高垃圾分类工作效率。

城市生活垃圾分类治理要完善企业补贴、跨区域合作、动态监测等机制。对于企业补贴,除了对可回收垃圾收集处理进行补贴,还可以针对低价值废弃物设立专项补贴,针对企业的收集、分拣、运输、处理等费用进行补贴,同时在融资、贷款、税收减免等领域给予支持。对于跨区域合作,推动不同城市跨区域合作,一方面,有利于对各个城市功能分区进行统筹规划,统筹垃圾处理设施布局,建立区域性垃圾处置中心,并推动各大功能区辐射周边地区城市。另一方面,城市跨区域合作也有利于推动相关企业跨区域合作,大企业通过重组、兼并等手段对小企业进行援助合作。对于动态监测,可以依靠信息技术建立城市生活垃圾信息管理系统,通过对垃圾分类的全过程监控,不断优化垃圾分类处理情况。

对于农村生活垃圾分类工作推进过程中存在的问题,目前有以下三个方面的解决策略。

首先,在农村生活垃圾分类问题方面,针对农村生活垃圾的主体困境,要积极促成农村居民由被动垃圾分类逐步转变为主动进行垃圾分类。首先要确保村主任、村书记等村委会成员端正态度,对村干部成员进行相关培训,使其正确认识到垃圾分类工作的重要意义,再由村主任、村书记等在村中进行广泛宣传和动员,加强对垃圾分类知识的普及,指导监督村民做好垃圾分类工作。在村委会等精英团队的推广实践中,要不断加强村民的环保意识,村干部要起到模范带头作用,引导村民主动进行垃圾分类,在此过程中,逐步建立起完善的垃圾分类制度。如根据实际情况,在当地建立排名制度、相应奖惩制度、违规处罚等,通过构建完整系统的垃圾分类系统,不断强化村民的垃圾分类习惯的养成,使维护生活环境整洁成为每个人的目标,从而激发广大村民进行垃圾分类的内生动力。

其次,针对农村生活垃圾分类治理的外部困境,要加强对农村地区的资金可持续投入能力。目前我国农村生活垃圾分类管理还处于初级阶段,应当充分发挥政府的引导作用,由政府承担农村生活垃圾分类治理资金投入的主体责任。这要求政府充分重视农村生活垃圾分类治理的重要性,继续加大对农村生活垃圾治理的财政支出,把垃圾分类治理纳入地方人居环境改善建设规划和美丽乡村基础设施,在涉及金融机构、社会资本投资领域,应在资金投入上给予保证,建立稳定的财政投入增长机制。在保证资金投入的同时,要注意提高资金的使用效率,可以通过政府自我评估、第三方评估和农民满意程度评估等方式强化政府绩效评估,建立完善的绩效评估体系。另外,要采取更加灵活有效的方式扩宽社会资本的参与途径,积极促成政府和社会资本的多样化合作。

最后,针对农村生活垃圾分类治理的政策困境,要制定科学合理的相关政策制度。首先,要建立起农村垃圾分类治理的法治秩序,进一步加强关于垃圾分类的法律法规的宣传,强化村民环境保护意识、垃圾分类意识,坚持贯彻各地关于农业垃圾分类处理的法律、政策、条例,不断增强村民的垃圾分类纪律素质。其次,要完善相关奖惩政策。有效的奖惩政策可以大大提高村民进行垃圾分类的动力,可以根据各地实际情况,借鉴相关地区优秀经验、示范案例,制定出一套适合当地实际的奖惩制度,推动垃圾分类工作的进行。此外,要健全相关监督体系。政策能否层层贯彻落实,完善的监督体系可以发挥巨大作用。最后,也要根据不同地区的环境特征、经济情况、垃圾结构等,不断细化垃圾分类准则,并进行相关的规范培训和宣传,提高垃圾分类工作质量和工作效率。

三、垃圾处理的技术整合

垃圾处理技术是指处理和管理垃圾的方法和技术。在整个垃圾处理过程中,涉及相关技术与环节包括回收、资源化利用、填埋和堆肥等。这些技术各有优缺点,需要根据具体情况选择合适的方法。回收可以减少资源的消耗,资源化利用可以产生能源,填埋可以节省空间,堆肥可以制造有机肥料。然而,每种技术都存在一些环境和健康风险,需要进行适当的管理和监控。本节将分别展开介绍每种垃圾处理技术的优缺点。

(一)垃圾回收技术

垃圾回收技术是一种重要的垃圾处理方法,旨在通过收集、分类和再利用废弃物,减少资源的消耗和环境的污染。

垃圾回收技术的具体实施过程如下。

(1)收集阶段:垃圾回收的第一步是收集废弃物。在这个阶段,需要建立有效的收集系统,包括垃圾桶、垃圾袋和收集车辆等设施。这些设施应该便于居民投放垃圾,并保持垃圾的干净和整洁。同时,还需要制定合理的收集计划,确保垃圾能够及时、有效地被收集起来。

(2)分类阶段:收集到的垃圾需要进行分类,将可回收的废弃物与不可回收的废弃物分开。常见的分类包括废纸、塑料、玻璃、金属和有害废物等。为了方便分类,可以在垃圾桶上设置不同的颜色或标识,提醒居民将垃圾放入正确的分类容器中。此外,还可以通过教育宣传和培训活动,增强居民的分类意识和技能。

(3)运输阶段:分类完成后,回收垃圾需要进行运输。这需要建立一个高效的运输系统,包括收集车辆、垃圾转运站和回收中心等设施。收集车辆应该按照分类要求进行装载,确保不同类型的垃圾不会混合在一起。垃圾转运站可以对垃圾进行初步处理和分类,然后将其转运到回收中心进行进一步处理。

(4)处理阶段:在回收中心,垃圾将进一步进行处理和加工。这包括清洗、破碎、熔化、压缩等过程,以便将废弃物转化为可再利用的材料。例如,废纸可以被回收成新的纸张,塑料可以被加工成再生塑料颗粒,金属可以被熔化再利用等。在处理过程中,需要使用适当的设备和技术,确保回收材料的质量和纯度。

(5)再利用阶段:处理完成后,回收材料可以被再利用。这些材料可以用于生产新的产品,如纸张、塑料制品、玻璃容器和金属制品等。通过再利用废弃物,可以减少对原始资源的需求,降低生产成本,并减少对环境的影响。此外,还可以通过回收材料的销售和交易,创造经济价值和就业机会。

垃圾回收技术的具体实施包括收集、分类、运输、处理和再利用等多个阶段。通过建立有效的回收系统和加强公众教育,可以提高垃圾回收的效率和质量,实现资源循环利用和环境可持续发展的目标。

(二)垃圾资源化利用

垃圾资源化利用技术是指将垃圾转化为可再生能源或高附加值产品的技术。这些技术可以从废弃物中提取有用的物质或能量,减少对原始资源的依赖,实现循环经济和可持续发展。垃圾资源化利用技术分为生物质能源利用、废物焚烧发电和废物再生利用等。

(1)生物质能源利用:将有机垃圾如食物残渣、农作物秸秆等转化为生物质能源。通过厌氧消化或厌氧发酵等过程,产生沼气和有机肥料。沼气可以用作替代天然气的可再生能源,有机肥料则可用于农业,循环利用养分和改善土壤质量。

(2)废物焚烧发电:通过高温下将垃圾燃烧转化为热能,再通过蒸汽发电装置将热能转化为电能。这种技术不仅能减少垃圾的体积,还能够发电,提供清洁能源,减少对传统能源的需求。

(3)废物再生利用:通过物理、化学、生物等方法将废旧塑料、玻璃、金属等材料进行回收和加工,转化为再生材料供各种生产和制造领域使用,例如废旧玻璃制成玻璃纤维,废旧塑料制成再生塑料等。这种技术可以减少对原始资源的开采,降低生产成本,并减少对环境的影响。

这些垃圾资源化利用技术在减少垃圾堆填和污染、节约能源和资源、降低温室气体排放等方面具有显著的优势。然而,它们也面临着技术成本、处理效率、废弃物分类和管理等挑战。技术的具体实施也会受到当地政策、经济条件、资源可利用性等因素的影响。因此,需要加大对垃圾资源化利用技术的研发和推广力度,制定相关政策和规范,具体实施时需要根据实际情况选择适合的技术。提高垃圾处理的效率,促进垃圾资源化处理的可持续发展。

(三)垃圾填埋技术

垃圾填埋技术是一种常见的传统垃圾处理方法,垃圾填埋技术的原理是将垃圾掩埋在地下的填埋场中,以控制和降解废弃物。填埋场是经过规划和设计的区域,具有防渗透层、排水系统和覆土层等结构，以减少对地下水和环境的污染。垃圾被运输到填埋场后，通过覆土和压实等操作以减少体积，随后会进行沉降和分解作用。填埋过程中产生的沼气和渗滤液需要进行收集和处理，以避免对环境造成负面影响。

垃圾填埋的具体过程如下。

(1)填埋场规划与建设。垃圾填埋技术的实施需要对填埋场进行规划和建设。在规划阶段，需要考虑填埋场的位置、土地利用许可、环境影响评估以及和周边居民的沟通等问题。填埋场的建设包括选址、场地平整、建设防渗透基础设施(如防渗透层、排水系统等)以及建立覆土层等。

(2)垃圾收集与运输：实施垃圾填埋技术前，需要建立垃圾收集和运输系统。这包括投放垃圾的设施(如垃圾容器和分类设备)和收集车辆等。垃圾应按照分类要求投放，并由专门的团队将其运输到填埋场，确保垃圾的安全、卫生和分类。

(3)垃圾投放与覆盖：垃圾被运输到填埋场，然后通过设备或人工的方式进行投放。垃圾应按照规定的分类要求进行投放，以便于后续的管理和处理。投放后，垃圾需要用土壤或其他材料进行覆盖。覆土层的目的是减少气体的排放和垃圾的散失，并防止垃圾被飞鸟和其他动物翻找。

(4)四压实和控制渗滤液：覆土后，使用压实机械对垃圾进行压实处理。压实可以有效减少填埋体积，提高填埋场的容纳量。通过压实可以降低填埋体积，减少垃圾产生的渗滤液，并帮助更好地分解垃圾。此外，填埋过程中产生的渗滤液需要进行收集和处理，以避免对地下水和环境造成污染。

(5)沉降和处理：填埋后的垃圾会发生沉降和分解作用。这是由于压实和覆土的影响，以及垃圾中的微生物和化学反应等因素的作用结果。然而，垃圾的分解过程是缓慢的，通常需要几十年甚至几百年的时间，填埋场管理人员需要定期监测填埋场的沉降情况，并采取相应措施来维持填埋场的稳定性和安全性。

(6)沼气收集与利用：填埋过程中，垃圾中的有机物质分解产生沼气，主要成分为甲烷和二氧化碳。这些沼气需要进行收集和处理，以避免温室气体的排放和爆炸危险。沼气可被收集后进行解吸、加压、净化处理，发电、供热或燃料利用等。

(7)填埋场生态恢复：在填埋区域的最终阶段，填埋场需要进行生态恢复工作。这包括覆盖顶部土壤、植被恢复和景观改造等。这些措施有助于改善填埋场的外观，减少环境影响，并为未来的土地利用做好准备。

垃圾填埋技术在处理垃圾方面具有一定的优势，如可以容纳大量垃圾、经济成本较低等。然而，也存在一些问题需要关注。

首先是土地资源占用：填埋场需要占用大量土地，因此在城市发展中可能面临土地资源短缺的问题，填埋场的建设受到限制。应合理规划填埋场的位置，最大限度地减少土地占用，并积极推动其他垃圾处理技术的发展。其次，地下水和环境污染：填埋过程中产生的渗滤液可能含有有害物质，如果处理不当，可能污染地下水和附近的水体，对生态环境产生负面影响。因此，填埋场应该设置防渗透层、排水系统等基础设施，及时收集和处理渗滤液。再次,气体排放:填埋过程中产生的沼气是温室气体,对环境和气候变化造成影响。因此,需要采取措施来收集、处理和利用沼气,减少温室气体的排放量。最后,填埋场管理和监测:填埋场需要定期进行管理和监测,以确保填埋过程的顺利进行,并监测环境影响。管理人员应定期检查填埋场的稳定性、沉降情况和沼气产生情况,及时采取措施来解决问题。

实施垃圾填埋技术需要进行填埋场规划与建设、垃圾收集与运输、垃圾投放与覆盖、压实和控制渗滤液、沉降和处理、沼气收集与利用、填埋场生态恢复等一系列步骤。同时,还需要关注土地资源占用、地下水和环境污染、气体排放和填埋场管理等问题,促进垃圾处理厂可持续发展和环境保护。

(四)垃圾堆肥技术

垃圾堆肥技术的原理是将有机垃圾经过适当的处理方法,放置在合适的条件下进行微生物降解和分解。这些微生物包括细菌、真菌和其他微生物,它们能够分解垃圾中的有机物质,将其转化为稳定的有机肥料。下面将详细介绍垃圾堆肥技术的具体实施过程以及相关注意事项。

垃圾堆肥技术的具体过程如下。

(1)分选与预处理:在进行堆肥处理之前,首先需要对垃圾进行分选和预处理。这包括将有机和非有机垃圾分开,去除杂质和大块物体。有机垃圾可以包括食品废料、植物残余、动物粪便等。分选和预处理工作的目的是提高堆肥过程的效率和质量,确保堆肥堆中的有机物质充分分解。

(2)堆肥堆建立:在堆肥堆建立过程中,需要选择合适的堆肥堆场和堆肥器具,确保合适的温度、湿度和通风条件。堆肥堆可以采用固定堆肥堆或旋转式堆肥机等设备。堆肥堆的尺寸和高度要适当,以便于后续操作和管理。同时,堆肥堆的通风和排水条件也需要考虑,以保证堆肥堆中的氧气供应和排除产生的水分。

(3)堆肥堆的通风和翻动:在堆肥过程中,要保证堆肥堆的通风和翻动。通风可以通过堆肥堆的侧面空隙或堆肥机的通风设备实现。堆肥堆的通风可以增加氧气供应,有利于微生物的活动和有机物质的降解。堆肥过程中,还需要定期进行堆肥堆的翻动。翻动可以改善堆肥堆中的温度和湿度分布,促进堆肥的均匀发酵和加快有机物质的降解速度。

(4)堆肥成熟与后处理:经过一段时间的降解和分解,堆肥会逐渐转化为有机肥料。堆肥的成熟度通常通过外观、气味、温度和化学成分等进行评估。成熟的堆肥通常具有黑褐色,质地松散,无异味,并富含有机质和营养元素。成熟的堆肥可以作为优质的有机肥料用于农作物的生产。

值得注意的是,垃圾堆肥技术在实施过程中还需要避免一些问题,如堆肥过程中的异味和渗液、有害物质的残留等。因此,在堆肥过程中需要加强管理和监测,遵循相关法规和技术规范,确保堆肥的安全性和环境友好性。

垃圾堆肥技术的实施包括分选与预处理、堆肥堆建立、堆肥原料的堆积、堆肥堆的通风和翻动、堆肥过程的监测与调控以及堆肥成熟与后处理等步骤。通过合理的操作和管理,可以将有机垃圾转化为稳定的有机肥料，实现资源回收和减少对化肥的依赖，促进农田可持续发展。同时，需要注意解决堆肥过程中的问题，确保堆肥的安全性和环境友好性。

第三节　双碳背景下垃圾处理的作用机制

垃圾处理作为环境保护、减排降碳的关键环节，对经济和社会发展能够产生直接影响。在经济层面，垃圾处理的科学化、资源化可以带来显著的经济效益。通过垃圾分类、回收和再利用，不仅可以节约资源，减少处理成本，还能创造新的经济增长点。社会层面上，垃圾分类和处理的推广能够提升公众的环保意识，促进社会文明程度的提高。垃圾分类政策的实施需要公众的广泛参与，这不仅能够改善居住环境，还能够培养公民的环保责任感和集体行动意识。同时，垃圾处理行业的发展也为社会提供了大量的就业机会，对促进社会稳定和谐具有积极作用。

一、垃圾处理的经济影响

垃圾分类处理能够提升资源的再利用率，减少环境污染，同时带来经济效益，促进社会可持续发展。

（一）垃圾处理的经济成本

垃圾处理作为城市管理的重要组成部分，其经济成本对于公共预算具有显著影响。随着城市化进程的加快，生活垃圾的产生量持续增加，垃圾处理所需的财政支出也随之上升。垃圾处理的经济成本主要包括收集、运输、处理和处置等环节的支出，这些构成了垃圾处理的直接经济成本。

首先，垃圾的收集和运输是垃圾处理的前端环节，需要大量的人力物力进行日常的垃圾收集和运输工作。这不仅包括垃圾车的购置和维护成本，还包括垃圾收集人员的工资和社会保障支出。其次，垃圾的处理和处置则涉及更为复杂的技术和设备，如焚烧发电、厌氧消化、填埋等方式，这些处理方式都需要相应的设施建设和运营成本。例如，焚烧发电不仅需要建设焚烧厂，还要考虑到排放处理和能源回收的成本。

除了直接成本之外，垃圾处理还会产生间接经济成本。这包括环境污染的外部成本，如垃圾处理过程中产生的温室气体排放、水体和土壤污染等，这些污染的治理和修复也需要大量的资金投入。同时，垃圾处理不当还可能对公共健康造成影响，增加医疗保健的支出。

在垃圾处理的经济成本分析中，还需考虑垃圾分类和资源化利用带来的经济效益。垃圾分类可以提高资源回收的效率，减少处理和处置的成本，同时也能为城市带来一定的经济收益。例如，厨余垃圾的生化处理不仅减少了对传统能源的依赖，还能通过沼气发电等方式产生经济效益。

总体而言,垃圾处理的经济成本是一个多方面的综合体,不仅包括直接的财政支出,还涉及环境和社会的间接成本。因此,优化垃圾处理流程,提高垃圾分类和资源化利用的效率,对于控制垃圾处理的经济成本,减轻公共预算的压力具有重要意义。未来,随着技术的进步和政策的完善,垃圾处理的经济成本有望得到进一步的控制和降低。

(二)垃圾处理产业的经济贡献

垃圾处理产业的发展与健全不仅涉及环境保护及减排降碳工作的推进,更在经济发展和社会就业方面发挥着重要作用。

首先,垃圾处理产业为大量劳动力提供了就业机会。从垃圾分类收集、运输到处理,每一个环节都需要人力参与。城市垃圾分类处理不仅包括初级处理如焚烧发电,还涉及中级处理如厨余垃圾和可回收物的处理与利用。这些处理方式的实施,需要专业人员进行操作和管理,从而为社会创造了大量的就业岗位。

其次,垃圾处理产业在产值创造方面也具有显著效益。以沈阳市为例,2019 年其他垃圾进行焚烧发电后产生的经济效益和环境效益分别达到 1.6 亿元和 74 万元。此外,垃圾分类处理后的资源节约效益也不容忽视。厨余垃圾的处理方式如“高压挤压预处理+厌氧消化+沼渣土地利用”不仅能够产生经济效益,还能带来资源节约效益。这表明,垃圾处理产业在资源循环利用方面具有巨大的潜力,能够有效提升城市的经济效益。

此外,垃圾处理产业的发展也带动了相关产业链的经济活动。垃圾处理设备的制造、维护以及相关技术的研发等,都为经济增长提供了新的动力。垃圾焚烧发电项目的技术经济评价研究表明,这些项目在循环经济中发挥着重要作用,不仅符合环保要求,还能实现经济效益的最大化。

垃圾处理产业在经济上的贡献不容小觑。它不仅为社会提供了大量的就业机会,还通过垃圾资源化利用等方式,为城市经济发展注入了新的活力。随着技术的进步和政策的支持,垃圾处理产业有望在未来发挥更大的经济效益。

(三)垃圾处理对环境经济的影响

垃圾处理已成为影响城市环境质量和经济发展的重要因素。垃圾处理方式的选择不仅关系到环境保护,还直接影响到资源的有效利用和经济效益的实现。因此,评估垃圾处理对环境资源价值和生态服务的经济影响显得尤为重要。

首先,垃圾分类处理能够提高资源的回收利用率,减少资源的浪费。例如,厨余垃圾的高效处理不仅能够产生经济效益,如通过沼气发电产生的收益,还能带来资源节约效益,如减少对新资源的开采需求。这种资源的节约和再利用,对于推动循环经济的发展具有重要意义。

其次,垃圾处理过程中的环境效益也不容忽视。垃圾焚烧发电项目的实施,可以减少垃圾的体积,减轻对填埋场的依赖,同时发电过程中的热能回收和污染物减排,都能够降低环境污染和外部成本。这种处理方式在减轻环境压力的同时,也为城市提供了新的能源,实现了环境保护与经济发展的双赢。

垃圾处理对环境经济的影响是多方面的,包括资源的节约和再利用、环境污染的减轻。通过科学合理的垃圾处理方式,可以实现环境保护与经济发展的协调统一,为城市的可持续发展提供坚实的基础。

二、垃圾处理的社会影响

垃圾处理在带来经济效益的同时,社会影响也不容忽视。通过垃圾分类,可以提升居民环保意识、改善居住环境;促进社会资源的合理利用和循环经济的发展,构建节约型社会;培养居民的环保责任感和集体意识,促进社会和谐。此外,通过减少垃圾的环境污染,还可以提高公众的健康水平,减少医疗费用的支出,从而提高社会福祉。然而,垃圾处理的社会效益并非一蹴而就,其实现需要政府、企业和居民三方的共同努力。

(一)公共卫生与垃圾处理

垃圾处理是城市管理和环境保护的重要组成部分,直接关系到公共卫生和市民生活质量。城市生活垃圾的有效分类处理不仅能够减少环境污染,还能够控制和预防疾病的传播,提升公共卫生水平。

垃圾分类处理能够降低有害垃圾对环境的污染。通过精准施策,促进居民源头减量和分类投放,可以有效减少垃圾的总量,降低垃圾处理设施的建设和维护成本。这种做法不仅减少了土地的占用,还减少了垃圾填埋和焚烧过程中产生的有害气体排放,从而减轻了对空气质量的影响,提高了居民的生活环境质量。

垃圾分类处理能够减少疾病的传播。生活垃圾中含有大量的有机物质,如不进行有效的分类和处理,容易成为病媒生物的滋生地,增加了传染病和其他疾病的传播风险。通过垃圾分类,可以将有机垃圾与其他垃圾分开处理,及时控制病媒生物的数量,有效减少疾病的传播。

垃圾分类处理还能够提升居民的环保意识和公共卫生意识。通过激励措施、教育宣传等工作,可以鼓励居民积极参与垃圾分类,形成良好的垃圾处理习惯。居民的积极参与不仅能够提高垃圾分类的效率,还能够提升居民对环境保护的认识,形成良好的公共卫生环境。

垃圾分类处理作为提升城市公共卫生水平的有效手段,对于控制疾病传播、保护环境卫生具有重要的作用。通过政府、企业和居民的共同努力,可以实现垃圾处理的社会化、减量化和资源化,为城市的可持续发展提供坚实的公共卫生保障。

(二)社会公平与垃圾处理

垃圾处理作为城市管理的重要组成部分,其经济与社会影响日益受到关注。在探讨垃圾处理的社会影响时,不可忽视的一个重要方面是社会公平问题。社会公平在垃圾处理中主要体现在两个层面:一是垃圾处理服务的公平获取,二是垃圾处理政策执行中的公平性。

垃圾处理服务的公平获取问题关乎每个居民的基本生活权益。研究表明,城市中不同社区的垃圾处理设施和服务水平存在差异,这种差异可能与社区的经济水平和居民的社会地位有关。经济条件较好的社区可能拥有更完善的垃圾分类设施和更频繁的垃圾收集服务,而经济条件较差的社区则可能在这些方面存在不足。这种差异直接影响到居民的生活质量和环境卫生条件,也可能加剧社会不平等。

垃圾处理政策执行中的公平性问题涉及政策制定与执行过程中是否充分考虑到不同群体的利益和需求。垃圾分类政策的推行需要居民具备一定的分内之事和意识,但不同社会经济群体在教育水平和环保意识上存在差异,这可能导致政策执行效果的不均衡。此外,垃圾处理政策中的激励与惩罚措施也需考虑到不同群体的承受能力和实际情况,避免加重弱势群体的负担。

在实践策略上,城市垃圾处理应注重公平性原则,通过精准施策和完善制度来缩小服务获取上的差距。可以根据社区特征制定差异化的垃圾处理策略,确保每个社区都能获得适宜的服务。同时,政策制定者应加强对垃圾处理政策公平性的监督和评估,确保政策能够平等地惠及所有社会群体。

垃圾处理的社会公平问题是一个复杂而多维的社会问题,需要政府、社区以及居民共同努力,通过合理的政策设计和有效的服务提供,实现垃圾处理的公平性,促进社会的和谐与可持续发展。

(三)社会意识与垃圾处理

垃圾处理是提升公众环保意识的重要途径。如何通过垃圾处理政策和实践来增强公众的环保意识,成为社会关注的焦点。

垃圾分类政策的实施能够提升居民的环保意识。通过政策引导和社会资本的积极作用,可以改变居民对生活垃圾分类的消极态度,提升居民对生活垃圾分类的接受度,进而影响居民的行为。例如,通过设置垃圾分类日等特定日期提醒,可以潜移默化地推动分类行为的养成。因此,政府和相关部门需要通过多种形式的宣传教育活动,普及垃圾分类知识,提高公众的学习意愿,从而促进环保意识的提升。

垃圾处理的经济激励措施对于提高居民参与度具有积极作用。研究表明,经济激励策略在实践中取得了一定的效果,但也存在执行效果的地区差异。这说明经济激励策略需要结合社区的具体情况,发挥社会资本在集体行为中的影响力,以实现更好的激励效果。

公众的广泛参与是废物分类成功的关键,而社区社会因素对居民垃圾分类经济激励效果尤为显著。因此,政府应该重视社区社会资本的培育,通过建立社区社会网络,积极培育社区社会资本,以改变居民对生活垃圾分类的消极态度,提升居民的环保意识。

垃圾处理政策和实践对增强公众环保意识具有重要作用。通过政策引导、经济激励、社会规范的建立、宣传教育活动的结合,可以有效提升居民的环保意识和垃圾分类行为。未来,应继续深化政策规制,加强公众教育,增强居民的环保意识,从而促进垃圾处理政策和实践的深入发展。

三、双碳背景下的政策发力方向

双碳背景下，我国政府应在如下方向提出政策，精准发力优化垃圾处理流程，提高垃圾处理效率。

加强居民垃圾分类的激励机制。通过财政补贴、税收优惠等措施，鼓励居民参与垃圾分类。同时，结合社区特点，采用精准施策，如宣传月、社区积分评比等方式，增强居民的分类意识和参与度。此外，考虑到社区社会因素对居民垃圾分类经济激励效果的影响，应充分发挥社区行动者的作用，利用其人际关系帮助激励政策的实施。

加大对垃圾分类处理产业链的支持。目前垃圾分类产业链集中在传统资源回收部分，末端处理和资源化利用处于起步阶段。政府应提供资金支持、财税补贴和政策支持，促进垃圾分类处理下游产业的发展，延长产业链，提高垃圾资源化水平。

推动垃圾处理市场的激活和科学配置。通过合理规划收运站点和路线，提高车辆运输能力与燃油经济性，减少能源消耗。同时，政府应加大对投放、收运、处理各环节的经济补贴，降低收运系统成本，提高回收物品资源化循环再利用效率。

完善垃圾处理的法律法规和制度建设。适当增加惩处规定，界定政府的监管责任、居民的分类责任和企业的绿色生产责任。通过法律法规等“刚性”制度约束，结合社会氛围的营造和社会心理的养成，为垃圾分类制度的贯彻落实增加“柔性”的保障。

提升公众环保意识和参与度。通过学校教育、大众传媒等途径，培育环境友好和资源节约的社会氛围。鼓励商场、市场、超市等提供生活所需品的场合，推行净菜上市，减少过度包装，建立消费包装物回收体系。

【本章小结】

随着垃圾产生来源日益广泛，结构日益复杂，垃圾处理逐渐成为全球关注的一项热点。一些发达国家对垃圾处理的重要性认识较早，对垃圾处理措施探索早，已经产生了一些较先进的经验成果。随着我国经济不断发展，低碳理念的持续推进，我国已经在垃圾处理问题上的诸多领域取得成果，并不断推进对垃圾处理分类治理模式、垃圾处理技术的探索，不断完善相关法律法规、制度政策，为垃圾处理的顺利开展保驾护航。对双碳与垃圾问题的研究有助于加深对垃圾处理的科学认识，从而减少垃圾对环境产生的危害，弥补双碳领域垃圾研究的空白，从多方面推进双碳目标。同时也应该认识到，我国的垃圾处理进程还存在巨大的发展空间和发展潜力，面临众多挑战，未来，还需要在垃圾处理领域继续努力，不断探索，争取取得更大的成果。

【案例分析】

唐山市工业垃圾处理实践：案例分析及可持续性探讨

工业垃圾处理对于中国城市的可持续发展至关重要。唐山市作为中国重要的工业城市之一，面临着大量的工业垃圾处理难题。唐山市是中国重要的钢铁生产基地，拥有众多大型工业企业，是国内规模最大、品种最全的型钢、棒线材、板带材和焊管等产品生产供应基地,每年产生大量的工业废弃物,包括废渣、废水、废气、废旧钢铁等。如果这些垃圾得不到及时处理,将对环境和人类健康造成严重影响。随着双碳目标的提出,唐山市政府越发重视工业垃圾的处理问题。

随着唐山市工业化进程的不断推进,工业垃圾问题逐渐突显。唐山市存在工业垃圾数量庞大且缺乏合理处理机制的问题。部分企业和个人对工业垃圾处理的意识和认识不足,对环境保护和资源利用的重要性没有全面认识。缺乏相关的知识和技能,不了解垃圾分类、资源回收和环境友好型处理技术的具体方法和操作,导致处理方式的不规范化。为此,唐山市印发了《唐山市废旧物资循环利用体系建设实施方案(2022—2025年)》,预计到2025年,唐山市的废旧物资回收网络将逐渐健全,其废旧物资的加工和再利用的整体水平将在河北省中名列前茅。预计到2025年,唐山市再生资源利用量达4 330万吨。在废旧钢铁的再利用和机电设备的再制造方面,唐山有望达到国内的先进水平,成为国内废旧物资循环再利用的示范城市。2023年唐山市工业固体废物综合利用率达78%,高于全国平均水平65%。

除此以外,唐山政府加强了相关法律法规的制定和执行,明确了工业垃圾产生、收集、运输和处理的责任和义务,为工业垃圾的合理处理提供了法律依据。积极推动工业垃圾资源化利用,鼓励企业采用先进的技术和设备,将废弃物转化为资源,减少对环境的污染和资源的浪费。建设了工业垃圾分类管理和回收体系,引导企业将工业垃圾进行分类投放,提升回收率,减少垃圾填埋和焚烧的需求。大力宣传和推广工业垃圾减量化和资源化利用的理念,倡导社会各界共同参与,形成全社会共同关注和支持工业垃圾处理的良好氛围。

工业垃圾的处理与双碳目标息息相关。在减少碳排放方面,工业垃圾中的有机废弃物在自然条件下分解会产生甲烷等温室气体,进一步加剧全球变暖。正确处理工业垃圾可以减少这些温室气体的排放。有助于实现减少碳排放的双碳目标。且工业垃圾中可能含有可回收的资源,如金属、塑料、玻璃等。通过妥善处理工业垃圾,可以回收并再利用这些资源,减少对原材料的需求,降低资源消耗和碳排放。工业垃圾处理是企业实施清洁生产的重要环节。通过合理的垃圾管理和减量化处理措施,工业企业可以降低资源浪费和环境污染,提高资源利用效率,减少对能源和碳排放的消耗。

1. 唐山市在工业垃圾处理方面采取了哪些具体的策略和措施,这些策略和措施的实施效果如何?

2. 唐山市工业垃圾处理面临的主要挑战和困难是什么,在解决这些问题时,唐山市政府和企业采取了哪些创新性的解决方案?

3. 唐山市工业垃圾处理与双碳目标的关系如何,工业垃圾处理在减少碳排放、实现可持续发展等方面起到了怎样的作用?

【问题探索】

1. 双碳背景下垃圾处理的国内外现状以及我国的纾困路径是什么?
2. 双碳背景下垃圾处理的技术是如何实现低碳化的?
3. 双碳背景下垃圾处理对经济社会的影响有哪些?

第五章　双碳与科技

【本章导读】

随着全球对碳减排需求日益增加，人们开始寻找能够减少二氧化碳排放的新技术和解决方案。本章节将重点探讨实现“碳中和”目标的关键技术途径，具体涵盖两大核心任务：一是减少碳排放量，二是增强碳捕获与存储能力，以全面分析达成双碳目标的技术路径。

减少碳排放的首要步骤是调整现有的能源结构。为此，需要提高化石能源的使用效率，同时大力推广和应用清洁能源。此外，碳减排的任务还涉及交通、建筑、农业等重点领域。通过这些技术措施的应用，不仅能有效减少碳排放，还能推动经济向更加绿色、低碳的方向发展。

增加碳吸收是实现碳中和的另一大关键。增加碳吸收又叫固碳，固碳分为生态固碳和技术固碳，在“双碳与生态”一章中，已经详细讲述了生态固碳的方式和意义。本章将特别关注技术固碳，深入探讨碳捕集、利用与封存(CCUS)技术的最新进展。

最后，完善的科技研究应用体系对于推动双碳战略的落实至关重要。我们将探讨如何从政策支持、资金投入、人才培养等多个层面构建一个高效、灵活、开放的创新体系。这样的体系不仅能够支持实现碳达峰和碳中和的目标，还能为整个社会的可持续发展提供动力和保障。

双碳与科技

【思维导图】(图 5-1)

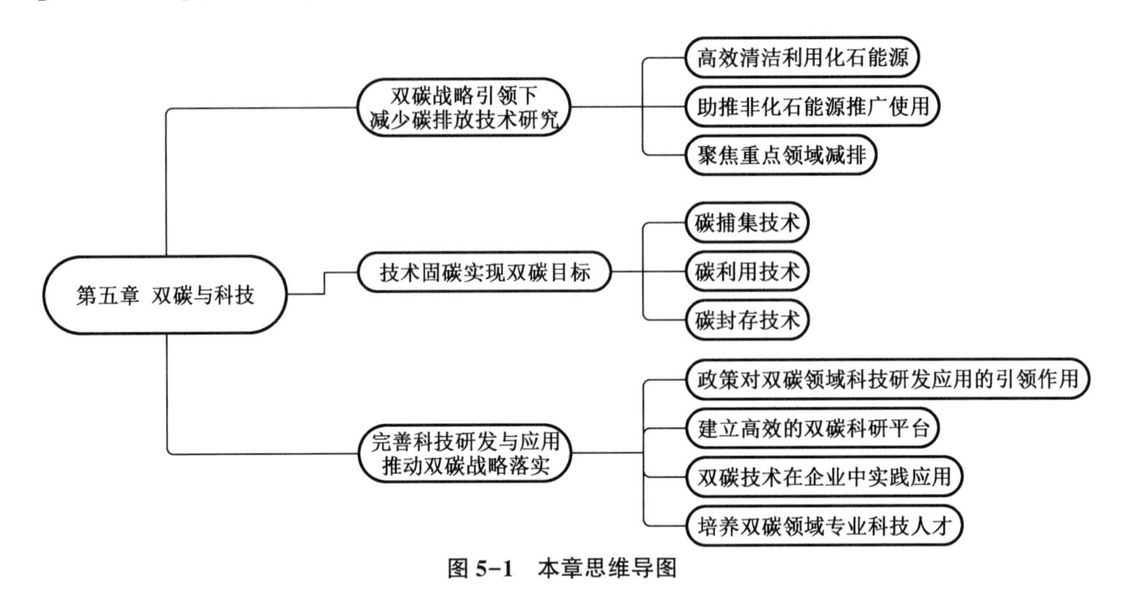

图 5-1 本章思维导图

第一节 双碳战略引领下减少碳排放技术研究

习近平总书记指出,实现双碳目标是一场广泛而深刻的变革,需要稳妥推进。在经济结构优化调整中,减少污染与降低碳排放是其不可分割的组成部分,应当遵循“稳步推进、整体规划”的原则。这表明,在逐步削减对传统能源的依赖的同时,必须确保新能源供给的安全性与可靠性,以维护经济与社会发展的连续稳定。

在双碳战略的引领下,减少碳排放技术的应用价值显得愈发重要。这不仅涉及能源结构的调整,也涉及农业、交通、建筑等多个重点领域。在能源领域,在提高传统化石能源效率的同时,推广清洁能源如太阳能、风能的使用;在农业领域,采用低碳耕作方法和提高作物效率;在交通领域,发展电动汽车和提高交通系统的能源效率;在建筑领域,推行绿色建筑标准和能源高效的建筑设计。这些措施不仅有助于减少温室气体排放,还能促进产业的升级和转型,推动经济向更加绿色、低碳的方向发展。

一、高效清洁利用化石能源

我国是全球最大的能源生产与消费双重身份国家,化石能源尤其是煤炭在能源体系中占据核心地位,并且预计在未来一段时间内仍将维持这一趋势。2022 年全年能源消费总量达到 5.41 亿吨标准煤,化石能源消费比重高达近 83%(其中煤炭、石油和天然气的消费占比分别为 56.2%、17.9%和 8.5%),这直接导致了国家碳排放量的持续高位。面对这一形势,化石能源的碳减排技术引起了广泛关注。《“十四五”能源领域科技创新规划》明确提出推进化石能源向清洁、低碳、高效的方向发展,突破在化石能源利用过程中存在的高能耗、高污染、高排放的技术障碍，以满足国家碳达峰、碳中和的战略目标。

（一）煤炭清洁高效转化

一直以来，煤炭供应是国家能源保障和国民经济稳定发展的坚强支柱。目前，煤炭主要用于直接燃烧发电和工业供热，这种利用方式污染严重，资源利用效率低下，导致 SO_2、NO_2 和 CO_2 等温室气体的大量排放，造成资源浪费和环境污染，迫切需要向高效率、几乎零污染和低碳排放的清洁利用模式转变。

习近平总书记指出要“大力推进煤炭清洁高效利用”。国家也相继发布了多项产业政策文件，如《能源技术创新“十三五”规划》《煤炭深加工产业示范“十三五”规划》《煤炭清洁高效利用行动计划（2015—2020 年）》《“十四五”节能减排综合工作方案》《能源技术革命创新行动计划（2016—2030 年）》等，提升了煤炭清洁高效利用在我国能源发展中的战略地位。科技部的“科技创新 2030—重大项目”将“推进煤炭高效清洁利用”列为主要任务，突显了其重要性与紧迫性。

近年来，我国在煤炭清洁高效转化技术领域已取得重大进展，包括煤热解、煤气化、煤液化（直接液化和间接液化）等技术，这些都是实现煤炭资源高效利用和降低环境污染的关键技术路径。

1. 煤热解技术

煤炭热解技术，是指在高温条件下对煤炭进行加热处理，使其成分发生化学分解，进而提取有价值的化学原料和液体燃料等。通过进一步加工，这些产品可转化为化工领域需求的重要能源，成为实现煤炭全面价值利用的关键技术之一。

目前，煤炭热解技术已广泛应用于国内外，形成了以热干法、分期分级热解法、水煤浆、热风气化等多样化技术体系，其中热干法技术应用最为广泛。发达国家正积极研究和应用煤热解多联产技术，意图将煤炭化工与电力工业有机结合，提升煤炭资源的综合利用效率。

2. 煤气化技术

煤气化技术涉及将煤炭送入反应器（如气化炉）内，在适当的温度和压力条件下，利用氧化剂将其转化为气态，进而生成粗制水煤气，通过后续的脱硫脱碳等工艺，最终获得精制一氧化碳气。

该技术在中国被广泛运用于工业煤气、民用煤气及煤炭气化制氢等领域，为社会生产和日常生活提供了重要的能源支撑。中国政府高度重视煤气化技术的发展，通过技术创新与应用推广，建立了一系列示范项目与产业基地。国际上，煤气化技术同样得到广泛应用，如德国、荷兰和印度尼西亚等国家在生产合成气、氢气及其他化学品方面都运用了该技术。

3. 煤炭直接液化技术

煤炭液化技术是通过化学加工过程，将固态煤炭转化为液体燃料、化工原料及产品。该技术分为直接液化和间接液化两大类型。直接液化过程在高温（400℃ 以上）、高压（10 MPa 以上）条件下，借助催化剂和溶剂作用，实现煤炭分子的裂解加氢，直接转化为液体燃料。经过进一步精制处理，可生产出汽油、柴油等燃料油。

目前国内对于煤炭直接液化的关注度是比较高的，而且已经在实践中进行了一些探索。例如,神华集团和延长石油公司已经在陕西省榆林市启动了煤制油项目,利用煤炭直接液化技术生产油品。中国煤科院的煤化所等科研机构也在积极研究煤炭直接液化技术,推动该技术在工业上的应用。

未来需要加强对液化技术本身的环境影响进行优化,减少碳排放量,确保在追求能源安全和经济效益的同时,也能符合可持续发展的要求。

4. 煤炭间接液化技术

煤炭间接液化技术,首先将煤炭完全转化为合成气,随后利用该合成气(一氧化碳和氢气)作为原料,在特定的温度和压力条件下,通过催化作用合成为烃类燃料油以及化工原料和产品。该过程涵盖煤炭的气化制取合成气、气体的净化与交换、催化合成烃类产品以及产品的分离和改制加工等多个环节。目前,煤炭间接液化技术主要包括南非的萨索尔(Sasol)费托合成法、美国的 Mobil 甲醇制汽油法以及正在研发中的直接合成法。

在中国,煤炭间接液化技术已步入商业化发展阶段。例如,上海兖矿公司自 2002 年起开展煤炭间接液化技术研发,成功研发出三相浆态床低温费托合成和高温固定流化床费托合成技术;中国科学院山西煤化所则采用碎煤作为原料,通过高温气化和低温催化技术,最终转化为具有高附加值的油品和化学品。此外,国家能源集团宁夏煤业公司依托山西煤化所的技术,于 2018 年启动了年产 400 万吨的间接液化项目,并成功生产出符合标准的油品和化学品。

为实现碳中和目标,应积极推动煤炭清洁高效利用技术的发展,提高煤炭综合利用效能,促进行业转型升级,以确保国家能源安全和双碳目标的实现。

(二)石油天然气高效利用

2020 年,我国石油、天然气行业的碳排放量约占总排放量的 20.8%。在双碳目标背景下,该行业面临较大的减排压力。

1. 石油利用技术

石油行业不仅是当前重要的战略资源和工业生产依赖的关键能源,也是国民经济的支柱产业。然而,石油工业在生产过程中不但消耗大量资源,还产生大量的碳排放,造成环境污染和破坏。

石油石化产业链中的上下游碳排放占比较高,尤其是石油的开采和炼化过程,是典型的高耗能、高排碳阶段。在石油的下游应用中,其作为燃料的属性占主导地位,而化工产品的比例相对较低(一般不超过 20%)。面对双碳目标,随着能源消费向电气化方向的转变,未来石油在终端消费中的燃料属性将显著减弱,交通用油等传统石油利用方式将逐步被电气化替代。因此,石油利用过程面临着能效提升、大幅度减碳以及产品结构深度调整的压力。

为应对成品油需求下降,炼化企业从“燃料型”向“化工型”转型成为必然趋势。需通过一系列技术手段,如石油催化裂解生产烯烃芳烃技术、原油直接催化裂解生产化学品技术等,以及甲醇石脑油耦合制烯烃、甲醇-原油共催化裂解制烯烃等技术,构建新的石油制烯烃芳烃化学品技术体系。通过这些新技术体系,可以实现低碳、清洁和高值化生产,进一步提高国内基础化工原料的自给自足率，有效推进双碳战略的实施。

2. 天然气利用技术

天然气利用技术是指从天然气的开采、处理、运输到最终应用的一系列技术。由于其较为清洁的燃烧特性和较低的碳排放，天然气被视为过渡到低碳能源经济体系中的关键能源之一。目前，天然气广泛应用于家庭供暖、发电、工业生产以及作为交通燃料等领域。

在开采阶段，技术的发展使得对非常规天然气资源如页岩气、煤层气等的开采成为可能，并且越来越高效。随着水平钻井和水力压裂技术的进步，这些非常规天然气资源的商业开发变得经济可行。

处理和净化技术则保证了提炼出的天然气符合输送和使用的质量标准。去除杂质如硫化氢、二氧化碳和水蒸气等，不仅可以防止管道腐蚀和减少环境污染，也可以提高燃烧效率。

天然气的运输则主要依赖管道和液化天然气（LNG）技术。管道运输是连接生产现场和消费市场的直接方式，而 LNG 技术则通过冷却天然气至极低温度将其液化，大大减少了体积，使得海上和长途运输成为可能，从而打破了地域的限制。

最终应用方面，除了传统的燃烧用途，天然气还可以通过技术转换成其他形式的能源或化学品。例如，通过甲烷重整技术将天然气转化为氢气，用于氢能经济；或者通过甲烷化合物的合成技术生产甲醇、氨等，用于化工原料。

随着碳减排目标的提升，天然气利用技术也在不断进步，旨在提升效率、降低排放。例如，联合循环发电技术可以提高发电效率，减少每单位电力的天然气消耗和碳排放。同时，随着碳捕集、利用与封存（CCUS）技术的发展和应用，天然气利用的环境影响将进一步降低。

二、助推非化石能源推广使用

随着《关于完整准确全面贯彻新发展理念做好碳达峰碳中和工作的意见》的发布，中共中央、国务院已明确提出在“十四五”期间、2030 年及 2060 年达成的关键目标：即到 2025 年，非化石能源在能源消费总量中的比重应达到 20%左右；到 2030 年，该比例应增至约 25%；而到 2060 年，非化石能源消费比重需达到 80%以上。截至 2020 年末，我国非化石能源消费比重仅为 15.9%。文件还特别强调了实施可再生能源替代策略的重要性，包括大力推广风能、太阳能、生物质能、海洋能和地热能等，以提高非化石能源在总能源消费中的比例。同时，鼓励集中式和分布式能源发展相结合，优先发展风电和光伏发电的就地就近利用，因地制宜地开发水能，积极而有序地推进核能发展，合理运用生物质能，快速推动抽水蓄能及新型储能技术的规模化应用，并全面推进氢能从生产、储存、传输到使用的全链条发展。进一步构建以新能源为主体的新型电力系统，提升电网对可再生能源高比例接纳和调节能力。

为加大非化石能源的使用，实现碳达峰碳中和，我们将从清洁能源、储能科技、新型电力系统三个方面来进行技术的介绍。

（一）增强清洁能源转化技术

根据国际能源署的数据显示，过去 30 年中，全球 55%的累计碳排放量源于电力行业，且该行业 80%的碳排放量来自燃煤发电。随着全球向电动化的转变，未来，电力在二次能源中的占比将进一步上升。因此，降低燃煤发电比例，大力发展清洁能源成为实现碳中和目标的关键路径。

清洁能源是指来自可再生和零排放来源的能源，这些能源在使用时不会污染大气。清洁能源在生产过程中不产生空气污染物或温室气体，因此对环境的影响最小。

直接清洁能源通常指直接从其来源获取的能源，例如太阳能和风能，这些能源直接从自然过程中产生电力，无须通过其他中间转换过程。而间接清洁能源指的是通过一些转换过程产生的能源，例如氢能源、生物质能源等。

通过减少对化石燃料的依赖，清洁能源有助于减缓气候变化，并为全球能源未来提供可持续的解决方案。

1. 直接清洁能源

本节只列举水能、风力、太阳能发电技术，除此之外还有核能发电技术、地热能发电技术等。

（1）水能发电技术

作为全球重要的能源之一，水能发电为全球约供应了 15%的电力，在可再生能源发电中的占比高达 95%。目前，全球约 33%的水能资源已被开发利用，而剩余的未开发资源中有 90%位于发展中国家。水能发电的成本较低，且资源可持续利用，对于应对气候变化和解决能源供应问题非常关键，尤其对经济转型中的发展中国家而言更是如此。中国作为全球水电利用量最大的国家，总装机容量达到 117 000 兆瓦，年发电量可达 401 200 吉瓦时，其中三峡水电站是世界上最大的水电站。

（2）风力发电技术

风力发电是一种通过风能转换成电能的清洁能源技术。它利用风车或风力涡轮机的叶片捕捉风能，通过旋转运动驱动发电机产生电力。风力发电不需要燃烧燃料，因此不产生温室气体排放，对环境影响较小。

根据国际可再生能源机构（IRENA）的数据，截至 2022 年底，全球风力发电的累计安装容量超过 837 吉瓦（GW）。风力发电的增长在过去十年中一直保持着较高的速度，特别是在欧洲、北美和亚洲的一些地区。中国、美国、德国、印度和西班牙是全球最大的风力发电市场。

中国已成为世界最大的风电市场，累计装机容量超过 300 吉瓦（GW），同时也是最大的风电设备生产国之一。

在美国，风力发电也展现出强劲的增长势头。据美国能源信息署（EIA）报道，美国在 2022 年的风电装机容量约为 135 吉瓦，使其成为世界上第二大风电市场。

风力发电技术的发展也在不断进步。现代风力涡轮机的高度和转子直径都有显著增长，这使得它们能在更低风速的条件下运行，提高了发电效率。此外，海上风力发电由于其更稳定和强劲的风力条件,正成为风力发电领域的一个重要增长点。

然而,风力发电也面临一些挑战。例如,风力发电的可预测性和间歇性问题需要通过电网管理和储能技术来解决。此外,风力涡轮机的建设和运行对于野生动物和当地生态系统可能产生影响,需要通过环境评估和适当的选址来缓解。

未来,风力发电技术的进步,如更高效的涡轮机设计和更好的电网管理系统,将进一步降低成本并提高风电的市场竞争力,继续在全球能源结构中扮演重要角色。

(3)太阳能利用技术

太阳能发电技术是指利用太阳能转换成电能的技术,主要通过光伏(PV)电池板和聚光太阳能(CSP)系统实现。光伏技术通过直接将太阳光转换为电能,是太阳能发电的一种最常见形式。聚光太阳能系统则使用镜子或透镜集中太阳光,产生高温热量来驱动发电机组。

太阳能发电在过去十年经历了爆炸性增长,成本在过去几年中显著下降,使得它在许多地区变得更具有竞争力。

在国际层面,太阳能发电已经在许多国家广泛部署,特别是在中国、美国、日本、德国和印度。这些国家不仅在太阳能发电装机容量上位居世界前列,而且在太阳能技术的研发和制造方面也占据重要位置。

在中国,太阳能发电是国家能源结构调整的重要组成部分。根据中国国家能源局的数据,中国的光伏发电装机容量连续多年全球领先。中国政府大力推广太阳能发电,通过政策支持和补贴驱动了太阳能产业的快速发展。

太阳能热利用技术在利用太阳能资源方面具有巨大潜力,可以为人类提供清洁、可持续的能源供应。

2. 间接清洁能源

作为一种高效能源,氢能因其高燃烧热值、可持续性、储量丰富及零污染等优点而日益受到重视,被视为实现绿色、清洁及可持续能源发展的重要途径。据预测,到2050年,氢能将占世界能源市场的18%,全球20%的二氧化碳减排可以通过氢能替代完成,展现出在未来能源市场中的巨大潜力,对实现碳中和目标产生重要影响。

在此背景下,中国于2021年启动了旨在推进氢能技术发展的国家重点研发计划“氢能技术”重点专项,目标是到2025年将我国在氢能技术研发方面提升至国际领先水平,并实现关键产业链技术的自主控制。该专项计划侧重于四个技术方向:氢能绿色制取与规模化转储体系、氢能安全存储与快速输配体系、氢能便携式改质与高效动力系统,以及“氢进万家”的综合示范,同时,将启动19个指南任务,包括光伏风电等波动性电源电解制氢的材料和过程研究等。这些研究旨在克服氢能产业链中的关键技术难题,提升氢能技术的安全性和效率,降低成本,促进其在能源转型和可持续发展中的广泛应用。

氢气的制备方式主要包括化石能源制氢、工业副产气制氢和电解水制氢三种。其中,化石能源制氢作为一种传统方式,虽成本相对较低,但因其较高的碳排放量而不利于实现碳中和目标。工业副产气制氢,即蓝氢,是指在生产焦炉煤气、合成氨、合成甲醇等过程中产生的氢气。电解水制氢则是一种无温室气体排放、氢气纯度高的清洁制氢方式,尽管当前成本较高,但预计将成为未来制氢的主流技术。氢气的储存和运输方式包括压缩氢气、液态氢气和固态氢气储存运输，氢能的应用领域涵盖交通运输、能源、工业及航空等多个领域。

（二）加大储能科技

1. 储能技术概述

储能科技是能源领域的关键组成部分，它允许电力在生成时储存起来，供之后的使用。新型储能技术，凭借其建设周期短、选址灵活性高和出色的调节能力，对于缓解我国电力系统稳定性与平衡问题起到了关键作用。这些技术不仅成为应对新能源大规模并网和消纳的重要措施，也是构建新型电力系统的基石。进一步推动新型储能技术的发展，将有助于我国在全球能源领域获得战略优势。当前，储能科技正受到全球广泛关注，尤其是在可再生能源的波动性和不确定性问题日益突显的背景下。为了促进储能技术的发展，我国已经制定了一系列政策和规划措施。《"十四五"能源科技创新规划》中特别强调了新型储能技术的多元化发展，通过示范项目带动产业进步，并支持新型电力系统的规模化建设。这涉及促进新型储能技术与电力系统的整合，例如提高传统电源如煤电的调节能力，以及增强电网薄弱区域的供电保障。

2. 储能技术的主要类别

（1）电化学储能：主要包括铅酸电池、锂离子电池、钠硫电池和液流电池等多种电池类型。其中，锂离子电池以其高能量密度、长使用寿命和较低的自放电特性，在移动设备、电动汽车及电网储能领域得到了广泛应用。

（2）机械储能：涵盖了抽水蓄能、压缩空气储能和飞轮储能等技术。抽水蓄能作为目前最成熟的大规模储能技术之一，其原理是在低电力需求期间使用电力把水泵送到较高位置的蓄水池中，然后在高峰需求时释放水流驱动涡轮发电，从而实现能量的储存与释放。

（3）热能储存：利用材料的热容性质来储存能量，例如在太阳能热发电中使用的熔融盐储能系统。

（4）化学储能：通过化学反应储存和释放能量，如氢能储存，即使用电力将水电解制取氢气，储存后再通过燃料电池发电或直接燃烧氢气释放能量。

这些新型储能方式都具有不同程度的技术优势，如储存容量大、充电速度快、使用时间长等，可以广泛应用于电力系统的各个环节，提高电力系统的稳定性和可靠性，降低能源成本，提高能源利用率，减少对环境的影响和污染，推动能源转型和经济发展。

3. 储能技术的发展趋势

随着电动汽车市场和可再生电力的持续增长，对更高效、成本更低、寿命更长的储能解决方案的需求正在推动储能科技的创新。锂离子电池作为目前储能应用中最主要的技术路线，仍处于绝对主导地位。钠离子电池则以其成本低、资源丰富的特点，被视为锂离子电池的重要补充，预计未来将在产业化中占有一席之地。

尽管储能科技拥有巨大潜力，目前在成本、能量密度、循环寿命以及环境影响等方面仍面临挑战。企业和研究机构正在开发新材料、新设计以及更为可持续的储能方案，以实现这一技术的广泛应用和经济效益。

(三)构建新型电力系统

2021年3月15日,习近平总书记在中央财经委员会第九次会议上做出构建新型电力系统的重要指示,党的二十大报告进一步强调了加快规划和建设新型能源体系的必要性,为我国能源电力行业的高质量发展确立了基本遵循,并指出了未来的发展方向。2023年6月,国家能源局发布的《新型电力系统发展蓝皮书》详细阐述了新型电力系统的内涵特征与发展路径,强调构建新型电力系统是我国实现碳达峰、碳中和目标的关键举措。

我国致力于构建的新型电力系统是一项能源转型战略,其核心目标是确保能源电力的安全供给,并满足经济社会高质量发展对电力的需求。该系统以大规模新能源接入为核心任务,突出源网荷储(能源、电网、负荷、储能)的多向协同和灵活互动。新型电力系统的特性包括:安全高效、清洁低碳、柔性灵活、智慧融合,力求打造一个坚强、智能、柔性的电网平台。

根据《新型电力系统发展蓝皮书》指出的建设方向,我国的新型电力系统建设是一项跨领域、多阶段的系统性工程。政府已经制定了包括加速转型期(当前至2030年)、总体形成期(2030年至2045年)、巩固完善期(2045年至2060年)的“三步走”战略路线图,分阶段实现这一目标。在推进过程中,将特别加强电力供应支撑体系、新能源开发利用体系、储能规模化布局应用体系和电力系统智慧化运行体系。此外,还将重视新型电力系统运行的标准制定、核心技术研发、重要装备创新以及相关政策和体制机制的配套改革。这些策略和规划的终极目标是建立一个以清洁能源为主体、安全稳定、经济高效、供需平衡且具备高度智能化和灵活性的新型电力系统,为中国实现碳达峰和碳中和的宏伟目标提供坚实的能源保障和支撑。

三、聚焦重点领域减排

(一)农业领域

1. 现状

为实施双碳战略,中国经济各子系统须进行全面、深入、根本性的转型。农业领域,既是碳排放源也是潜在的碳汇,是实现碳达峰的重要途径之一。随着我国农业向现代农业转型,依赖于机械化、大量使用化肥、农药和地膜的生产模式导致农业成为重要的二氧化碳排放源。农业碳减排成为中国实现碳达峰的必经之路。在发展低碳经济的过程中,低碳农业被视为必然选择,通过减少化肥、农药和能源的使用,降低农业生产过程中的碳排放,同时提高生产效率和改善生产环境,推进农业的可持续发展。

(1)我国农业碳排放的主要来源

在传统农业模式中,作物通过光合作用吸收二氧化碳,为减少温室气体排放做出贡献。然而,现代化农业生产方式的能源和农用化学品消耗及农业废弃物排放,导致农业成为中国二氧化碳排放的主要来源之一。据估算,农业生产导致的二氧化碳排放占全国排放总量的13%。农业碳排放主要来源于机械化生产过程中的能源消耗,特别是柴油机械和化石能源发电。清华大学气候变化与可持续发展研究院的研究显示,27.18%的农业碳排放源于农业设备能源消耗。农药、化肥和地膜的生产与应用也是主要排放源,这些化学品的生产和使用过程释放大量二氧化碳。

(2)我国农业碳排放面临的主要问题

能源使用惯性问题显著。随着农业生活条件的改善,农村电力消耗增长迅速,这反映出农业生产模式的变革,如种植、养殖、加工等活动对电力和柴油动力的依赖。虽然我国正积极推进风能、太阳能等可再生能源,但目前其装机容量还远未达到理想水平。

清洁能源的利用挑战。在规模化养殖产生的大量畜禽粪便资源化利用方面,沼气发电技术尚不成熟,沼气发电设备在性能、价格和维护方面均存在不足。虽然我国太阳能技术处于全球领先地位,但在农村地区普及率不高,主要受制于高投资成本、发电效率、天气依赖性,以及技术和维护人员短缺。

低碳农业生产技术推广面临难题。第三次农业普查数据显示全国小农户数量占农业经营主体的98%以上,导致低碳农业技术难以普及。

化肥农药的过量使用导致温室气体排放量大。农业废弃物如秸秆还田可以提高土壤固碳能力和土壤肥力,但大量废弃物资源化利用不足,导致单位农产品碳排放量偏高。以低碳带动农业绿色转型的总体路径如图5-2所示。

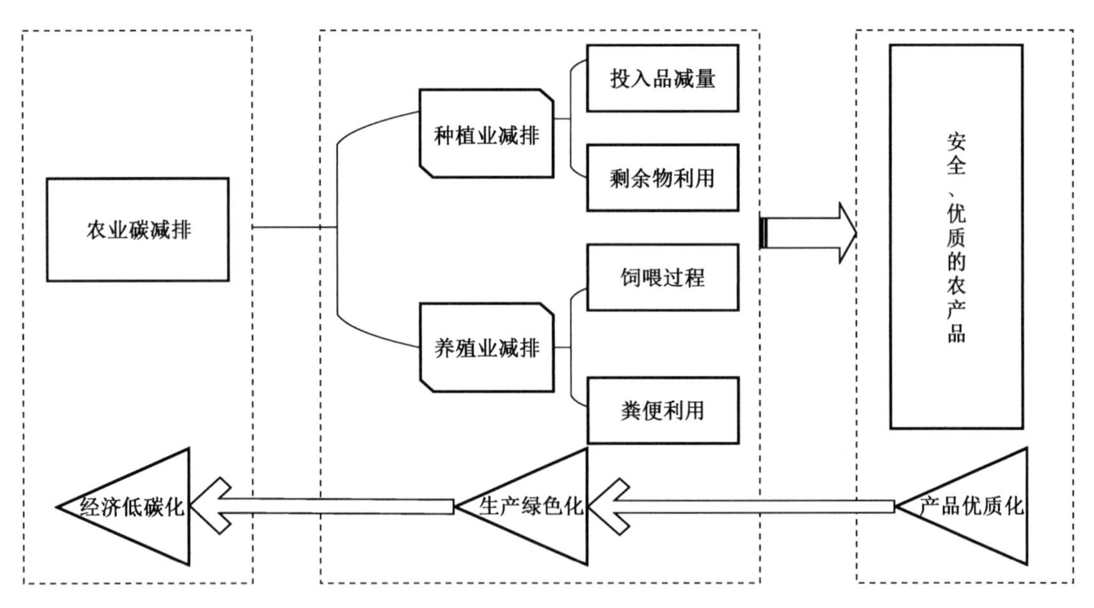

图5-2 以低碳带动农业绿色转型的总体路径

2. 技术减排

(1)减少化肥的温室气体排放

农田施肥是N_2O主要的排放源,占我国N_2O排放总量的74%。同时,化肥的生产过程消耗大量资源,生产1吨合成氨大约需要消耗1 000立方米的天然气或1.5吨的原煤。根据估算,如果能将氮肥的利用率提高10个百分点,那么每年可节约天然气约2.5亿立方米或减少原煤消耗375万吨。因此,提升化肥利用率、减少化肥的施用对于实现农业低碳发展至关重要。

一是合理选择氮肥种类。不同的理化条件对不同氮肥种类造成温室气体排放的影响不同。在有氧条件下,尿素中的 N_2O 排放量大于其他氮肥,而在较高的水分含量下,N_2O 的排放量差异较小。添加抑制剂或控制肥料释放对农田施肥的温室气体排放也有所影响。有研究认为,施加常规氮肥和缓释肥对土壤 CH_4 和 N_2O 的积累排放无显著影响,施加硝化抑制剂和脲酶抑制剂则能够显著降低土壤温室气体排放。

二是合理掌握施肥时间。科学安排施肥时间,以适应作物对氮的吸收周期,减少温室气体排放。例如,在作物生长后期施肥可以在保证产量的同时降低 N_2O 排放,春季施用氮肥相比秋季排放更低。

三是加强用水管理。采用滴灌等节水灌溉技术,优化农业用水管理,不仅节约水资源,同时减少 N_2O 排放。在滴灌系统下,相对漫灌可以大幅度减少蔬菜种植和冬小麦—夏玉米轮作系统的 N_2O 排放。

四是减少化肥用量。实施测土配方施肥项目,通过土壤养分测定、施肥方案设计和正确施用肥料,减少化肥使用量,降低温室气体排放。全国范围内实施测土配方施肥可以大幅度减少化肥投入,并相应减少碳排放。

(2)提升土壤固碳能力

据估计,农业近 90%的减排份额可以通过土壤固碳来实现。提升土壤固碳能力是农业减排的关键环节之一,对于实现中国农业的绿色发展和碳减排具有重要意义。以下是提升土壤固碳能力的主要措施。

①秸秆还田:秸秆还田是将农作物残余秸秆返回土地,以增加土壤中的有机碳含量,发挥其作为碳汇的功能。主要的秸秆还田方式包括秸秆覆盖还田和秸秆翻耕还田两种。秸秆覆盖还田通常与免耕耕作相结合,作为一种保护性农业措施。秸秆翻耕还田则通过增加土壤的孔隙度和透气性,促进微生物的活动,加快了土壤有机碳的循环过程。

②保护性耕作:采用最小翻耕或免耕,以及作物残留物的覆盖还田,可以限制土壤水分蒸发,增加作物可用水分,降低水土流失,增强土壤团聚体的稳定性,从而提升土壤固碳能力。

③轮作制度:轮作是农业生产中交替种植不同作物的做法,有助于调节土壤中的有机物质输入,增加土壤中的有机碳含量,并显示出明显的碳汇效应。

这些措施的实施不仅有助于提升土壤固碳能力,还能提高土壤肥力,促进农业生态环境的改善,实现农业生产的可持续发展。

(二)交通领域

1. 现状

(1)交通运输行业碳排放现状

国际能源署(IEA)统计数据显示,2020 年全球碳排放主要来自能源发电与供热、交通运输、制造业与建筑业三个领域,占比分别为 43%、26%、17%,如图 5-3 所示,其他领域占 14%,不在图中显示。

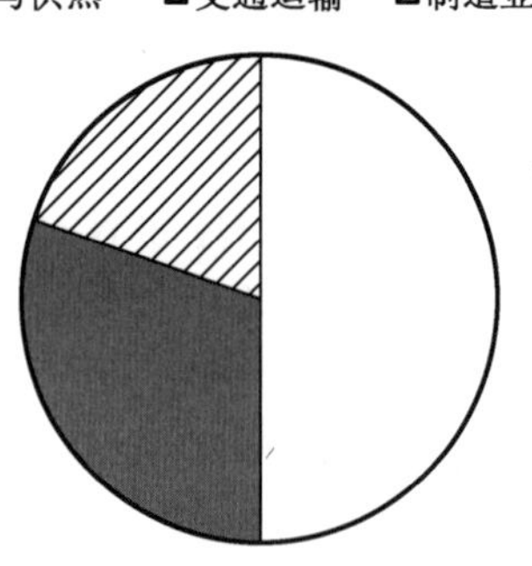

图 5-3　2020 年度全球碳排放来源构成

由此可见,交通运输行业是第二大碳排放源。我国作为交通大国,高速公路通车里程、高速铁路与城轨交通运营里程均为世界第一,交通运输行业碳排放年均增速保持在 5%以上,是温室气体排放增长最快的领域。碳排放总量占全国终端排放量约 15%,其中公路占 74%、水运占 8%、铁路占 8%、航空占 10%左右。从美国等已实现碳达峰的主要发达国家发展历程看,交通部门能耗占终端能耗比重大,基本上都稳定在 20%到 40%之间。

国际能源署(IEA)指出,2019 年全球交通运输部门碳排放占总排放量的 24%,其中道路交通碳排放占交通运输部门的 3/4。2019 年,我国发布了 2014 年国家温室气体清单,交通运输碳排放占全国总量的 6.7%,道路交通碳排放约占交通运输温室气体排放的 84.1%。随着城市化进程不断加快,道路交通快速机动化发展阶段的到来,以及跨区域合作交流需求的日益增长,道路交通部门碳排放对全国碳排放的贡献将进一步增加。

道路交通作为交通部门碳排放的重要来源,将在实现双碳目标的过程中承担重任。汽车作为道路交通系统中的关键要素,其低碳化进程对于道路交通部门减排意义重大。2021 年,国际能源署(IEA)发布的《能源部门实现 2050 年净零排放路线图》报告中强调了电气化在实现交通部门排放减少中的核心作用:预计到 2035 年将全面停止销售新的内燃机汽车,并通过电气化政策为大规模减少交通部门排放奠定基础,到 2050 年,全球汽车将使用动力电池或燃料电池。为了推进汽车低碳化进程,我国政府出台了《新能源产业发展规划(2021—2035 年)》等一系列政策措施来促进节能技术的应用与推广。考虑到不同汽车节能技术和新能源汽车在推广成本及减排效果上的差异,深入研究其碳减排效益,进一步识别和推广经济性高的技术组合,对于推进道路交通部门实现“碳达峰、碳中和”目标具有重要的意义。

(2)交通领域节能降碳面临的挑战

①交通基础设施是行业绿色低碳转型的重要领域。

我国交通基础设施体量庞大,建设总量跃居世界前列。随着交通基础设施网络不断完善,碳排放强度较高与生态环境协调发展不足的问题逐步凸显。

②交通运输是居民出行和物流服务的基础支撑和保障。

随着经济社会的快速发展和人民生活水平的不断提高,交通运输需求总量、运输装备保有量持续增加,碳排放总量仍将持续增长。2010—2019 年汽车拥有量增长统计如图 5-4

所示。

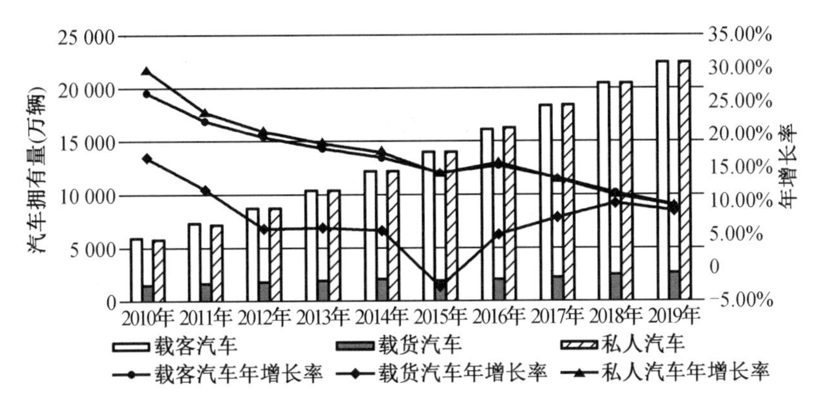

图 5-4　2010—2019 年汽车拥有量增长统计

③出行者对交通服务品质满意度的追求不断增强

全社会对运输时效性、个性化、舒适度等的要求越来越高，运输服务规模持续增长，单位运输周转量能耗水平已接近发达国家，单位碳排放下降面临瓶颈。

④交通行业实施节能降碳资金需求量大

政府间气候变化专门委员会第六次评估报告（IPCCAR6）中指出，交通运输行业碳减排成本明显高于工业、建筑等行业。典型发达国家交通运输 CO_2 排放量如图 5-5 所示。

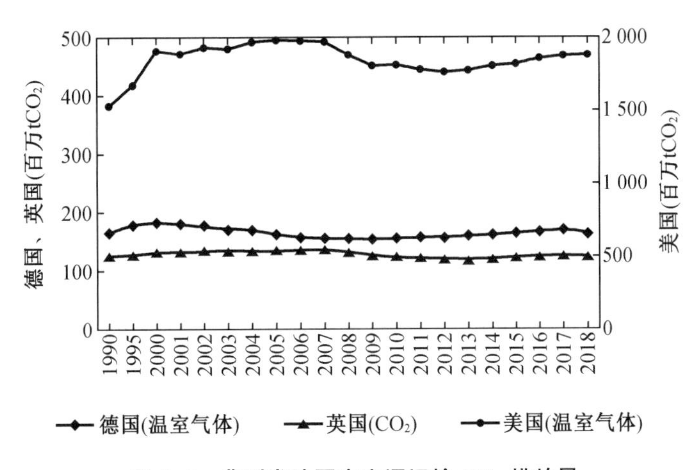

图 5-5　典型发达国家交通运输 CO_2 排放量

综上所述，相较于工业、建筑等领域，交通运输行业是实现双碳目标的重点和难点领域。

2. 技术减排

（1）发电端减碳：建立绿色低碳循环发展的产业体系

数字技术减碳，用数据资源实现城市交通领域减碳的可监测、可发布和可核算，通过技术创新发挥“综合减碳”作用。交通设施性能远程数字化全息感知与精确诊断：在数字化转型背景下，探索研发远程技术和更节能、更快、更全面的数据感知技术，建立更准、更有针对性的诊断方法,科学把握养护时机、有效延长设施寿命。建立绿色低碳循环发展的产业体系,加快传统产业的转型升级,大力发展数字产业和高新科技产业。在交通终端能源使用上,推动电力替代化石能源,推进绿色氢能、纯电动、城市轨道交通和新能源汽车等低碳前沿技术攻关,充分发挥电动汽车在能源互联网中智能储能作用。

(2)消费端减碳:转换交通出行模式,抓好绿色低碳出行

在推动实现双碳目标的背景下,未来公共交通将获得更大发展,智能化水平将不断提高,共享汽车和共享单车将进一步解决"最后一公里"问题。汽车电动化的发展将加速,并推动新能源汽车产业的快速成长。发展智能交通系统,提高运输需求与供应的匹配度,降低空驶和空载率。全面推进公交都市建设,增强公共交通服务能力,积极实施绿色出行行动,引导公众优先选择绿色出行模式。加速新能源及清洁能源车船的发展,推进交通领域电气化替代,加快更新改造老旧运输工具,促进前沿技术的突破。

(3)配套设施减碳:抓好资源节约集约利用

推动智慧交通发展,提升智能交通水平,减少运输的空驶率及空载率。利用日益成熟的5G技术发展网联车,实现人、车、路的协同,提高出行和交通效率,降低碳排放。合理利用综合运输通道的线位、土地、空域等资源,鼓励不同运输方式和等级的交通基础设施共享通道,推广使用节能环保的材料和工艺。明确发展目标和远景规划,依托信息技术构建多样化、一体化的全链条出行服务,提升综合运输效率。发展"互联网+多式联运"模式,探索信息平台和信息对接等领域的创新,实施"互联网+"战略,提高运输领域的整合和效率。

(三)建筑领域

1. 现状

建筑行业是我国能源消耗和碳排放的关键领域,对实现双碳目标起着至关重要的作用。据统计,我国建筑全周期的能源消耗占国内能源消费总量的45%,而碳排放量则占全国总排放量的50.6%。作为人们生活和工作的主要场所,建筑领域包括建材生产运输、建筑建造及其运行阶段,均涉及大量能源资源的消耗,成为国内能源消耗的主要源头之一。近年来,随着城市建设的快速进展,大量新建建筑的兴建和庞大存量建筑的运行导致二氧化碳排放量急剧增加。特别是建筑建造和运行阶段的碳排放,共计占我国社会总二氧化碳排放量的38%,其中建筑建造占16%,运行阶段占22%。随着城镇化和生活水平的持续提升,预计未来5至10年建筑领域的运行能耗将继续上升,因此实现建筑领域的碳达峰和碳中和任务异常艰巨。

(1)建筑领域能耗现状

建筑领域能耗主要分为建造阶段和运行阶段两大类。根据《中国建筑节能年度发展研究报告2021》,2019年我国建筑领域建造能耗约为5.4亿吨标准煤,占国家总能源消费的11%,这一比例远高于全球平均水平的5%。同年建筑运行阶段能耗约为10.2亿吨标准煤,占全国能源消费总量的22%,低于全球平均水平的30%。公共建筑、北方供暖、农村住宅、城镇住宅四大用能类型各占比约为14%。在公共建筑规模增长和能耗强度上升的背景下,公共建筑已成为建筑能耗的最大部分。

尽管我国持续致力于推广建筑节能措施,但由于庞大的人口基数和建筑规模,加之大量现有建筑缺乏节能设计,以及工业厂房建筑节能改造进展缓慢,总体能耗仍呈现上升趋势。随着国民经济水平的提升和对更高生活品质的追求,能源消耗的增长势头也随之加剧。建筑内部能耗分布情况如图 5-6 所示。

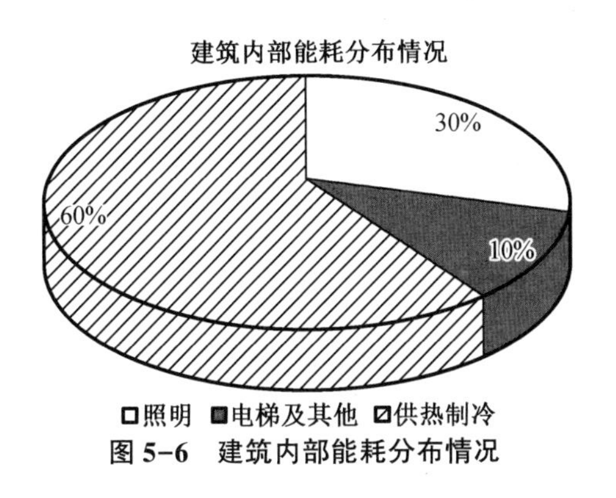

图 5-6　建筑内部能耗分布情况

(2)建筑领域碳排放现状

随着建筑需求的增加和城镇化水平的提高,我国每年约有 20 亿平方米的新增建筑面积,加之南方供暖市场的扩大和对美好生活追求的增长,建筑领域的碳排放量在未来十年内预计仍将持续上升。若保持现有建筑节能政策和技术标准不变,预计建筑领域碳达峰时间将在 2038 年左右,其峰值期预计集中在 2038 至 2040 年,届时碳排放峰值将达到约 25.4 亿吨二氧化碳,这将明显延后于全国碳排放总量达峰的时间,对实现“2030 年前碳达峰”目标构成巨大挑战。因此,融入绿色低碳理念于建筑全过程,采取发展超低能耗建筑、星级绿色建筑、电力替代和可再生能源等综合技术措施,是实现建筑领域节能减碳的关键路径。

2. 技术减排

(1)降低资源能源消耗技术措施

在建筑使用阶段,能源消耗占有很大比例,目前建筑节能主要依靠提升建筑围护结构的隔热和保温性能,以提高能源使用效率、减少能源消耗、并降低碳排放。未来,为实现建筑行业的低碳转型,应采取更多主动节能措施:充分利用自然通风和天然采光,提升建筑设备的运转效率,降低整体能耗,并增强可再生能源的回收与应用,以期达成建筑运行的低碳或零碳排放目标。

(2)工业化装配建筑技术

在人力和机械上减少 20%的能耗,还能显著减少现场用水,降低空气污染、噪声污染及废弃物排放。此外,推广全装配式建筑还可有效防止乱装修行为,保障建筑安全,减少资源浪费,降低碳排放,实现建筑领域的绿色可持续发展。例如,河北省在其“十四五”住房和城乡建设规划中提出,到规划期末,将使城镇新建绿色建筑占比达到 100%,装配式建筑占新建建筑的比例达到 30%,并且全面执行绿色建筑标准。

尽管装配式混凝土建筑在节能减排方面具有明显优势,但目前该技术在我国仍处于发展初期,面临着市场参与度不足、建设单位积极性不够、技术路径待优化和产业配套不完善等诸多挑战。为了促进装配式建筑的健康发展,有必要出台一系列相关政策、管理规范、技术标准和产业支持措施,以解决这些问题并推动该领域的进一步发展。

(3)被动式超低能耗的低碳建筑

被动式超低能耗建筑采用良好的保温隔热材料、无热桥设计、建筑气密性检测、新风循环系统等技术手段营造室内热湿环境,节能率可达 90%以上。加大被动式超低能耗建筑推广力度不仅可以解决我国建筑能耗增长过快的问题,也是推动建筑行业绿色低碳转型的重要途径。

随着对建筑可持续性要求的提高,被动式建筑成为未来发展趋势。这种建筑类型通过增强建筑的密封性和隔热性,尽可能利用可再生能源,结合天然采光和自然通风,极大地提升了自然能源的使用效率,能在运行阶段实现高达 90%的能源节约,并有望达到低碳或零碳排放。

我国被动式超低能耗建筑发展始于 2009 年 3 月,之后逐步在全国推广。截至 2019 年底,经过近十年的发展,我国被动式超低能耗建筑面积约 700. 49 万平方米,主要分布在河北省、山东省、河南省和北京市。特别是河北省,在该领域的建设上已占全国超低能耗建筑项目的 45. 2%,建设了 67 个被动式超低能耗建筑,总建筑面积达到 316. 62 万平方米。2019 年全国被动式超低能耗建筑面积占比如图 5-7 所示。

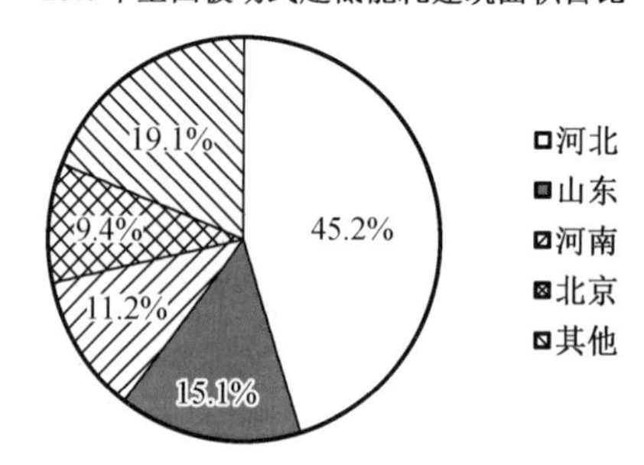

图 5-7　2019 年全国被动式超低能耗建筑面积占比

(4)智慧化建筑

智慧化建筑采用先进的信息技术和网络平台,为居住者和使用者提供高效、智能化的工作与生活服务。用户能通过互联网进行远程控制家中电器的运行状态,实时监测环境安全,优化设备运行效率,从而显著降低能源消耗,营造一个健康、环保、舒适的居住环境。此外,智慧建筑能与智慧城市中的其他服务系统如物业管理、商业服务、医疗保健、教育等实现无缝对接,通过智能化的空间和资源管理,实现资源的最大化利用和共享,有效减少不必要的资源重复建设,从而减少碳排放。通过整合和应用这些智能化技术,智慧建筑不仅提高了居住和使用的便捷性和舒适性,同时也为实现建筑行业的绿色低碳转型和可持续发展目标做出了重要贡献。

第二节 技术固碳实现双碳目标

技术固碳,即通过技术手段实现碳捕集、碳利用和碳封存。党的二十大报告中提出了加快建设创新型国家的目标,深化科技体制改革,并推动科技成果的转化。这为技术固碳提供了强有力的政策支持和清晰的发展方向。技术固碳作为科技创新的重要组成部分,在实现双碳目标的过程中扮演着至关重要的角色。

通过技术固碳,我们不仅能够有效地保护环境,还能提升人民群众的生活质量,实现人与自然的和谐共生,展现了中国特色社会主义制度的科技创新优势和全球视野。

一、碳捕集技术

(一)燃烧前二氧化碳捕获技术

燃烧前二氧化碳捕捉技术通过物理吸附法、化学吸收法或生物吸收法实现。物理吸附法利用吸附剂如活性炭或分子筛对二氧化碳进行吸附。化学吸收法则利用溶液中的化学反应将二氧化碳捕集,并通过后续的反应将其转化为其他物质。生物吸收法则利用生物体对二氧化碳的吸收能力,通过光合作用或者其他生物过程将二氧化碳转化为有机物质。

碳捕集技术的应用领域包括工业领域、能源领域和交通运输领域等。在工业领域,二氧化碳的排放量较大,因此采用碳捕集技术可以有效减少工业过程中的温室气体排放。在能源领域,采用碳捕集技术可以减少化石燃料的燃烧过程中产生的二氧化碳排放,从而降低能源行业对气候变化的影响。在交通运输领域,利用碳捕集技术可以减少汽车尾气中的二氧化碳排放,降低交通运输对环境的影响。

碳捕集技术的前景十分广阔。首先,碳捕集技术可以减少二氧化碳的排放,有助于缓解全球气候变化的影响。其次,碳捕集技术可以将二氧化碳储存起来,避免其进一步释放到大气中。此外,碳捕集技术还可以与可再生能源结合,形成碳中和的能源系统,实现可持续发展。

然而,碳捕集技术也存在一些挑战和难点。首先,碳捕集技术的成本较高,需要大量的投资和运营费用。其次,碳捕集技术还存在一定的能源消耗和环境影响,例如吸附剂的制备和再生过程需要消耗能源,并可能产生其他污染物。此外,碳捕集技术的规模化应用还需要解决储存和运输等问题。

为了推动碳捕集技术的发展和应用,政府、企业和科研机构可以采取一系列措施。首先,加大对碳捕集技术研发的投入和支持,鼓励创新和技术突破。其次,建立相应的政策和法规,为碳捕集技术的推广和应用提供政策支持和经济激励。此外,加强国际合作和信息共享,推动碳捕集技术在全球范围内的应用和推广。

(二)燃烧后二氧化碳捕集技术

燃烧后二氧化碳捕获技术是指在燃烧过程中通过特定的技术手段将产生的二氧化碳

捕获、分离和储存,以减少二氧化碳的排放量。这项技术主要应用于化石燃料的燃烧过程,如煤燃烧、天然气燃烧和石油燃烧等。

燃烧后二氧化碳捕获技术的主要有这几个方面,首先,利用各种吸收剂或膜分离技术,将燃烧过程中产生的二氧化碳从燃烧产物中捕获出来。常用的捕获方法包括物理吸收、化学吸收和膜分离等。其次,将捕获的二氧化碳与其他气体进行分离,以获取纯度较高的二氧化碳。分离技术包括压力摩擦法、温度摩擦法、膜分离法等。最后,将分离后的二氧化碳储存起来,以防止其排放到大气中。

燃烧后二氧化碳捕获技术的优势在于可以在燃烧过程中捕获二氧化碳,避免了后续对废气进行处理的环节,减少了二氧化碳排放的成本和能源消耗。然而,该技术还面临着高成本、能源消耗增加、捕获效率有限等挑战,需要进一步的研究和发展。

(三)富氧燃烧技术

富氧燃烧技术,是通过在燃烧过程中增加氧气含量来提升燃烧效率和降低排放物的一种先进技术。相比传统的空气燃烧,富氧燃烧技术能够在燃烧中使用更高浓度的氧气,从而提高燃烧温度和燃烧速率。这种技术通常使用氧气发生器来产生高浓度的氧气,然后与燃料混合进行燃烧。

富氧燃烧技术存在着以下几个优势。

首先,富氧燃烧技术可以提高燃烧温度和燃烧速率,从而提高燃烧效率。这意味着更多的燃料能够被充分燃烧,减少燃料的浪费。其次,是减少排放物,富氧燃烧技术可以减少燃烧过程中产生的污染物排放。由于燃烧温度的提高,污染物的生成量会减少,同时氧气的高浓度也可以促进污染物的完全燃烧。最后,适用范围广,富氧燃烧技术可以应用于各种不同的燃烧设备和燃料类型。无论是工业锅炉、燃气轮机还是汽车发动机,都可以通过富氧燃烧技术来提高能源利用效率和减少排放。

尽管富氧燃烧技术具有很多优势,但也存在一些挑战。首先,富氧燃烧技术需要大量的氧气供应,这增加了设备和运营成本。其次,富氧燃烧技术对燃料和设备的要求较高,需要确保燃料的适应性和设备的耐高温性。此外,富氧燃烧技术还面临着氧气供应和储存的技术难题。

富氧燃烧技术是一种有潜力的技术,可以提高能源利用效率和减少排放物。随着气候变化和环境保护意识的增强,富氧燃烧技术在未来可能得到更广泛的应用。

二、碳利用技术

碳利用技术是指将 CO_2 作为原料,通过一系列化学反应和生物过程,将其转化为有用的化学品、材料和燃料。这种技术被广泛研究和开发,目的是减少 CO_2 的排放量,并将其转化为可循环利用的资源,以实现可持续发展。

(一)地质利用

地质利用是碳利用技术的一种方式,通过将 CO_2 储存在地下,可以减少其在大气中的浓度。地下储存是指将捕获的 CO_2 储存在地下的过程。这可以通过两种方法实现:地质封存和地下水永久储存。

地质封存是将 CO_2 储存在地下岩石层中的方法。合适的岩石层需要具备一定的特征,如高透水性、高孔隙度和高渗透性。一种常用的地质封存方法是将 CO_2 注入油田或天然气田中,以提高能源的提取率,并将 CO_2 永久封存在地下。这种方法不仅可以减少温室气体排放,还可以增加能源产量。另一种地质封存方法是将 CO_2 注入地下的盐水层中,形成 CO_2 和盐水的溶解物。这种方法的优势是盐水层具有较高的储存容量,可以存储大量的 CO_2。

地下水永久储存是将 CO_2 溶解在地下水中并将其储存的方法。这种方法的优势是地下水具有较高的储存容量,并且 CO_2 可以通过地下水的流动迅速分散。然而,地下水永久储存需要考虑到地下水的质量和地下水埋藏层的稳定性,以避免对地下水资源造成污染。除了地下储存,地质利用还可以通过地下转化将 CO_2 转化为其他物质。地下转化是利用地下的岩石、矿物或地下水中的化学反应将 CO_2 转化为稳定的化合物的过程。例如,CO_2 可以与镁或钙反应形成稳定的碳酸盐矿物。这种方法可以将 CO_2 永久固定在地下,并减少其对大气的影响。

地质利用技术的地下储存和地下转化既可以减少 CO_2 的排放,又可以将 CO_2 永久封存在地下,从而减少其对气候变化的影响。然而,地质利用技术也存在一些挑战和风险。首先,地下储存和地下转化需要选择合适的岩石层或地下水层,这可能限制了储存的地点和规模。其次,地下储存和地下转化需要高昂的成本和技术支持。此外,地下储存和地下转化也需要考虑到地质环境的稳定性和安全性,以避免地质灾害和环境污染。

(二)化工利用

化工利用技术是指将二氧化碳(CO_2)转化为有机化合物或其他化工产品,可以减少对化石燃料的依赖,降低温室气体的排放,并实现碳资源的循环利用。

碳利用技术有多种形式,包括化学转化、生物转化和物理转化等。下面将重点介绍几种常见的碳利用技术和化工利用。

1. 化学转化。化学转化技术通过催化剂的作用,将 CO_2 转化为有机化合物。其中最常见的化学转化技术是 CO_2 催化还原,将 CO_2 与氢气(H_2)反应生成甲烷(CH_4)或其他低碳烷烃。这种技术可以利用 CO_2 的高能量含量,将其转化为可替代传统燃料的燃料。

2. 生物转化。生物转化技术利用微生物的代谢活性,将 CO_2 转化为有机化合物。其中最常见的生物转化技术是生物质催化转化,通过微生物的代谢作用将 CO_2 转化为有机酸、酮类、醇类等有机化合物。这种技术可以利用废弃物、农业残渣等生物质资源,实现 CO_2 的回收和利用。

3. 物理转化。物理转化技术通过物理方法将 CO_2 分离和捕获,然后将其转化为有用的化工产品。其中最常见的物理转化技术是 CO_2 吸附和分离。通过吸附剂的作用,将 CO_2 从气体中分离出来,并进一步转化为其他化工产品,如烷烃、酮类等。这种技术可以有效地从工业废气中捕获 CO_2,并实现其化工利用。

碳利用技术化工的优势主要体现在以下几个方面。

1. 碳利用技术可以减少对化石燃料的依赖。通过将 CO_2 转化为可替代传统燃料的燃料,可以降低对石油、天然气等化石燃料的需求,减少资源的消耗。

2. 将 CO_2 转化为有机化合物或其他化工产品,可以避免将 CO_2 排放到大气中,减少对气候变化的负面影响。

3. 碳利用技术可以实现碳资源的循环利用。通过将 CO_2 转化为有用的化工产品,可以将 CO_2 变为一种有价值的资源,实现碳资源的循环利用,提高资源利用效率。

4. 碳利用技术具有广阔的应用前景。化工产品广泛应用于能源、化肥、塑料、医药等领域,通过将 CO_2 转化为化工产品,可以为这些领域提供可持续发展的解决方案。

然而,碳利用技术也面临一些挑战和问题。首先是技术的成本和能源消耗问题。目前,碳利用技术的成本较高,能源消耗较大,限制了其在工业生产中的应用。其次是催化剂的选择和稳定性问题。由于 CO_2 具有高稳定性和低反应活性,需要选择合适的催化剂来提高 CO_2 转化的效率和选择性。此外,碳利用技术还面临法规政策的不完善和市场需求的不确定性等问题。

(三)生物利用

生物利用是碳利用技术中的一种重要方法,它利用微生物、植物和其他生物来转化 CO_2。生物利用技术可以分为两类:一类是利用植物光合作用将 CO_2 转化为有机物质,另一类是利用微生物将 CO_2 转化为有机物质或其他有用的产物。

利用植物光合作用进行生物利用是碳利用技术中最常见的方法之一。光合作用是植物利用阳光能将 CO_2 和水转化为有机物质的过程。通过种植大量植物,可以吸收大量的 CO_2,并将其转化为植物体内的有机物。这些植物可以用于食物、饲料、纤维和能源生产等多个领域,实现 CO_2 的生物固定和利用。

除了植物光合作用,微生物也可以利用 CO_2 进行生物利用。其中最常见的方法是利用蓝藻和藻类进行光合作用,将 CO_2 转化为有机物质。蓝藻和藻类具有高效的光合作用能力和快速生长的特点,可以在光照条件下将大量的 CO_2 转化为藻类生物质。这些藻类生物质可以用于生产生物燃料、饲料和化学品等。

此外,微生物也可以利用 CO_2 进行厌氧呼吸,将其转化为有机物质或产生其他有用的产物。例如,一些细菌可以将 CO_2 和氢气转化为甲烷,从而生产生物天然气。这种生物天然气可以作为可再生能源替代传统的化石燃料。

生物利用技术在碳利用领域具有巨大的潜力和优势。首先,生物利用技术可以利用大量的 CO_2,减少大气中的温室气体浓度,有助于应对气候变化。其次,生物利用技术可以将 CO_2 转化为有用的产物,实现 CO_2 的循环利用,减少对有限资源的依赖。此外,生物利用技术可以与其他技术相结合,形成多种碳利用途径,提高利用效率和经济性。

然而,生物利用技术也面临一些挑战和限制。首先,生物利用过程中需要大量的能源供应和光照条件,这对技术的实施和规模化应用提出了要求。其次,生物利用过程中还需要解决废水处理和生物产物的分离等技术问题。此外,生物利用技术需要与其他碳减排技术相结合,形成完整的碳减排链条,才能发挥最大的效益。

三、碳封存技术

碳封存技术是一项通过将二氧化碳气体(CO_2)从大气中捕获并储存在地下的方法,以减少二氧化碳排放量。

(一)地质封存

地质封存的原理是利用地下的地质层作为二氧化碳气体的储存库。地下储层通常是由岩石层和含水层组成,可以将二氧化碳气体吸附在岩石孔隙中,或是溶解在水中形成二氧化碳的溶液。这种封存方式可以长期稳定地储存大量的二氧化碳气体,从而将其从大气中移除。

地质封存的方法包括地表捕获、输送和注入、地下储存和监测等环节。地表捕获是指通过各种技术手段将二氧化碳气体从大气中捕获,如燃煤电厂、钢铁厂等工业源的烟气中捕获二氧化碳。捕获后,二氧化碳需要经过输送和注入过程,将其转运到地下储存层。输送和注入过程中需要考虑管道的设计和建设、注入井的选择和建设等因素。

地下储存是地质封存的核心环节,需要选择合适的地质层作为储存层。常见的储存层包括深层盐水层、煤层和油气田等。其中,深层盐水层是最常用的储存层,因为其孔隙度大、渗透性低,能够稳定地储存大量的二氧化碳气体。储存过程中需要考虑地质层的稳定性和封闭性,以避免二氧化碳气体泄漏到地表。

为了确保地下储存的安全性和有效性,还需要进行监测和评估工作。监测工作包括地下压力、温度和二氧化碳浓度等参数的监测,以及地下水和地表水中二氧化碳的监测。评估工作则包括评估储存层的容量和长期稳定性,以及评估二氧化碳的封存效果和环境影响等。

地质封存技术具有很大潜力,但仍然存在一些风险。首先,地下储存层的选择和建设需要仔细评估,以确保其稳定性和封闭性。其次,地下储存过程中可能会引起地震活动和地表沉降等地质灾害。此外,如果二氧化碳气体泄漏到地表,可能会对人类健康和环境造成影响。

(二)海洋封存

海洋封存是碳封存技术的一种方法,将 CO_2 气体储存到海洋中,以利用海洋的巨大容量和吸收能力。

海洋封存技术有两种主要的方法:溶解和储存方法,以及生物地球化学循环方法。

溶解和储存方法是将 CO_2 气体直接注入海洋中,通过物理和化学反应使其溶解于水中。在海洋中,CO_2 气体会与水分子发生反应,形成碳酸和碳酸氢根离子。这些碳酸盐化合物会在海洋中分布,并最终沉积到海底,形成碳酸盐岩。这种方法可以有效地将 CO_2 气体储存起来,并将其长期封存在海底。然而,由于 CO_2 的溶解速度较慢,这种方法的效率相对较低。

生物地球化学循环方法是一种以海洋生态系统为基础的碳封存方法，其核心机制是利用海洋生物进行 CO_2 的固定和转化。通过光合作用，海洋生物将大气中的二氧化碳转化为有机碳。此外，海洋中的浮游植物和浮游动物也可以吸收 CO_2 气体，并将其转化为有机碳。这种方法利用了海洋生物的自然过程，可以更有效地封存 CO_2 气体，但也面临着生态系统扰动和生物多样性丧失的风险。

海洋封存技术的优势在于海洋具有巨大的容量和吸收能力。据估计，海洋大约可以吸收全球 CO_2 排放量的25%。此外，海洋封存技术还可以利用现有的海洋设施，如油气井和地下水储层，以降低建设和运营成本。

然而，海洋封存技术也存在一些挑战和风险。首先，海洋封存技术可能对海洋生态系统造成负面影响。CO_2 气体的注入和储存可能导致海洋酸化，破坏海洋生物的生存环境。此外，海洋封存技术还可能导致海底沉积物的扰动和释放，增加了海洋地震和海啸的风险。

其次，海洋封存技术的成本较高，技术难度较大。目前，海洋封存技术还处于实验室和试验阶段，尚未实现商业化应用。开发和建设海洋封存设施需要大量的投资和技术支持，而且运营和维护成本也很高。

最后，海洋封存技术也存在监管和治理的问题。由于海洋封存涉及大量的环境和生态风险，需要建立完善的监管机制和国际协议来确保其安全性和可持续性。

（三）矿化封存

矿化封存技术是一种碳捕获与封存（CCS）的形式，其核心目的是减少大气中的二氧化碳（CO_2）浓度，以应对全球气候变暖问题。这种技术通过模拟并加速地球自然的岩石风化过程，将 CO_2 转化为矿物质，从而实现长期的碳封存。

在自然条件下，CO_2 可以与某些岩石中的金属离子反应，形成稳定的碳酸盐矿物。例如，当 CO_2 与富含镁或钙的岩石接触时，可以形成碳酸镁或碳酸钙。矿化封存的人工过程就是将这一自然过程工程化，以实现更高效地捕获和封存 CO_2。

矿化封存技术主要包括以下步骤。

（1）捕获：首先从工业过程中捕获 CO_2 排放。

（2）传输：将捕获的 CO_2 通过管道或船只运输到封存地点。

（3）注入：将 CO_2 注入地下，通常是注入已经开采完毕的油田、气田或合适的岩层。

（4）矿化：在地下，CO_2 与岩石中的金属离子发生化学反应，形成稳定的矿物。

这个过程的关键优势是其潜在的永久性：一旦 CO_2 转化为矿物，它就不太可能重新进入大气。此外，相较于仅仅将 CO_2 储存在气态或液态形式的传统封存方法，矿化封存提供了更加安全和稳定的长期储存解决方案。

矿化封存技术已经在一些国家和地区进行了小规模的试点和实验项目。中国地质调查局的研究表明，这种技术在内蒙古鄂尔多斯市伊金霍洛旗的示范工程中已成功实现了累计注入二氧化碳30.2万吨，未发现泄漏现象，显示了该技术的可行性和安全性。

然而，这项技术也存在以下的一些挑战。

（1）能源消耗：当前的矿化封存技术通常要求在较高的温度和压力下进行，这意味着需要消耗大量能源,若使用化石燃料产生的能源,可能会抵消矿化封存的减排效益。

(2)成本:CO_2 的捕获、准备反应物以及矿化过程的成本目前仍然较高,这是推广应用的一个重要阻碍。

(3)物流与基础设施:为了对抗全球气候变化,需要大规模地实施矿化封存技术,这需要建立相应的基础设施,并且要考虑到运输 CO_2 和矿物质的物流问题。

(4)地点选择:合适的地点对于矿化封存至关重要,需要考虑矿物资源的可用性、地质稳定性以及是否靠近 CO_2 排放源点。

科研人员正在通过各种方法来克服这些挑战,如开发新的催化剂以降低反应所需的能量、利用工业废料作为反应物以减少成本,并研究更高效的 CO_2 捕获技术。矿化封存的成功应用有可能在未来对减缓气候变化发挥重要作用。

第三节 完善科技研发与应用推动双碳战略落实

习近平总书记在党的二十大报告中强调,科技是第一生产力,人才是第一资源,创新是第一动力。这充分体现了科技创新在国家发展战略中的核心地位。而要实现碳达峰、碳中和目标,同样依赖科技创新的力量。

完善的科技研发与应用体系,是保证实现双碳目标的重要基石。双碳战略的落实,既需要顶层设计层面的政策引导和制度保障,也需要搭建科技创新平台,推动企业、高校、科研院所等多方面主体的合作。形成政产学研用“五位一体”的技术创新联盟,集中优势力量,在基础研究、关键核心技术攻关、成果转化应用等环节深入合作,以科技创新引擎推进双碳事业。

一、政策对双碳领域科技研发应用的引领作用

(一)明确方向和目标

在推动双碳战略落实的过程中,科技研发与应用的完善是实现碳达峰与碳中和目标的关键。为此,必须明确研发方向和目标,确保科技创新活动与国家战略同步,同时为企业提供清晰的技术发展路径。

政策制定应以目标导向和问题导向为基础,确立科技创新的具体目标。通过设定明确的短期和长期目标,例如,《实施方案》中提出了到2030年实现碳达峰的科技创新行动和保障举措,以及为2060年实现碳中和目标做好技术研发储备。这些目标导向和问题导向的政策制定,为科研机构和企业提供了清晰的研发方向,确保了科技创新活动与国家战略同步。这些目标不仅是国家战略的体现,也是科技创新的指引,有助于集中科研资源,提高研发效率。

政府应制定具体的行业标准和技术路线图,引导企业聚焦关键领域和核心技术的研发。例如,明确提出二氧化碳捕集、利用与封存技术(CCUS)和零碳排放生产技术等研发重

点，有助于企业集中资源和精力，加快技术突破和应用。同时，政策还应鼓励企业通过技术创新降低污染排放，提高能源利用率，最大限度地降低外部成本。

（二）财政和金融支持

企业在研发低碳技术初期往往面临资金瓶颈问题，这一问题可以通过政府提供的财政和金融支持得到有效解决。政府通过各种补贴政策和税收优惠措施，激励企业和研究机构进行绿色低碳技术的研发与应用，不仅能够降低创新主体的研发成本，还能提高其研发投入的积极性，从而加速低碳技术的创新和推广应用。

政府研发补贴是激励型环境规制政策的重要组成部分，相较于强制性的政策手段，研发补贴更能够激发企业的绿色低碳技术创新。政府无偿提供的研发补贴能够缓解企业的融资压力，并向外界释放积极信号，帮助企业争取到更多的研发资金。此外，相关研究表明，政府补贴对企业绿色技术创新存在挤入效应，能够通过提高企业的研发强度促进技术创新。

税收优惠政策作为一种重要的财政支持工具，能有效鼓励企业加大研发投资，从而对技术创新产生推动作用。然而，政策补贴对企业创新激励的效应并不能一概而论，其对不同类型企业，例如民营企业、中小型企业、高融资约束企业以及低市场化地区的企业，所产生的激励作用存在差异。因此，政府在实施税收优惠政策时，需要考虑到企业的类型和市场环境，以确保政策的有效性。

此外，碳交易制度作为一种市场化的环境政策工具，通过市场机制调动企业的积极性，促使企业采取减排措施，从而有效推动低碳技术研发。碳交易制度能够为企业提供经济激励，推动企业在低碳技术创新方面的投资和研发。

（三）长期战略规划和政策连续性

在推动双碳战略落实的过程中，政府需要制定长远的战略规划，确保政策的连续性和稳定性，以便企业能够在一个可预测的环境中进行投资和研发。

长期战略规划意味着政府应当确立清晰的绿色低碳发展目标，并将其分解为可操作的中短期目标。这些目标应当具有前瞻性和可持续性，能够引导企业和社会各界共同努力，实现从高碳向低碳经济的转型。这些政策不仅涉及能源、工业、建筑和交通等高能耗领域，还包括金融、科技和教育等多个方面。通过这些措施推动技术创新和重大突破，引导整个行业向绿色低碳方向转型。

此外，稳定的政策环境有助于企业建立长期的研发计划，增强企业对未来绿色低碳技术投入的信心。例如，低碳城市试点政策的实施，通过提高政府科技支出、推动产业结构升级和增加科技人才数量，对城市低碳技术创新水平产生了积极影响。

二、建立高效的双碳科研平台

（一）科研重点领域

科技创新是推动经济发展和环境保护协同进步的关键力量。在实现双碳目标的过程中，技术创新被视为经济发展的新动力，同时也是改善环境的有效途径。

双碳目标的实现涉及多个重要领域，包括清洁高效的化石能源利用、非化石能源的大规模应用、工业低碳和零碳过程重构，以及数字化、智能化的多能集成。

这些领域的研发工作集中在源头减碳、过程降碳和末端固碳。例如，在能源生产领域，重点放在非化石能源的先进示范项目、化石能源的清洁高效开发利用、先进电网和储能示范、绿氢减碳示范等方向。在工业生产、建筑运行和交通运输等领域，则侧重于提高生产方式的绿色化程度，包括零碳钢铁冶炼、有色金属低碳冶炼、低碳石油化工等项目。在碳捕获、利用与封存（CCUS）等末端固碳技术方面，同样需要重点关注与投入。此外，还需要关注能源结构的科学重塑和相关产业系统的有序发展。通过多能系统集成的概念，引领实现双碳目标的科技发展路径。

（二）跨学科合作研究

在绿色低碳转型的过程中，双碳战略和低碳发展要求我们全面推进社会经济发展的绿色转型，这不仅是一个技术问题，还涉及经济、社会、政策等多个领域。例如，在推进煤炭消费替代和转型、推动新能源发展等方面，需要工程技术、环境科学、经济学和政策研究等多个学科的共同努力。这种跨学科合作不仅可以促进技术创新，还可以帮助我们更好地理解和解决双碳目标实现过程中遇到的复杂问题，比如碳排放交易、社会经济发展的绿色转型等。

（三）联合研发

在绿色低碳技术领域，联合研发是一种常见的行业合作模式。企业之间的联合研发是提高技术创新和应用的重要途径。通过资源共享、优势互补、风险分担等方式，企业可以在研发过程中形成合力，加速技术突破和产业升级，为双碳目标的实现提供技术支撑。在长三角地区，各地积极布局绿色低碳技术领域的创新联合体，如南京市水泥工业碳减排技术研发与应用创新联合体、浙江省碳达峰碳中和科技创新联合体等。这些联合体通过领军型企业牵头，集中产学研资源和市场资源，推动行业全链条技术突破和重大变革。

联合研发有助于技术创新。在双碳技术的研发中，单一企业往往难以覆盖所有技术领域。通过跨企业、跨行业的合作，可以实现技术知识的交流与融合，激发创新思维，推动新技术的形成。在绿色技术创新效率的研究中，也显示出技术创新对于提升区域经济发展的重要作用。

联合研发可以分担研发风险。双碳技术研发通常需要巨大的投入，且成果具有不确定性。通过联合研发，各企业可以共同承担研发过程中的风险和成本，降低单个企业的负担，增强研发的可持续性。

此外，联合研发还能促进技术标准的统一。在双碳技术领域，统一的技术标准对于技术推广和应用至关重要。通过联合研发，企业可以共同制定和推广技术标准，加快技术的市场化进程，提高技术的应用效率。

三、双碳技术在企业中的实践应用

（一）双碳技术在企业应用困境

双碳目标的实施将迫使企业加大对低碳技术的研发和应用。为了实现碳排放的减少，企业需要通过技术创新来提高能效，减少能源消耗，转变生产方式。通过利用太阳能、风能等可再生能源，企业不仅可以减少碳排放，还可以降低能源成本，提高能源安全性。

在此过程中，企业也面临着多方面的挑战。首先，技术创新的速度与企业的接受能力之间存在不匹配的问题。企业在引入新技术时，需要对现有的生产流程、设备进行改造，这不仅涉及巨大的资金投入，还包括员工培训、管理模式调整等多个方面。其次，调整产业结构是一项既长期又复杂的任务，要求企业在维持其市场竞争力的同时，逐步淘汰高碳排放的产品和服务，转型升级到低碳环保的领域。在技术应用方面，企业在实施碳捕集、利用和封存（CCUS）技术时，面临着技术成熟度不足、成本高昂、缺乏标准和规范等问题。

（二）举办绿色低碳企业专业赛事

在推进企业实践双碳技术过程中，专业赛事作为一种有效的激励机制，通过组织绿色低碳企业专业赛事，不仅可以提高企业对双碳目标的认识和重视，还能够激发企业内部的创新潜能，推动企业在绿色低碳技术方面的研发和应用。

首先，绿色低碳企业专业赛事可以作为展示企业绿色低碳技术成果的平台。企业通过参与赛事，可以将自己在绿色低碳技术方面的创新成果进行展示，从而提升企业形象，增强品牌影响力。同时，赛事的举办也有助于促进企业之间的技术交流和合作，共同推动绿色低碳技术的发展。

其次，专业赛事的竞争机制能够激发企业的创新动力。在赛事中，企业需要不断地优化和升级自己的技术，以求在竞争中脱颖而出。这种竞争不仅能够推动企业加大研发投入，还能够鼓励企业寻求突破性的技术创新，以实现在赛事中的优异表现。

再次，绿色低碳企业专业赛事还能够促进企业对绿色低碳技术的认识和理解。通过参与赛事，企业能够更加深入地了解绿色低碳技术的最新发展趋势和应用前景，从而更好地将这些技术应用到企业的实际生产和经营活动中。

最后，专业赛事还能够为企业提供政策和市场导向。政府和行业组织可以通过赛事的举办，向企业传达绿色低碳发展的政策导向，鼓励企业在生产过程中采用低碳技术，减少碳排放。同时，这样的赛事也能提供关于市场需求的宝贵信息，辅助企业捕捉市场趋势，从而优化其技术创新的方向和重点。

（三）产业链协同和循环经济

产业链协同强调的是产业间的相互配合与支持，通过优化资源配置，实现产业间的能量和物质循环，减少能源消耗和碳排放。循环经济则侧重于资源的高效利用和循环再生，通过减少资源的输入、废弃物的输出以及循环利用，达到节能减排的目的。

循环经济在双碳目标下的实践中,可以通过提高资源利用效率和促进废弃物的回收利用,降低企业的碳足迹。例如,研究表明,低碳城市竞争力的评价体系中,低碳生活方式和低碳技术发展是重要的考量因素。在交通运输领域,通过发展公共交通和智能交通,以及增加新能源基础设施和技术投资,可以有效地实现交通碳排放的约束。

技术创新是推动产业链协同和循环经济的关键因素。技术创新不仅可以提升产品和服务的附加值,还能够通过新材料、新工艺和新设备的应用,实现能源的节约和碳排放的减少。例如,绿色技术创新效率的研究显示,技术创新在提升区域经济发展的同时,也有助于提高绿色全要素生产率。

(四)推进标准化工作

推动双碳相关的国家标准和行业标准能够为企业实践双碳技术提供明确的指导和规范,有助于统一市场认知,提升技术实施的效率和效果。

首先,标准化工作能够为双碳技术的研发和应用提供统一的技术规范和评价体系。通过制定一系列的技术标准,可以确保双碳技术的研发和应用在安全、效率和环保等方面达到一定的要求,促进技术的健康发展。

其次,标准化工作有助于提升双碳技术的市场接受度和推广力度。当企业和消费者面对一致的标准时,可以更容易地理解和接受新技术,从而加快技术的市场渗透。

再次,标准化工作能够促进双碳技术的国际交流和合作。随着全球化的发展,双碳技术的国际合作变得越来越频繁。统一的国际标准能够减少技术转移和合作中的障碍,促进技术的全球化发展。例如,在绿色技术创新效率方面,如果能够建立统一的评价和认证标准,将有助于提升区域间的技术合作和交流。

最后,标准化工作对于政策制定和监管也具有重要意义。政府在制定双碳政策时,需要依据一定的标准来评估政策的效果和影响。标准化的数据和评价体系能够为政策制定提供科学依据,同时也便于监管部门进行监督和管理。

四、培养双碳领域专业科技人才

(一)双碳领域科技人才现状及挑战

双碳目标的实现不仅需要科技创新和产业转型,更离不开专业科技人才的培养和支持。因此,双碳领域的人才培养显得尤为重要。目前,中国双碳人才短缺的问题突出。据统计,“十四五”期间,中国需要的双碳人才数量将达到 55 万至 100 万,而现有从业人员仅有 10 万,供需矛盾显而易见。双碳领域对人才素质提出更高要求,不仅需具备扎实的专业知识,还要有跨学科的综合能力与创新思维。然而,双碳领域科技人才队伍建设面临着多方面的挑战。

首先,高素质的专业人才缺乏,尤其是在能源产业科技尖端人才的培养方面,中国与发达国家相比存在较大差距。这些人才不仅需要具备扎实的专业知识,还应具有国际视野和创新能力,能够引领行业发展。

其次,双碳领域的人才培养体系尚不完善。目前,高等教育机构在课程设置、学科融合、教学质量等方面还需进一步优化,以适应双碳目标下对创新型人才的需求。此外,产学研结合的人才培养模式亟待加强,这不仅能够提高人才培养的针对性和实用性,还能促进学术研究与产业需求的紧密结合。

最后,科技人才的激励和使用机制需要改进。当前,能源产业企业在人才引进、培养、评价等方面存在困难,缺乏有效的激励措施,难以充分调动科技人才的积极性和创造力。此外,科技人才的国际交流与合作也需进一步加强,以促进知识更新和技术创新。

(二)高等教育的双碳科技人才培养策略

教育是培养双碳人才的基础。为了应对低碳人才的紧缺状况,教育部于2022年4月发布了《加强碳达峰碳中和高等教育人才培养体系建设工作方案》,该方案鼓励高校开设与碳中和相关的课程,并将绿色及低碳理念融入教学体系中,以支持国家的碳目标。这涉及多个方面的调整和创新,包括课程设计、实践训练平台的建立,以及与企业的协同合作。

首先,高校应对现有的课程体系进行调整,将碳中和相关课程纳入其中,以更好地满足双碳目标的实现需求。这不仅包括理论知识的传授,还应涵盖实践技能的培养。通过课程设置,使学生了解碳排放的科学原理、碳中和技术的发展现状以及相关的政策法规。以南京航空航天大学为例,该校开创了新能源材料与器件专业,专注培养高级综合型技术人才,同时强调学科交叉性和技术集成性。这种专业不仅结合了航空航天领域的传统优势,还紧密地与新能源产业需求和技术发展相结合,从而培养出能够在新能源材料与器件领域发挥重要作用的专业人才。

其次,高等教育应强化学科融合,推动新能源、环境科学、经济管理等相关学科的交叉融合,培养出既懂技术又通政策的复合型人才。这些人才能够在碳中和领域的科研、技术开发、管理等多个环节发挥关键作用。

最后,高等教育机构应加强师资队伍建设,提升教师的教学和科研水平。通过引进和培养一批在碳中和领域具有深厚学术造诣和实践经验的教师,为学生提供高质量的教学和科研指导。

(三)校企合作、国际合作,培养双碳科技人才

在实现双碳目标的过程中,校企合作与国际合作为双碳领域科技人才培养提供了重要支撑,这种合作模式不仅有助于提升人才的实践能力和创新能力,还能够促进科技成果的转化和应用。

首先,校企合作为双碳科技人才培养提供实践平台。通过与企业的紧密合作,高校能够根据企业发展的实际需求,调整教学内容和研究方向,使得人才培养更加贴合产业需求。例如,企业可以参与制定人才培养计划,提供实习实训场所、合作进行科研项目等,让学生能够在真实工作环境中学以致用,增强其解决实际问题的能力。

其次,国际合作拓宽了双碳科技人才的视野。为了适应未来社会和产业发展的需求,双碳领域科技人才培养模式还应注重国际化视野。通过加强国际交流合作,支持科学家参

与国际科学交流活动,为科技人才提供一个全球化的学术环境和研究平台。

【本章小结】

本章中,我们深入剖析了实现双碳目标的技术路线。主要涉及两大方向:一是减少碳排放,二是增加碳汇。为了减少碳排放,需要提高传统化石能源的使用效率、加强对低碳清洁能源的技术研发,如风能、太阳能等。增加碳汇,包括碳捕捉、碳利用和碳封存技术,也被视为减少碳排放的关键。

为了有效实施这些技术,还亟须建立完善的科技研发和应用体系。这包括政府在政策和资金上的支持、企业和科研机构的合作,以及高校对人才培养策略的调整等方面。

总的来说,实现双碳目标不仅需要多种技术的综合应用,还需要一个健全的科技研发和应用体系支撑。通过这样的综合策略,我们可以有效地向碳达峰和碳中和目标迈进,为应对气候变化做出积极贡献。

【案例分析】

新能源发展解决双碳问题

随着全球对碳达峰,碳中和问题的日益关注,低碳经济已成为各国发展的重要方向。作为世界上最大的汽车市场,中国正在努力实现双碳目标,即碳达峰、碳中和。在这场绿色变革中,比亚迪汽车以其卓越的技术实力和前瞻性的战略眼光,成为推动双碳目标实现的重要力量。

随着全球气候变化和环境保护问题日益突显,低碳经济和绿色发展成为世界各国共同关注的焦点。作为中国的领先汽车制造商,比亚迪公司积极响应并致力于推进双碳目标的实现。

一方面,比亚迪积极探索新能源汽车技术,成为全球领先的新能源汽车制造商。公司自主研发了混合动力和纯电动汽车技术,并推出了一系列销售火爆的电动汽车产品。这些电动车具有零排放、低噪音和高效能的特点,能够有效降低空气污染和温室气体排放。

另一方面,比亚迪致力于提高新能源汽车的电池技术和使用寿命。公司通过持续的科研投入,成功开发出了高容量、快速充电和安全可靠的锂电池。这些技术的突破使得比亚迪电动汽车的续航里程得到了显著提升,同时缩短了充电时间,提高了用户的使用便利性;比亚迪还积极推广开展新能源汽车充电基础设施建设。公司顺应国家政策,投资建设了大量的充电桩和充电站,为用户提供了全方位的便捷服务。无论是居民小区、商业区域,还是公共场所,都能够找到比亚迪充电设施,满足市民出行的需求;比亚迪还注重整个生产供应链中的环境保护。公司积极推进绿色制造和可持续发展,以确保生产过程中的资源利用效率和处理的合理性。比亚迪持续优化生产工艺,减少资源浪费,并积极推广循环经济概念,努力实现“零碳排放、低能耗”。

除了产品创新和环境保护,比亚迪还非常注重员工的培训和意识提升。公司通过举办各种培训班和宣传活动,加强员工对环境保护和节能减排等方面的认识,激发员工的环保意识和责任感。比亚迪坚信,只有全体员工的共同努力和参与,才能够实现可持续发展的目标。

综上，作为中国汽车制造业的重要代表，比亚迪汽车在双碳方面做出了卓越的努力。从持续推广新能源汽车到改善电池技术，再到建设充电基础设施和强化绿色制造，比亚迪始终以实际行动践行着可持续发展的理念。相信未来，比亚迪在双碳领域将继续发挥引领作用，为推动低碳经济的发展做出更大贡献。

【问题探索】

1. 增强清洁能源转化技术和储能科技在实现双碳目标中扮演了怎样的角色？新型电力系统的构建对于能源转型有何重要性？

2. 不同类型的碳捕集技术在减少碳排放中各自的优势和挑战是什么？碳利用和碳封存技术在实现双碳目标中的作用有多大？

3. 政府应如何制定和调整政策来促进双碳领域的科技研发和应用？财政和金融支持在此过程中起到什么作用？

4. 企业在应用双碳技术时面临哪些困境？如何通过举办绿色低碳企业专业赛事、产业链协同和循环经济来促进双碳技术的实践应用？

5. 目前双碳领域科技人才面临哪些挑战？高等教育和校企国际合作如何共同推动双碳科技人才的培养？

第六章　双碳与市场

【本章导读】

在早期的低生产力阶段，人类对能源的利用尚显有限，其影响对于大自然强大的恢复能力而言微不足道。然而，随着工业革命的浪潮席卷全球，各国纷纷踏上了工业化建设的道路，对自然界的索取与破坏也日益加剧。尤其是那些早期的工业化国家，由于特定的经济和政治背景，往往更容易陷入粗放型的发展模式。这种以高能耗、高排放为特征的经济发展方式，无疑给环境带来了沉重的负担，导致了一系列问题的涌现，如环境承载力的下降、经济发展速度的放缓、气候变暖加剧以及社会民生问题的突显。

碳市场的诞生，为全球减排工作提供了新的思路和工具。通过碳市场，各国可以更加灵活地应对减排挑战，实现经济与环境的双赢。同时，碳市场也为企业和投资者提供了新的投资和盈利机会，推动了低碳经济的发展和创新。

双碳经济与碳市场之间存在着紧密的联系和互动。双碳经济为碳市场提供了发展的背景和动力，而碳市场则为双碳经济的实现提供了有效的手段和工具。随着全球对气候变化问题的关注度不断提高，双碳经济与碳市场的发展前景将更加广阔。我们有理由相信，在双碳经济与碳市场的共同推动下，人类将迈向一个更加绿色、低碳、可持续的未来。

双碳与市场

【思维导图】(图 6-1)

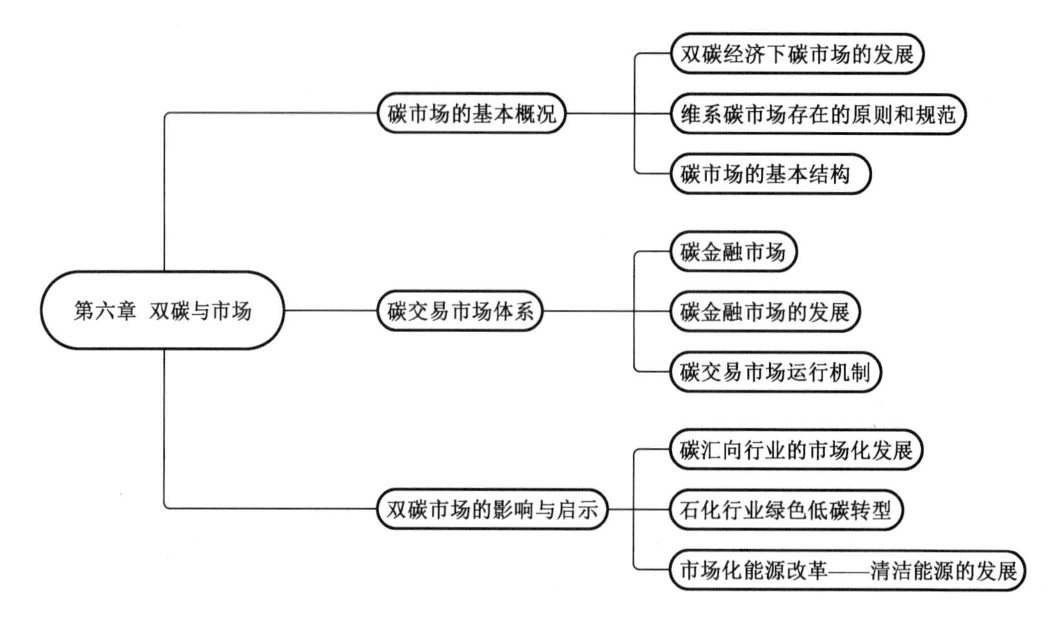

图 6-1 本章思维导图

第一节 碳市场的基本概况

在全球范围内,环境保护与可持续发展成为各国关注焦点。碳市场作为应对气候变化机制,得到广泛认可。本章节将介绍碳市场基本情况,包括定义、由来、原则及结构。碳市场是基于碳排放权交易的市场机制,旨在通过经济手段激励减排。其起源于《京都议定书》签署后设立的碳排放交易系统。该机制限制温室气体排放,通过碳配额交易鼓励减排,推动碳市场建立。碳市场遵循"排污者付费"等原则,确保规范运作。其结构包括碳配额分配机制、交易市场及金融工具。了解碳市场定义、由来、原则及结构,有助于把握其运作机制和重要性。接下来,章节将介绍碳市场特点、类型和发展趋势,帮助读者把握机遇。

一、双碳经济下碳市场的发展

随着气候变化日益成为全球性政治议题,各国纷纷宣布将在 21 世纪中叶实现净零排放目标。在全球合作应对气候变化的背景下,双碳经济及其市场化建设已成为众多国家和地区深入研究和探讨的重点。

(一)双碳经济的含义与作用

双碳经济,是一种旨在减少温室气体排放的同时实现经济增长和可持续发展的经济模式。它着重强调通过应用低碳技术和清洁能源,降低对煤、油、天然气等传统高碳能源的依赖,推动能源效率的提升、碳排放的减少以及资源的循环利用。这种经济模式不仅有助于应对气候变化、降低环境污染、提升能源安全,还为创造更多就业机会和推动经济增长提供了可能。

双碳市场,则是基于双碳经济理念构建的市场体系。它涵盖了碳排放权交易、绿色金融、低碳产品和服务等多个领域。在双碳市场中,企业和组织可以通过减少自身的碳排放量来获得碳配额或减排配额,这些配额进而可以作为可交易的资产在市场上进行买卖。企业既可以将削减的碳排放量作为配额出售给其他有需求的企业,协助其实现减排目标,也可以购买额外的配额以弥补自身的排放量。

双碳市场的核心宗旨在于通过气候政策和市场机制推动温室气体排放的减少,并促进清洁能源和低碳技术的研发与应用。参与者,如企业、政府等,通过运用贸易和投资等手段来实现碳减排目标,并在碳汇领域进行投资,例如参与森林保护和修复项目,以吸收和储存更多的碳。

双碳市场的提出与推广,旨在应对全球变暖和气候变化的挑战。通过设定强制性或自愿性的减排目标,双碳市场为引导企业和组织更加关注环境可持续性、实现经济增长与碳减排之间的平衡提供了有效途径。

(二)全球碳市场的发展与实践

关于碳市场的诞生,其理论基石主要源于两个方面。首先,庇古理论强调通过向排污者征税来实现环境保护的目标;其次,科斯的产权理论则指出,市场失灵的根源在于产权的不清晰,而一旦产权得以明确界定,经济个体间的交易活动便能有效地将外部成本内部化。经过众多实践活动的检验与积累,美国政府于 1986 年底出台了《排放交易政策报告》,标志着排放权交易制度的最终完善。

美国排放权交易制度的成功实践引发了全球范围内的广泛关注。随后,英国率先开展了温室气体排放权交易体系的探索工作,并取得了显著成效。这一实践不仅吸引了世界各国的目光,更为 2005 年《京都议定书》的生效奠定了坚实基础。《京都议定书》作为联合国气候变化框架公约的一个附属协议,旨在为全球温室气体减排设定具有法律约束力的目标,并为发达国家制定减排目标和实施措施提供指导。该议定书的签署与落实,表明碳市场得到了世界上大多数国家的认可与支持,此后,碳市场建设逐渐成为各国的重要议程。

2008 年,联合国设立了清洁发展机制(CDM),这一机制允许发达国家通过在发展中国家实施减排项目来获得碳减排的认可和抵消。这一举措进一步推动了全球碳市场的发展。2015 年,巴黎协定的达成标志着全球对气候变化的共同应对达到了新的高度。该协定鼓励各国制定自愿性的国家贡献(NDCs),包括减排目标和适应措施,为全球碳市场的进一步发展提供了有力支持。

经过多年的不懈努力,碳市场已成为降低二氧化碳排放的重要手段之一,其成效显著,备受多国政策制定者的青睐。世界各地的碳市场纷纷建立并完善,为应对气候变化、实现可持续发展发挥了重要作用。

在《京都议定书》的框架下,作为发展中国家的中国虽然不承担具有法律约束力的减排责任，但中国通过积极参与清洁发展机制（CDM）等方式，实际上承担了一定的减排责任，并成为CDM项目市场的主要供给国家。中国在国际社会中提出了一系列减排目标，包括到2020年单位GDP二氧化碳排放比2005年下降40%～50%等。为实现这些目标，中国开始大力发展碳市场。

（三）中国的碳市场实践

中国作为碳市场建设的后起之秀，自2005年起便以开发核证减排量（CER）和自愿减排量（VER）项目的方式参与国际碳市场，作为减排量的卖方取得了一定收益。自2011年起，中国开始探索建立国内碳排放权交易市场。按照"十二五"规划纲要的要求，中国在北京、天津、上海、重庆、湖北、广东及深圳等七个省市启动了碳排放权交易试点工作。这些试点碳市场的陆续上线交易，有效促进了试点省市企业的温室气体减排工作，同时也为全国碳市场建设提供了宝贵的经验。

2016年12月，福建省启动碳交易市场，成为国内第八个碳交易试点。2017年12月，经国务院同意，国家发展改革委印发了《全国碳排放权市场交易方案》，标志着中国碳排放交易体系完成了总体设计并正式启动。2020年年底，生态环境部出台了《碳排放权管理办法（试行）》等一系列政策文件，正式启动了全国碳市场的第一个履约周期。

目前，国内主要有两个碳交易平台，分别是上海环境能源交易所和深圳证券交易所的全国碳配额交易中心。这些平台在推动国内碳市场发展中发挥着重要作用，为中国的碳减排事业提供了有力支持。

二、维系碳市场存在的原则和规范

（一）碳市场构建的理论基础

碳市场的建设，须遵循一套完备且系统的理论体系，并设有较高的准入门槛。根据《京都议定书》的指引，碳市场的构建需依托于一套具有约束力的减排承诺制度，即"京都机制"。其核心内容涵盖以下几个方面。

首先，关于减排承诺，发达国家以碳排放量单位为基准，针对特定的温室气体（主要包括二氧化碳、甲烷、氧化氮等）设定了明确的减排目标。这些国家承诺，在2008—2012年，将整体温室气体排放量削减至预定水平，其中多数国家还设定了具体的百分比减排指标。

其次，在机制层面，为实现减排目标，与会国家可采纳多样化的灵活机制，包括但不限于清洁发展机制（CDM）、联合实施（JI）以及排放交易（ET）。这些机制有助于发达国家通过在发展中国家实施减排项目或购买减排单位的方式，达成其减排目标。

最后，为确保减排承诺的兑现，发达国家需制定并执行相应的政策与措施，同时提交关于减排进展的年度报告。此外，还建立了监测、审核与处置机制，旨在保障各方严格遵守承诺，并对未履行承诺的行为采取适当的应对措施。

（二）碳市场稳定运行的关键原则与规范

尽管《京都议定书》所规定的原则为碳市场建设提供了基础框架，然而，在实践中，还需结合多年的经验积累，进一步细化并完善相关原则和规范。具体而言，维系碳市场稳定运行的关键原则与规范包括以下几条。

第一，透明度和可追溯性。碳市场应确保交易过程的透明度，涵盖减排项目的审计与报告机制，以及精确记录与验证的能力。同时，相关数据和信息应实现公开共享，以便市场参与者和监管机构能够全面了解交易状况及减排成效。

第二，法律约束力。在构建碳市场时，应依法确立相关政策和法规，并对其进行有效监管。法律约束力的存在能够增强市场的稳定性，并为市场参与者提供明确的行为准则和责任界定。

第三，市场完整性和稳定性。碳市场应具备健全的机制设计，以保障市场的完整性和稳定性。这包括设定合理的减排目标、调整和维护碳配额、防范市场操纵和不正当行为等。

第四，差异化和灵活性。鉴于各国和地区间的差异性，碳市场应展现出一定的差异化和灵活性。允许不同类型的减排项目和减排单位存在，以满足各方的特定需求和能力，同时激发创新和技术发展的活力。

第五，国际合作与协调。碳市场的建设需要全球范围内的深度合作与协调。各国应加强信息共享、经验交流和合作，防止碳泄漏和不公平竞争现象的发生，避免碳市场成为逃避责任的工具。

第六，激励机制与支持政策。为推动碳市场的持续发展，政府应实施积极的激励措施和支持政策。例如，为减排项目提供财政奖励、税收优惠和市场补偿等，以激发企业和组织参与减排行动的积极性。

最后，碳汇保护与生态保育。在碳市场建设过程中，应高度重视碳汇的保护和生态环境的可持续性。确保减排项目的真实性、可持续性和环境友好性，鼓励对森林保护、生态修复和可再生能源等领域的投资与支持。通过遵循上述原则和举措，我们可以构建一个高效运行的碳市场，推动碳减排目标的实现，并为企业和组织提供灵活且具有吸引力的减排机会。

三、碳市场的基本结构

《京都议定书》确立了三种交易机制，即联合履行机制（JI）、清洁发展机制（CDM）以及排放贸易机制（ET），这三者共同构成了国际碳交易市场的核心架构。在法律层面上，碳市场依据其性质被明确划分为自愿减排市场和强制减排市场，二者分别代表了碳市场的两种基本运作模式。

在碳交易市场中，存在两种基础性的交易品类，即碳配额与核证自愿减排量（CCER）。碳配额作为一种特定的权益，通常指代一定数量的二氧化碳排放权，由国家、企业或其他组织所持有，用以限制其二氧化碳排放量。而核证自愿减排量则是指在自愿减排市场中，企业或个人通过实施减排措施所获得的、经过核证的减排量，可用作在碳交易市场中抵消其碳排放的凭证。

强制减排市场进一步细分为碳配额交易市场和碳项目交易市场。在碳配额交易市场中，碳配额的买卖行为旨在实现减排目标，允许排放量低于配额的组织将其未使用的配额出售给排放量超出配额的组织，从而激励各组织减少排放、提高能源效率。碳项目交易市场则专注于将减排项目所产生的碳凭证、碳抵消单位等可销售的碳资产进行交易，为减排项目提供资金支持，促进减排技术的推广与应用。

自愿碳减排市场则是那些在国际上未承担减排义务或未签约的国家自发形成的碳交易市场。在此市场中，企业多以实现碳中和为目标，通过购买碳信用来补偿其生产活动中产生的碳排放。碳信用作为一种可交易的金融工具，代表了单位减少的温室气体排放量，为减排行为提供了经济激励。

目前，我国碳交易市场的主要产品包括碳配额和核证自愿减排量（CCER）。其中，碳配额制度作为政府实现控排目标的重要手段，通过将控排目标转化为具体的碳排放配额并分配给下级政府和企业，以实现碳配额在不同企业间的合理分配，降低控排成本。

碳交易市场的形成与发展为应对全球气候变化、降低温室气体排放提供了有效的市场机制。通过碳配额和碳信用的交易，不仅激励了企业减少排放、提高能源效率，还为减排行为提供了经济支持，推动了全球环保事业的发展。

第二节　碳交易市场体系

一、碳金融市场

（一）基本概述

碳交易市场，作为碳金融市场的重要组成部分，两者间联系紧密却又各具特色。

碳交易市场，本质上是一个专注于碳排放权买卖与交易的平台。在这一市场中，各方参与者依据自身的减排责任，通过购买或销售碳排放权来达成其减排目标。其中，碳排放配额交易系统尤为常见，例如欧盟所推行的欧洲碳市场，便是一个典型的代表。在此系统中，参与者依据既定的排放标准获得相应的配额，进而在市场中自由交易。

相较之下，碳金融市场的范畴更为广泛，它涵盖了与碳减排和气候变化相关的各类金融活动与服务。除了碳排放权的交易外，该市场还涉及对碳减排项目的资金支持、碳衍生品合约的买卖、以及环境友好型金融产品的推广等。其功能不仅局限于碳交易本身，更延伸至对碳减排行动的投资、风险管理、信息传递及技术创新等多个层面。

从实质层面来看，碳交易不仅是一项金融产品的交易过程，更是一个融资过程，它为减排领域的银行信贷等投融资活动提供了前提，同时也是广义碳金融概念下其他要素得以产生的基础。因此，可以说碳交易市场是碳金融市场不可或缺的组成部分。

碳交易作为碳金融市场中的一项具体活动，而碳金融市场则是一个更为宏大的概念，它涵盖了碳交易以外的众多金融活动与服务。二者的发展相辅相成，碳交易的顺利进行离不开碳金融机构及市场的支持与运作，而碳金融市场的健康发展则依赖于碳交易活动的积极推动与参与。

碳金融市场的概念起源于《京都议定书》所确立的弹性履行机制。在这一机制下,碳排放权具备了特殊的产权性质,呈现出可转移、可交易等特征。随着碳交易量的日益增长,碳排放相关的政策风险、法律风险及市场风险亦随之增加,这使得碳排放权的金融属性愈发突显,进而催生了碳金融市场的诞生。

从狭义角度而言,碳金融市场主要聚焦于碳排放权的交易活动;而从广义角度来看,它则涵盖了所有与温室气体排放、企业运营及其他金融活动与体制安排相关的金融市场。作为推动长期高质量发展的关键要素,碳金融不仅在碳市场中扮演着重要角色,更是国家双碳战略不可或缺的组成部分。因其独特属性,碳金融在引导企业注重自然生态平衡方面发挥着重要作用。作为碳市场机制的核心组成,它借助金融工具和交易机制,有效促进低碳经济的发展,并助力减少温室气体排放。

(二)碳金融市场的功能

通常而言,金融市场凭借其固有的运作机制,在有效降低融资成本、提升融资便利性方面发挥了关键作用,并成功孕育出新型交易市场,从而服务于实体经济,积极引导和助推经济向低碳化方向转型。碳金融的核心功能体现在,依托碳排放权及其衍生产品交易等一系列多元化的金融活动,在达成减排目标的同时,有效化解金融风险,提升社会效益,实现经济社会环境目标的协同优化。碳市场作为碳金融的重要载体,主要发挥以下几方面的关键作用。

1. 碳交易与定价机制。碳金融市场构建了完善的碳排放权交易与定价体系,为市场参与者提供了买卖与交易碳排放权的平台。该机制能够激发碳减排的积极性,通过市场供需关系的自动调节,形成合理的碳排放权价格。

2. 碳减排项目融资支持。碳金融市场为碳减排项目的实施提供了多样化的融资渠道。投资者可以通过购买碳减排项目的股权、债券等金融工具,为这些项目的推进提供必要的资金支持。

3. 风险管理与碳衍生品开发。碳金融市场通过推出碳期货、碳期权等衍生品合约,为市场主体提供了管理和对冲碳排放相关风险的有效工具,有助于企业和投资者更好地应对碳市场的波动性和不确定性。

4. 环境金融产品创新。碳金融市场积极推动环境金融产品的创新与发展,如碳信贷、碳债券、碳基金等,这些产品不仅吸引了更多投资者参与碳减排和环境保护事业,同时也为投资者提供了具有吸引力的财务回报。

5. 碳市场数据与信息服务提供。碳金融市场为市场参与者提供了丰富的碳市场数据和信息服务,包括碳市场走势分析、碳减排项目绩效评估、碳价格变动预测等,这些信息和数据有助于市场参与者做出更加明智的决策,优化资源配置。

6. 碳中介机构与咨询服务发展。在碳金融市场中,碳中介机构和咨询公司发挥着不可或缺的作用。它们提供专业的交易执行、市场分析、碳配额管理等服务,有助于市场参与者更好地适应和满足碳金融市场的需求。

碳金融市场的存在促进了创新和技术的发展。通过为碳减排和清洁技术项目提供投资和资金支持,碳金融市场推动了相关技术的研发和应用,为实现经济的低碳转型提供了有力支持。

(三)碳金融市场的交易形式

碳排放配额交易作为碳金融市场的基石,是一种基本的交易形式。在此机制下,政府或相关机构向企业或行业分配特定数量的排放许可证,即碳排放配额,亦称作碳信用或排放权。企业可根据自身需求,在市场中自由买卖这些排放配额,从而灵活调整其排放量。此举不仅有助于企业合规遵守环境法规,还能在环境保护与经济效益之间寻求有效平衡。

碳期货市场则是碳金融市场的重要组成部分,通过标准化合约形式,允许参与者在未来特定时间点交割预定数量的碳排放配额。期货交易为市场参与者提供了对未来碳价格走势的押注机会,他们可根据市场预期选择作为空头或多头进行操作。碳期货市场不仅为碳价格发现提供了有效工具,还提供了风险管理手段,极大地增强了市场参与者的灵活性和应变能力。

此外,碳衍生品市场亦在碳金融市场中占据一席之地。该市场以碳排放权或碳市场为基础,衍生出包括期权、互换合约在内的多种金融工具。这些衍生品为市场参与者提供了更为丰富的交易策略和投资机会,有助于提升碳市场的流动性和活跃度,推动其持续健康发展。

碳项目投资亦是碳金融市场的重要领域之一。通过引入投资资金,推动碳减排项目的实施,从而实现温室气体排放的有效控制。投资者可通过参与碳项目的融资活动,获得未来减排收益的一部分。此类投资不仅有助于推动可持续发展和低碳经济转型,还可为投资者带来可观的经济回报。

同时,碳金融市场还涵盖一系列与碳市场相关的金融服务。这些服务包括但不限于碳市场咨询、碳资产管理以及碳风险评估等。这些服务旨在帮助企业和个人更好地理解和运用碳市场规则,制定科学合理的减排策略,并有效管理碳排放和碳资产的风险。

碳金融市场的发展受到监管和政策环境的深刻影响。政府机构需建立健全监管框架,确保碳交易活动的合规性、透明性和公平性。此外,政策支持对碳金融市场的发展具有关键作用,包括建立稳定的碳定价机制、提供有效的减排激励措施以及优化碳项目融资和投资环境等。碳金融市场通过碳排放配额交易、碳期货市场、碳衍生品市场、碳项目投资以及碳金融服务等多个方面共同推动碳市场的发展,为实现低碳经济和可持续发展提供了有力支持。然而,其健康发展离不开政府的有效监管和政策支持。

二、碳金融市场的发展

(一)国外碳金融市场

目前,全球范围内已有近30个颇具规模的碳金融市场得以确立,这些市场覆盖了全球约20%的温室气体排放量。在众多市场中,欧盟与美国的碳金融市场起步较早,规模较大,机制也相对完善,因此在国际碳金融市场中占据着领先的地位。与此同时,韩国与中国的碳金融市场尚处于发展的初期阶段,然而其展现出的巨大发展潜力不容忽视。

欧盟作为碳金融市场建设的先行者,其市场(EU-ETS)发展最为成熟。这主要体现在以下几个方面:首先,其国际化程度较高,目前该市场在欧洲30个国家得以运行,覆盖的温室气体排放量占欧盟总排放量的40%。其次,二级市场的流动性较强,欧盟碳排放配额(EUA)的现货及衍生品在欧洲能源交易所(EEX)与洲际交易所(ICE)上市交易,其中EUA期货和期权交易量大,市场活跃度高。最后,参与市场的主体种类丰富,除了减排履约实体外,还包括金融业主体和其他非金融业主体,2021年二级市场参与商数量约达1 000家。

美国的碳金融市场在借鉴欧洲经验的基础上得以发展,但尚未形成全国统一的市场格局。目前,美国以四个区域性市场为主导,其中区域性温室气体倡议(RGGI)和加州总量控制与交易计划(CCTP)的影响力最为显著。在二级市场上,美国主要进行碳排放配额期货和期权交易,这些交易主要在芝加哥商品交易所(CME)和洲际交易所(ICE)进行,市场参与主体广泛。

韩国的碳金融市场已初具规模,并呈现出稳步发展的态势。一方面,其市场规模正在逐步建立,韩国碳金融市场(K-ETS)自2015年启动以来,至2021年底已覆盖了韩国约74%的碳排放量。另一方面,二级市场的产品种类相对单一,目前主要以碳排放配额(KAU)现货交易为主,期货、期权等衍生产品仍有待进一步开发。此外,韩国正在逐步放宽市场准入门槛,自2019年起,部分金融机构已获准进入二级市场,预计到2025年,获准进入的金融机构范围将进一步扩大。

(二)中国碳金融市场的现状与未来

中国于1994年、1998年及2016年相继签署了《联合国气候变化框架公约》《京都议定书》及《巴黎协定》,在此过程中,中国逐步认识到构建碳金融市场的必要性及其重大意义。

为推进碳金融市场的建立,国家发改委于2011年10月印发了《关于开展碳排放权交易试点工作的通知》,批准北京、上海、天津、重庆、湖北、广东及深圳七省市开展碳交易试点工作,标志着我国碳金融市场的建立取得了实质性进展。这七省市逐步明确了地区碳排放总量,建立了碳市场交易制度,设立了审核机构,并设定了市场运作机制。

经过两年的精心筹备,深圳碳试点市场于2013年6月正式启动交易,随后其余六个试点市场也在一年内陆续启动。至2022年12月31日,全国碳市场首个履约周期(自2021年1月1日至2022年12月31日)内,碳排放配额累计成交量达到1.79亿吨,累计成交额为76.61亿元。市场运行平稳有序,交易价格呈现稳中有升的态势。至此,全国碳市场的运行框架已基本建立,价格发现机制的作用初步显现。企业的减排意识和能力水平得到了有效提升,实现了预期目标。2013—2022年上海、深圳碳排放权累计成交量的走势图如图6-2所示。

当前,我国碳市场流动性相对较低,且难以有效推动碳减排行动。碳价格因市场供需失衡和流动性不足而呈现出较大波动。自国家碳配额交易启动以来,碳价格经历了显著的起伏,从初期的约10元人民币/吨快速上涨至接近30元/吨的高位,随后又回落至接近10元/吨的水平。这种价格波动不仅增加了市场参与者的投资风险,也影响了市场的稳定性。

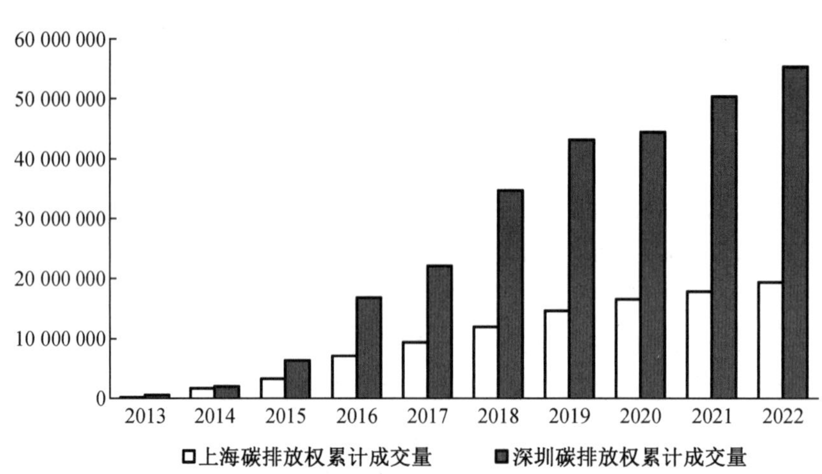

图 6-2　2013—2022 年上海、深圳碳排放权累计成交量的走势图(单位:吨)

数据来源:wind 数据库

1. 碳资产与市场机构的局限性

在低碳资产方面,我国碳市场目前主要以国家发放的碳排放权作为主要交易资产,碳资产种类相对匮乏。由于缺乏多样化的碳资产选择,市场的活跃度和参与者的灵活性受到限制。同时,我国碳市场尚未广泛引入各类碳减排项目和碳资产作为交易标的,从而制约了市场的进一步发展潜力。

信息不对称和监管挑战也是当前碳市场面临的重要问题。碳市场的有效运作依赖于充分的信息披露和透明度,以便市场参与者能够做出明智的决策。然而,当前碳数据的质量、准确性和可靠性仍有待提升,且缺乏统一的监管标准和机制,增加了市场参与者的不确定性和风险。

在市场机构方面,与其他国家相比,我国碳金融机构体系尚处于起步阶段,尚未形成完善的体系。缺乏专业的碳资产交易所、碳资产管理机构以及碳金融中介机构,同时市场参与方结构相对单一。这些因素导致碳金融市场在交易、投融资、监测、交流合作等方面面临诸多障碍,严重制约了市场的健康发展。

2. 技术创新与风险管理不足

技术创新和风险管理的不足也是制约碳金融市场发展的重要因素。尽管区块链、人工智能等新兴技术在碳金融领域具有巨大潜力,但目前我国在这些技术的应用上仍相对有限。碳金融领域的大数据应用、分析能力和危机应对能力相对薄弱。由于缺乏高质量、实时的数据源,风险管理模型和工具的使用率较低,有效的风险度量、监测和防范机制尚未建立。这使得碳金融机构在评估碳资产价值和风险时面临较大困难。国际合作和标准对齐问题也是我国碳市场面临的重要挑战。碳金融市场具有全球性质,需要与国际碳市场和碳减排机制实现有效对接。然而,目前我国碳市场在国际合作、配额转换以及与国际碳市场标准对接等方面仍面临诸多挑战。

3. 改革方向与策略

面对金融市场不断发展壮大的需求,我国金融市场正经历深刻的变革。改革的主要目标是提升市场效率、透明度和韧性,以应对日益严峻的气候变化挑战。在碳金融市场的发展方面,以下是一些关键的发展方向。

完善规范和监管机制是改革的首要任务。这包括建立透明、公平和一致的交易规则,并加强市场监管力度,以防范市场操纵、欺诈和不当行为。政府监管机构需密切关注市场动态,适时调整监管政策,确保市场健康有序发展并保护投资者利益。提高市场透明度是促进市场公正和流动性的关键。在碳金融市场中,这包括建立全面、准确和实时的碳排放数据收集和报告机制,以便市场参与者能够获取充分的信息并准确评估风险。同时,建立有效的信息披露和报告制度,使投资者能够充分了解相关企业和项目的碳排放情况。引入金融创新和工具是推动碳减排和可持续发展的重要手段。这可能包括开发新型碳金融产品、制定碳衍生品交易规则、建立碳市场衍生品市场以及探索区块链技术在碳交易中的应用等。这些创新工具和手段可以为市场参与者提供更多投资机会和风险管理工具,从而吸引更多资金进入碳金融市场。

强化国际合作和标准化也是改革的重要方向。由于气候变化是全球性挑战,国际合作对于推动碳金融市场的发展至关重要。我国应积极参与国际碳市场合作,推动统一计量和验算标准的制定,促进不同地区碳排放配额的互认和交易。此外,加强国际碳市场之间的连接和互操作性也是改革的重要任务之一。

激励绿色投资和财务披露也是推动碳金融市场发展的重要举措。政府应通过建立绿色金融框架、提供税收优惠和补贴政策等措施,鼓励更多资金流向低碳和可持续发展领域。同时,加强企业的环境、社会和治理(ESG)信息披露要求,使投资者能够更全面地评估企业的碳足迹和可持续性绩效,并做出更加明智的投资决策。发展碳金融是推动社会资本向低碳市场流动、促进技术创新和低碳经济发展的重要途径。面对国内外日益严峻的气候变化挑战和经济社会发展需求,我国迫切需要加快碳金融市场的改革与发展步伐,为实现低碳经济和可持续发展目标提供有力支持。

三、碳交易市场运行机制

(一)基本概述

碳交易作为碳减排的市场化途径将有效促进碳排放的资源配置以实现减排目标。碳交易是为了减少二氧化碳排放、促进温室气体减排所提出的将二氧化碳排放权作为商品进行交易的市场机制,即鼓励减排成本低的企业超额减排,将富余的碳排放配额或减排信用通过交易的方式出售给减排成本高、无法达到碳排放要求的企业,从而帮助后者达到减排要求,同时降低社会碳排放总成本。碳交易能够低成本、高效率地实现二氧化碳排放权的合理配置,达到总量控制并合理利用公共资源的最终目标。

1. 碳交易市场制度体系构建

作为碳交易市场制度体系构建的基础,激励或惩罚机制是至关重要的。按照我国生态环境部印发的《碳排放权交易办法(试行)》,重点排放单位应当控制温室气体排放,报告碳排放数据,清缴碳排放配额公开交易及相关活动信息,接受生态环境主管部门的监督管理。

重点排放单位未按时足额缴清碳排放配额的，由其生产经营场所所在地设区的市级及以上地方生态环境主管部门责令限期改正，处两万元以上三万元以下的罚款；逾期未改正的，对欠缴部分，由重点排放单位生产经营场所所在地的省级生态环境主管部门等量核减其下一年度碳排放配额。2022 年 1 月 3 日，苏州市生态环境局官方微信公众号透露，苏州市生态环境综合行政执法局 2022 年 1 月 1 日在对张家港，某公司开展节日生态环境安全检查中，发现该公司未按时足额清缴 2019 到 2020 年度碳排放配额，涉嫌违反《碳排放权交易管理办法(试行)》第十条之规定。目前，苏州生态环境部门已责令企业整改，并对该企业违法行为予以立案查处。激励和惩罚机制的完善，说明我国碳排放权交易市场的制度体系的基础逐渐形成。

2. 碳交易行为与市场运作

在碳交易行为中，特别是配额现货交易阶段，会先在一级市场将初始碳排放权分配给纳入交易体系的企业，企业可以在二级市场自由交易这些碳排放权，碳排放高的企业需要从碳排放低的企业购买相关碳排放权，市场的价格机制发挥作用，低碳企业可以在碳交易市场中通过交易碳排放权获取收益，同时对于高排放企业而言，生产成本提高会倒逼改革，由此形成一个可持续的发展。惩戒机制会提高碳市场交易效率。

3. 碳排放权交易的实施步骤

碳排放权交易以“总量限定和配额分配”为基本原则，排放权交易的实施需要分几个步骤：第一，政策制定者根据区域环境情况与控制目标，评估环境容量；第二，根据区域环境容量与控制目标，计算污染物的排放额度，并将排放额度制定为排放权；第三，政策制定者选择合适的排放权分配方式，并分配区域内排污企业，同时建立区域排放权交易市场体系，保障排放权合法、有序交易。排放权交易之所以在治理污染时效果显著，是因为在排放权交易法下，管理者赋予了排放权价值，排污企业在治理污染时，可以根据自己的实际情况，将多余的排放权拿到排放权市场上出售获利，或者从市场上购买比自己治理污染成本更低的排放权，排污企业治理污染的成本得到了弥补。

(二)碳配额分配

1. 碳配额分配方式

碳配额分配主要分为以下几种方式。

(1)免费分配方式，包括祖父分配法和基准分配法两种方法。

①祖父分配法是一种根据过去的历史排放量来分配碳配额的方法。按照这种方法，碳配额被分配给过去具有大量碳排放的企业或机构，他们被认为有权利保留相应数量的碳排放。这意味着这些企业可以在未来继续以相对较高的碳排放水平运营而不承担额外成本。该方法考虑了经济活动的现状和历史责任，并且与既有产能和资产相关。然而，对环境保护和公平性的关注使得该方法备受争议。

②基准分配法是一种根据行业或部门的特定标准、指标或效率水平来分配碳配额的方法。按照这种方法，每个参与者的碳配额基于一个共同的参考基准，通常是低碳排放者或最佳实践者的排放水平。这种方法鼓励企业采取减排措施以达到或超越基准水平，并鼓励

技术创新和改进。基准分配法通常被认为具有公平性和经济效率,因为它推动了减排行动,并奖励低碳排放者。

(2)出售分配方式,包括拍卖分配(auction)和固定价格出售分配(fixed-pricing)两种方式。

①拍卖分配是将碳配额作为商品,在市场上通过拍卖的方式进行分配。在拍卖过程中,参与者可以出价竞购碳配额,并最终以最高出价的买家获得配额。这种方式使用市场机制来决定碳配额的价格和分配量,通常会导致碳配额向最愿意支付高价格的买方流动。拍卖分配的优点包括确保资源最有效利用、提供经济激励和促进创新,但也可能导致较高成本和不平等分配的问题。

②固定价格出售分配是指根据事先设定的固定价格直接将碳配额分配给需求方。根据政府或相关主体的规定,碳配额按照预先确定的价格出售给企业、机构或个人,并根据他们的需求数量进行分配。这种方式可以确保碳配额的可预测性和稳定性,同时降低了交易成本。然而,固定价格分配可能缺乏市场效率,无法充分反映市场需求和供应情况。

(3)混合分配机制,主要包括渐进混合分配方式(Progressive Hybrid Allocation)或行业混合分配方式(Sectoral Hybrid Allocation)两类。

①渐进混合分配方式:这种分配方式结合了按人均分配和基于历史排放的方法。根据渐进混合分配方式,一部分碳配额按照人口比例进行平等分配,以确保公平性和社会公正性。同时,剩余的碳配额按照过去的历史排放量分配给企业、机构或行业。通过这种方式,既考虑了每个人的平等权利,又考虑到过去排放较多的实体有责任减少排放。

②行业混合分配方式:这种分配方式将碳配额分配给不同行业或部门,根据各行业的特点、经济贡献和排放情况来确定分配比例。通过行业混合分配方式,政府或相关机构可以针对特定行业制定差异化的碳配额分配策略。高碳排放行业可能面临更严格的配额限制,而低碳排放行业则可以获得更大的灵活度和减排潜力。

2. 欧盟碳市场发展阶段

接下来我们将以欧盟的碳配额设计(EU ETS)为例,了解一下国际主流碳配额市场的发展历程。

在第一阶段,最初的碳配额分配主要基于参与该体系的企业在2000—2002年期间的历史碳排放数据。这意味着那些过去排放较多的企业获得了相应比例的碳配额。同时,欧盟在第一阶段对部分重点行业进行了特殊处理。钢铁、水泥和纸浆行业等获得了一个固定配额,不直接参与分配拍卖。而电力行业的配额分配以不同比例从免费配额和竞争式拍卖中获取。

为了防止企业碳成本过高或缺乏国际竞争力,欧盟设立了碳配额的保留机制。这意味着,在第一阶段,一些领域的企业可以享受到一定比例的免费碳配额,并逐渐减少以推动减排措施。针对特殊情况,欧盟在第一阶段引入了碳排放单位(CER)和可再生能源证书(RES-T)作为替代选择来履行一部分排放义务。企业可以使用这些弹性机制来满足一定比例的碳配额要求。

在第二阶段,在保留历史分配的基础上,欧盟逐渐引入了部分拍卖的机制。这意味着一部分碳配额通过拍卖以市场价格的形式进行分配,以提高市场效率和经济激励。同时。

企业在第一阶段和部分特殊行业可保持一定比例的免费碳配额,而该比例在第二阶段逐年减少。欧盟开始继续回收未使用的碳配额。未来年份的分配计划会考虑先前期间未使用或过剩的碳配额,并相应减少新分配的数量,以避免碳配额积累和供应过剩。而特定的耗能行业和激进发展的国家可以获得更多的免费碳配额,以应对碳成本增加的影响。这旨在确保这些行业的国际竞争力,同时鼓励其采取更加环保和节能的措施。

在第三阶段,拍卖碳配额成为主要的分配机制。大部分碳配额通过竞拍以市场价格形式进行分配,提高了市场效率、透明度和公平性。逐渐减少免费配额的比例,鼓励企业更积极地参与拍卖。但一些特殊行业如特定高能耗行业仍然可以获得一定比例免费碳配额,以补偿碳定价对其国际竞争力的影响。但同时加强了监管和限制,鼓励这些行业采取低碳技术和措施。而且免费配额的数量逐年下降,使这些行业更多地面临经济激励减排的压力。

为了防止碳泄漏现象出现,即高碳排放行业转移到其他国家没有碳定价的地区导致整体排放增加,欧盟对一些受影响的行业提供了一定的额外配额补贴。

除此之外,欧盟还引入了柔性机制,如跨期使用、碳信用等,以促进更大范围的减排选择和减排合作。这包括引入对可持续发展项目的认可,并开放接纳第三方排放减少认证。

纵观欧盟 EU ETS 的发展历史,第一阶段选择拍卖的国家和拍卖量都很少,只有丹麦、匈牙利、立陶宛、爱尔兰四国拍卖了约 300 万 EUAs,仅占 EU ETS 每年配额总量的 0.13%。第二阶段有德国、英国等六国采用拍卖方式,累计拍卖 6 386 万 EUAs,占 EU ETS 每年配额总量的 3%。第三阶段拍卖方式比重大幅提高,电力行业中,大部分企业将以拍卖方式购得所需的所有配额,其他行业的配额发放形式也会逐步被拍卖完全取代,欧盟委员会计划将这些行业配额的拍卖占比从 20%逐步提高到 70%,并最终于 2027 年实现全部拍卖。拍卖方式已逐渐普及,碳排放权需付费的观念已深入人心,这对提升碳配额的分配效率有极大的推动作用。

3. 中国碳市场特点

在中国,自 2013 年以来,我国的 7 个碳排放交易试点省市的交易市场陆续开市,并相应颁布了碳交易管理办法,据统计,纳入控排范围的企业和单位共 1 900 余家,配额分配量约 12 亿吨。截至 2015 年 8 月底,所有试点的碳排放配额交易量累计达 4 024 万吨,成交金额约 12 亿元;配额拍卖量累计达 1 664 万吨,成交金额约 8 亿元。在 2022 年,全国碳市场第一个履约周期碳排放配额累计成交量 1.79 亿吨,累计成交额 76.61 亿元,市场运行平稳有序,交易价格稳中有升。

但由于我国碳交易市场体系建设比较晚,更多地借鉴了欧盟、美国等国外碳排放交易体系的有关经验。我国采用行业基准方法来确定企业的碳排放配额。根据不同行业的平均碳排放水平,设定相应的碳排放基准,作为参考依据进行配额分配。我国碳配额分配采用免费分配和拍卖相结合的模式。初期,主要通过免费分配的方式向企业提供碳配额。免费分配的比例根据不同省市和行业有所差异。随着时间推移,逐步引入拍卖机制,增加市场化比重,促进经济效率和减排潜力的发挥。同时,我国对不同行业的碳配额分配存在差异化政策。高耗能行业和重点污染行业通常面临较为严格的碳配额限制,以推动其转型升级和减排措施的实施。而一些低碳行业或已实施减排措施的企业可能会获得更大的灵活度和奖励。

(三)碳交易市场定价

碳价格的计量是碳交易市场的基础,碳价格的定量对于碳市场的稳定运行尤为重要。碳定价是指对二氧化碳(CO_2)等温室气体的排放施加经济成本或价值的政策措施。其目的是通过内部化碳污染的外部成本,鼓励减少温室气体的排放,并促进低碳经济转型。通过碳定价机制,企业和个人将面临更高的经济成本,从而鼓励他们采取减排行动、转向低碳发展路径,并促进技术创新和清洁能源的采用。此外,碳定价还为碳市场的运作和碳交易提供了参考价格,推动碳市场的有效运行。实施碳定价不仅有助于应对气候变化挑战,还提供了激励和合理分配资源的经济手段。碳价波动图如图 6-3 所示。

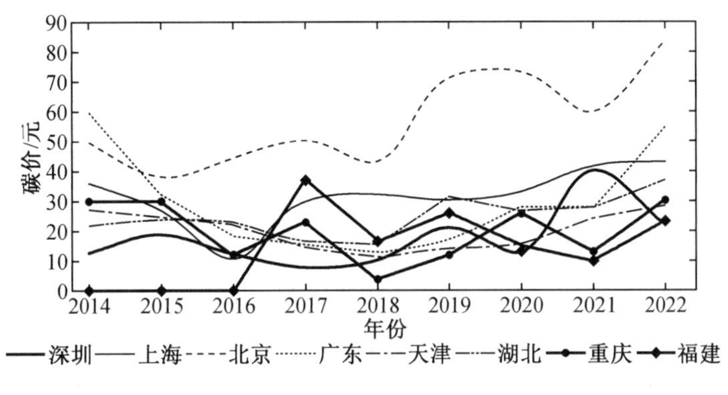

图 6-3 碳价波动图 来源:深圳碳交易所

碳价格在市场上是瞬息万变的,接下来我们将从供给和需求两方面来分析碳价格的影响因素。

1. 供给层面影响因素

在供给层面影响碳价格的主要因素主要包括配额政策(配额数量、分配方式、跨期储备制度等)、碳减排技术、碳税政策、其他减排履约机制项目供给情况等供给方面的相关政策。

(1)碳配额政策:政府可以通过设置国家或地区的碳排放目标来调控碳市场供需平衡。如果目标较为严格,即使有较高的需求,供给仍然相对有限,这可能导致碳价格上涨;同时,采用不同的配额分配方式也会带来不同的效果,如免费分配和拍卖。如果大部分配额是通过免费分配方式分发给企业或行业,这将减少了对碳配额的需求,从而可能对碳价格产生压制作用。相反,如果配额主要通过拍卖获得,企业需要购买更多的碳配额,这可能推高碳价格;如果采用不同的市场机制来管理碳配额交易,如固定价格或定量供应。固定价格机制会设定碳价格上限或下限,限制价格波动幅度。定量供应机制则根据供给需求情况调整配额数量,从而影响碳价格的形成;再者,碳配额政策的实施通常伴随着碳排放监管和合规要求。企业必须报告、核实和符合相关的碳排放标准,否则可能面临罚款或其他处罚。这些要求会给企业增加成本压力,并推动其需求或购买更多的碳配额,从而对碳价格产生影响。

(2)碳减排技术:技术的突破对碳价格的影响是巨大的。技术得到发展,企业减排成本降低，则购买比较少的排放配额，交易价格就有所下降。当技术不成熟时，减排成本较高，企业会购买较多的碳交易配额以应对较大的减排压力，配额交易价格将有所上升。

(3)碳税政策：碳税政策通过对二氧化碳排放征收税款来降低碳排放量。这种政策的实施会增加使用高碳排放产品和能源的成本，使得高碳排放产品和能源的价格上涨，因为企业需要承担额外的碳排放成本。而较高的碳排放成本会导致企业购买大量的碳配额来应对高减排压力，这会导致碳价格的上涨。传统高碳能源(如煤炭)成本的上升，而清洁能源(如太阳能和风能)相对更具竞争力。这有助于促进可再生能源和能源效率的发展，推动能源转型。同时也会激励企业投资于低碳技术研发和创新，而这最终会导致碳价格的下降。

但必须注意的是，碳税政策可能会改变不同行业和国家之间的竞争格局。高碳排放产业在价格上升时可能面临竞争劣势，而低碳产业则有机会获得竞争优势。发达国家资本实力雄厚、技术先进，通过环境保护和减排的名义实施贸易保护主义政策，造成发展中国家在国际贸易中处于劣势地位。某种程度上，碳关税政策阻碍了碳交易市场的发展，而且可能导致碳价格的不合理。

(4)其他减排履约机制项目的供给情况：其他减排履约机制(如联合国清洁发展机制和可再生能源证书体系)的项目供应量会直接影响市场上碳储备的总量。如果大量的减排项目获得认可并进入市场，提供的碳凭证数量将增加，可能导致碳价格下降。再者，减排履约机制通常设定了供应调整机制，以确保碳市场的平衡。这意味着根据实际需求和供给情况，机制可能会进行碳配额的增减或取消。供应调整的执行将直接影响碳价格的稳定性和波动程度。同时，减排项目的供应在不同行业和地区之间可能存在差异。某些行业或地区可能拥有更多的减排潜力和机会，从而提供更多的碳凭证。这种供应差异可能对特定行业或地区的碳价格产生影响。而且，减排项目的供给情况也与相关资金流动和投资有关。如果碳市场吸引了大量的投资和资金流入，可能会促使更多的减排项目得到开发和认可，增加供给，导致价格下降。

2. 需求层面影响因素

而在需求层面影响碳价格的因素主要包括经济发展水平、能源价格、金融市场、气候变化等。需求层面的影响更多的是外部的、间接的影响，但是碳价格对这些因素的敏感程度是非常高的。

(1)经济发展水平：经济发展水平对碳价格的影响是深刻的，它会直接影响到碳需求、政策环境、技术创新与转型、国际贸易与竞争、公众意识与消费者行为等。一个显著的例子是，当经济发展水平处于上升阶段，社会需求增加，企业生产规模扩大，高碳排放的能源会被大量使用，因此对配额需求也会增加，在配额供给缺乏弹性的情景下，必然导致配额供需关系发生变化，从而使配额交易价格上升。反之，当经济下滑，企业规模紧缩，化石能源需求下降，碳排放量减少，导致配额供给过剩，价格下降。

(2)能源价格：能源价格对碳价格的影响是显著的，当市场上需要大量的化石能源时，必然会导致能源价格的上涨，排污量的扩大同时也会产生大量的碳配额需求，碳价格由此上涨。当化石能源价格上涨，或某一类化石能源价格上涨，企业将选择清洁能源，或其他化石能源代替价格相对较高的化石能源，这样也会导致化石能源的消费量，碳排放总量的变化，并影响碳配额的需求量，进而影响碳价格。

(3)金融市场：金融市场与企业减排的联系在当下越来越密切。例如，当股市下跌时，股价缩水，企业的财富蒸发，企业投资将减少，经济规模缩减，企业生产规模的减小使得碳排放量减少，碳配额需求减少，导致碳排放配额交易价格下跌；反之，碳排放配额的交易价格上升。

同时，金融市场自身的变化也会影响碳价格。当金融市场有更多的活力因子产生(如碳金融衍生品)。大量金融机构(如投资银行、私募基金、对冲基金等)参与交易，这会给金融市场带来活力，而且会很大程度上影响碳价格的变动。此外，金融市场的波动(如金融危机)也会对碳价格产生巨大影响。

(4)气候变化：气候变化将加剧风险感知，企业和投资者可能更加关注碳排放和气候相关风险。他们可能调整战略，寻求低碳和可持续发展的解决方案，并愿意为减少碳排放支付更高的成本，这会影响碳价格。同时，气候变化导致的极端天气事件(如洪涝、干旱、飓风等)可能对经济和市场产生直接影响。这些事件可能导致资源供应紧张、产能减少和产业中断，进而对碳价格产生间接影响。此外，气候的变化例如寒潮天气，这会使得人们选择高排放的能源或一些产品来维持正常的生活，这很显然会导致碳配额需求增加，从而使得碳价格上涨。同样地，如果一个地区风力强、日照指数高，那么发展清洁能源会有优势，这会导致碳配额需求减少，碳价格下跌。

(四)中国碳交易价格决定机制

马歇尔均衡价格理论认为，均衡价格是供给和需求两种力量共同作用的结果。全球主要碳交易市场都建立在《京都议定书》中的附件一国家(主要是发达国家)。这些国家是碳交易市场的需求方。然而，全球碳交易市场的交易规则和产品标准都是由需求方制定的。中国如今成为全球最大的清洁发展机制(CDM)项目供应国，尽管这意味着拥有充足的碳配额供给，但中国却并未掌握碳定价权。此外，中国碳交易价格受国际碳交易市场价格的影响较大。同时，中国 CDM 项目的实施必须经过国家发改委的审批。可以说，中国碳交易价格是中国碳交易市场需求、中国碳交易市场供给、国际配额市场价格、政府限价共同决定的。

1. 影响中国碳交易价格的因素

中国对二氧化碳排放权的需求量主要取决于两个因素：一是《京都议定书参考手册》规定的初始排放配额；二是附件一国家实际的二氧化碳排放量。初始排放配额和实际排放量之差就为国际碳交易市场需求量。在配额固定的情况下，碳排放市场的需求取决于国家的二氧化碳排放量，而实际的二氧化碳排放量受到很多因素的影响，如人口、人均 GDP、单位能耗等。二氧化碳排放有一个著名的卡亚公式，即

$$E_{CO_2}=P\times\overline{\mathrm{GDP}}\times\frac{e}{\mathrm{GDP}}\times e_E$$

其中，E_{CO_2} 为二氧化碳排放量；P 为人口；$\overline{\mathrm{GDP}}$ 为人均 GDP；$\frac{e}{\mathrm{GDP}}$为单位 GDP 能源消耗量；e_E 为单位能耗排放量。当人口、人均 GDP、单位 GDP 能源消耗量以及单位能耗排放量相互作

用,导致二氧化碳排放量增加时,国际市场需求也会增加。此时,中国碳交易市场也会面临需求增加,进而中国碳交易市场价格上涨。相反,二氧化碳排放量减少意味着中国碳交易市场需求减少,这会引起中国碳交易市场价格下降。

国际碳交易市场价格和中国碳交易价格联系紧密,特别是欧洲气候交易所的 EUA 期货、期权价格和中国市场上的碳价格相关性很高。因为欧洲配额交易市场即 EUA 市场属于碳交易市场的二级市场,而中国碳交易市场大多数是 CDM 项目市场,属于一级市场。二级市场价格和一级市场价格联系紧密。因此,影响配额市场价格的因素,也会和项目级市场有很大的相关性,所以可以推断出中国碳交易价格受国际配额价格的影响,特别受交易频繁的欧洲气候交易所的 EUA 期货价格影响较大。当配额数量相对宽松时,国家或者企业会通过国际市场购买相对小量的配额或者不购买,各大国际碳交易配额市场的价格就会下降;与此同时,配额宽松国家对二氧化碳减排项目合作的兴趣也会减少,中国 CDM 项目市场的价格也会相应下降。反之,中国 CDM 项目市场的价格会相应上升。

2. 政府应对策略与市场发展

必须注意的是,中国仍然处于 CDM 项目合作的摸索阶段,没有完善的法律体系和市场价格确定机制,使中国碳交易的成交价格明显低于国际碳交易市场价格。有数据显示,国内开发 CDM 项目的企业平均收益率仅在 10%左右,其余差价所产生的收益,都是由从事碳交易买卖的国外投资机构获得。因此,中国政府在鼓励企业积极实行节能减排的 CDM 项目合作的同时,也会通过设定政府 CDM 价格的限制,并对项目进行筛选,选择那些收益较高的项目进行实际合作,以降低企业的风险,提高收益率,保护行业和国家利益。然而,在目前国际碳市场低迷的情况下,碳交易市场价格大大低于政府限价,使得半数中国 CDM 项目面临违约。因此,政府限价对中国碳交易市场的发展是不利的。但由于中国的市场化碳减排不够完善,中国的碳市场建设任重道远。

第三节　双碳市场的影响与启示

一、碳汇向行业的市场化发展

双碳一方面要注重环保、减排,同时在另一端,我们要注重“碳吸收”。生态保护是“碳吸收”的重要途径之一,生态保护与经济发展,以及区域生态治理是摆在眼前的问题,而碳汇经济则是这一问题的突破口。

(一)碳汇经济的分类

碳汇经济是指通过保护、管理和增加森林、湿地、海洋等生态系统,从大气中吸收并存储二氧化碳,以减少温室气体的累积。同时,它基于碳排放权交易和碳市场机制,通过将温室气体排放作为商品进行交易,达到鼓励减排和提供经济激励的目的。

由于在森林碳汇生产过程中的中间消耗较大,因此要通过提高经营管理水平、加快技术进步等提升森林碳汇的产出效益。一方面,从森林碳汇实物量产出上提升森林净生产力,进而提高森林的碳汇量;另一方面,提高森林碳汇价格,建立健全我国森林碳交易市场体系,完善碳汇市场交易机制等,确保碳市场交易的健康发展。

除了陆地生态系统、海洋生态系统也是重要的碳汇发展区。海洋碳汇又称蓝色碳汇,与海洋生态系统可持续发展及气候变化息息相关。2019 年联合国政府间气候变化委员会(IPCC)发布的《气候变化中的海洋与冰冻圈特别报告》(SROCC)明确了蓝色碳汇的定义,指出易于管理的海洋系统所有生物驱动的碳通量及存量可以被认为是蓝色碳汇。2022 年我国自然资源部批准发布的《海洋碳汇核算办法》行业标准将海洋碳汇定义为红树林、盐沼、海草床、浮游植物、大型藻类、贝类等从空气或者海水中吸收并存储大气中二氧化碳的过程、活动和机制。其中,红树林、海草床、滨海盐沼是蓝碳生态系统的主要组成部分,滨海蓝碳生态系统以占海床不到 0.5%的覆盖面积,贡献着海洋 50%以上的储碳量,同时滨海生态系统在缓解海浪侵蚀,保护海岸线有重要作用。我国拥有绵长的海岸线,发展滨海蓝色碳汇生态系统具有得天独厚的优势。

蓝色碳汇主要通过海洋碳汇生态产品参与碳交易市场。其产品主要以滨海湿地修复、红树林生态修复、海洋牧场等项目为依托,来实现固碳的价值市场化。

由于蓝色碳汇具有一定特殊性,其市场格局是以自愿市场为主,履约市场、普惠市场为补充的复合型市场格局。履约市场由国家管控,其交易在国家的监管下,充分发挥碳市场的价格信号功能,在不断完善碳价格指数的同时,进一步反映不同时期碳市场价格的变化趋势,为自愿市场和普惠市场提供价格指引。在自愿市场中,卖方需将海洋碳汇生态产品通过官方核证后在市场中进行交易,其交易所得可以反哺于项目修复及生态补偿的资金来源,形成海洋生态保护与固碳的良性循环。普惠市场通过激励举措推动社会公众积极参与节能减排,营造全社会减排降碳的良好氛围。例如,上海探索建立的区域性个人碳账户、广东省上线的首个城市碳普惠平台等均是碳普惠的成功案例,为海洋碳汇生态产品价值实现提供了普惠市场经验:海洋碳账户与商业应用场景关联,民众在享受自身行为福利的同时也能推动低碳事业的发展,两全其美,实现了海洋碳汇生态产品经济效益、生态效益、社会效益的协同发展。

(二)碳汇经济的综合益处

在碳汇经济中,排放单位被限制了其二氧化碳排放额度,如果超过了额度,则需要购买额外的排放权。而那些能够减少或避免二氧化碳排放的单位,可以将其未使用的排放权出售给需要的单位,从而形成一个碳市场。通过这种机制,碳汇经济可以激励企业和个人采取减排措施,推动清洁能源和低碳技术的发展,促进可持续发展。同时,碳汇经济还可以为发展中国家提供经济支持,通过开展碳资产交易和碳金融活动,吸引更多的投资用于低碳项目和气候变化适应。碳汇经济可以很大程度上反哺社会,以下是碳汇带来的益处。

1. 碳减排效益:通过投资和保护碳汇,可以将大量的二氧化碳从大气中吸收并储存在生态系统中。这有助于减少温室气体在大气中的累积,缓解全球变暖的影响。

2. 经济激励和创造就业机会:碳汇经济为投资者、公司和社区提供了经济激励,通过参与碳交易获得经济利益。此外，碳汇项目还可以促进绿色经济发展，创造与保护、管理和恢复生态系统相关的就业机会。

3. 生态系统服务价值：碳汇项目的实施通常涉及生态系统整体保护和恢复。这些生态系统还提供其他服务，如水资源调节、生物多样性维护和风险防范，对社会和环境都有积极影响。

4. 可持续发展目标：碳汇经济与可持续发展目标密切相关，例如联合国的可持续发展目标之一（SDG13）旨在采取紧急行动应对气候变化。通过碳汇经济的发展，可以促进气候行动与可持续发展之间的协调。

5. 持续监测与管理：为确保碳汇项目的真实效果和准确计量，需要建立监测、报告和验证机制。这些机制对于保证碳减排量的真实性和可靠性至关重要，并确保各方参与者遵守规定和准则。

二、石化行业绿色低碳转型

工业占全社会能源消耗量的48%，每年消耗量与20亿吨标准煤的碳排放相当，其中重工业与能源产业对我国的碳排放发展影响较大，传统能源行业的改革的是否成功，对中国双碳战略能否成功具有重要作用。

由于我国许多地方在GDP增长指标的压力下，淡化了节能和环保意识，片面地追求经济发展而忽视了环境保护，引起了诸多问题。为了解决问题，国家发布《关于落实全国碳排放权交易市场建设的有关工作安排通知》，号召并动员企业参与碳市场等一系列复杂艰巨的任务。但由于石化企业的基础能力还普遍薄弱，对碳交易工作的总体认知不足，缺乏相关人才。为了应对问题，国家发布《碳排放权交易管理暂行办法》开始对石化行业进行低碳改革，以下是改革的一些方法。

1. 技术创新和升级：通过技术创新和工艺升级，改进化工生产过程，提高能源利用效率，能极大减少二氧化碳和其他温室气体的排放。与非化工产品相比，化工产品能够带来更多的碳排放量。而化工产品的技术升级将会使一些工具或行业的能耗大幅下降。例如，建筑行业如果大量使用节能环保材料，聚氨酯、聚苯乙烯等化工产品将会大展身手，节能保温材料的使用将会使建筑行业的能耗下降30%以上。催化热裂解制乙烯技术的推广，离子膜电解取代隔膜电解槽，碳纤维材料取代飞机和发电设备的金属材料，工业锅炉定期清洗等等将会成为未来发展大势。

2. 能源结构调整：加强清洁能源的使用，降低对传统煤炭等高碳能源的依赖。逐步转向天然气、风能、太阳能和生物能等低碳能源，减少碳排放。

3. 碳捕捉利用与储存（CCUS）技术：CCUS技术可将二氧化碳从石化生产中捕集，然后将其储存或利用，以避免排放到大气中。这包括碳捕捉、封存和地下储存（CCS）技术以及碳利用技术。利用CO_2进行增强油田采收（EOR）或生产合成燃料就是一个很好的方法，如美国在20世纪70年代将二氧化碳注入油田，以提高石油开采量，而欧洲采用发电的方式将二氧化碳封存于地下。

4. 可再生能源开发：中国积极推动可再生能源在石化行业的应用，如利用风电和太阳能发电为生产过程提供能源,减少化石燃料的使用量和相关碳排放。

5. 低碳生产管理和标准:政府建立和执行低碳生产管理制度,设定减排目标,并实施监测、报告和验证措施。参与相关碳市场和碳交易,依据碳排放指标对企业进行评估和激励,推动石化企业向低碳方向发展。

6. 循环经济和资源回收利用:加强废物处理和资源回收利用,如果在二氧化碳未逃逸之前将其捕捉,采用化工技术将其变废为宝,这将会是一件具有社会效益与经济效益的事业。例如,通过羟基合成等工艺手段,可使二氧化碳相关产品与氢反应生产甲烷、甲醇、碳纤维、工程塑料等,不仅能减少二氧化碳的排放,还能扩宽氢能利用的空间。通过循环利用污染物和副产品,提高资源利用效率和环境友好性。

化工企业的低碳转型是困难的,特别是一些地区高度依赖重化工企业来维持经济增长,使得化工企业的转型受到多方利益的牵制。此外,一些化工企业内部缺乏转型的条件和能力,亟须外部力量的帮助。但低碳经济的发展方向是大势所趋,不可避免,不可逃避。

三、市场化能源改革——清洁能源的发展

(一)基本概述

能源是指能够进行有用工作或产生热的物质或现象。它是推动经济社会发展的基础,用于供给各种形式的能力和动力。不同能源的碳排放系数见表6-1。

表6-1 不同能源的碳排放系数

	能源技术	碳排放系数(单位:克/千瓦时)
化石能源	煤	341~385
	燃料用油	227~351
	燃料用气	158~936
清洁能源	居民型太阳能光伏	15~34
	公共设施型太阳能光伏	10~29
	海上风能	7~11
	路上风能	9~17
	地热能	15~55
	水力发电	17~22
	波浪能	21~22
	潮汐能	10~20
	生物质能	43~1 790

中国面临着一系列严峻的能源形势。能源需求快速增长;煤炭依赖程度高,煤炭在中国的能源结构中占据主导地位,这导致了严重的环境污染和空气质量问题。根据数据,中国煤炭消费量占全球煤炭消费总量的近一半;温室气体排放量大,中国是全球最大的二氧

化碳(CO_2)排放国。根据国际能源署的数据,中国的碳排放量约占全球总排放量的28%,超过美国和欧盟的总和。这对应对气候变化和实现全球碳减排目标带来了巨大挑战;能源供应安全面临风险,中国对石油、天然气和其他重要能源的进口依赖度高,存在能源供应安全的风险。来源多元化和能源储备不足可能会影响经济和社会的稳定。

在诸多因素的影响下,中国进行能源调整改革迫在眉睫,而清洁能源产业的发展可以给中国带来新的经济增长点和就业机会,推动经济结构升级和可持续发展。基于此,中国开始大力发展清洁能源。

(二)清洁能源与经济发展

清洁能源是指在生产和使用过程中减少对环境污染的能源来源。清洁能源能够有效地减少排放有害气体和污染物,帮助保护环境和人类健康。清洁能源包括但不限于可再生能源,如风能、太阳能、水能、生物能等,以及核能等低碳能源。

1. 影响可再生能源市场的因素

研究表明,影响可再生能源市场的主要驱动因素是扩大的可再生能源融资渠道,它确保了对可再生能源项目的公私支持。且可再生能源投资是替代煤炭消费的长期、缓慢、根本性的途径。在中国的实践中,中国政府对光伏的研发投入是提高光伏发电技术进步水平的决定性因素,研发投入水平越高,光伏发电成本越低,通过技术的推动促进了光伏发电产业的快速发展。根据国际上的广泛样本可以发现,可再生能源技术可以提供可靠、广泛和可再生的能源供应来实现能源结构多样化并提高能源安全,这对于经济的持续增长是必不可少的。其次可再生能源的使用带来了社会和环境效益,降低了修复环境污染造成损害的成本,在全球层面可再生能源消费对经济增长产生积极影响,但在区域层面可再生能源消费对经济增长的影响在不同收入群体中表现参差不齐,它对中低收入国家经济的增长产生负面影响。我们可以得出结论,可再生能源消费与经济增长的关系取决于可再生能源的消费量。当发展中国家或非经合组织国家的可再生能源消费超过一定阈值时,可再生能源消费将显著促进该国家的经济增长。然而如果发展中国家的可再生能源消费量低于一定的阈值水平,可再生能源对经济增长的影响是消极的。同时还发现可再生能源消费对发达国家的经济增长没有显著影响,而对经济合作组织国家的经济增长有显著的正向影响,同时可再生能源也能促进高收入国家的服务行业和中等收入国家的制造行业。

2. 国际实践案例:欧盟

在能源低碳化市场改革中,国外在这方面做了诸多的实践,例如欧盟。

欧盟碳排放交易体系(EU ETS)是全球规模最大、流动性最强的碳交易市场之一,在国际宣布进行能源方面的变革时,欧盟碳排放交易体系推动欧盟将更多资源集中在能源行业的绿色转型上。2009—2020年,欧盟碳市场已筹集了807.37亿美元的资金用于能效管理、新能源投资及工业去碳化等项目。2010年,欧盟委员会发起了NER300计划用于支持创新碳捕集与封存和可再生能源技术的示范。随后欧盟气候行动总局开启2021—2030年的未来创新基金(也称NER400)用于低碳技术创新。同时,欧盟也开启了"欧洲绿色协议"用于后续的碳中性目标实现。通过一系列政策利好,欧洲总体碳排放量逐年递减,能源结构向清洁能源转型。2020年，欧盟温室气体排放量较1990年下降了31%，其中，电力和热力部门、制造业和建筑业碳排放强度大幅下降。2020年，欧盟可再生能源发电量占总发电量的38%，化石能源发电量占比为37%、核能发电量占比为25%，可再生能源发电量首次超过化石能源发电量。

欧盟的气候目标使得欧洲碳排放企业更加意识到配额的稀缺，同时激励机构投资者更加积极参与碳市场。企业的积极加入，使得碳价格上涨，并使得能源与碳价格紧密联系起来。政府通过碳价格的调整，利用产业碳价格传导信号引导企业进行低碳化的生产方式和管理模式改革。同时通过提高碳价，增加低碳替代产品、清洁能源和相关技术的价格吸引力，改变能源消费模式。欧盟在2014年制定的《2030年气候与能源政策框架》确定了以碳市场为中心的策略，减少其他政策对碳市场价格的干预，进一步提升碳市场的配额价格，使得碳价格对能源行业等碳排放行业的干预能力不断加强。

通过欧盟碳市场引导能源行业碳减排的具体实践，可以看出，影响碳市场效益和减排效果的因素繁多，其中，边际减排成本（Marginal Abatement Cost，MAC）是碳市场交易的底层逻辑之一，即碳交易机制的核心功能之一是为控排企业和全社会提供公允合理的综合减排成本的价格信号。通过这种方式对能源行业进行变革，成为我国的改革方法之一。

3. 中国实践与政策

近年来我国清洁能源产业发展迅速，根据相关部门统计的数据，2022年全年能源消费总量54.1亿吨标准煤，比上年增长2.9%。煤炭消费量增长4.3%，原油消费量下降3.1%，天然气消费量下降1.2%，电力消费量增长3.6%。煤炭消费量占能源消费总量的56.2%，比上年上升0.3个百分点；天然气、水电、核电、风电、太阳能发电等清洁能源消费量占能源消费总量的25.9%，上升0.4个百分点。重点耗能工业企业单位电石综合能耗下降1.6%，单位合成氨综合能耗下降0.8%，吨钢综合能耗上升1.7%，单位电解铝综合能耗下降0.4%，每千瓦时火力发电标准煤耗下降0.2%。全国万元国内生产总值二氧化碳排放下降0.8%。2018到2022年中国清洁能源总量占能源消费总量的比重如图6-4所示。

2018到2022年中国清洁能源总量占能源消费总量的比重

单位/%

年份	2018	2019	2020	2021	2022
比重	22.1	23.3	24.3	25.5	25.9

数据来源：网络数据

图6-4　2018到2022年中国清洁能源总量占能源消费总量的比重

发展清洁能源产业，减少对化石燃料的依赖是解决温室气体排放的最终手段。而碳交易市场成立的根本目的是通过市场的手段减少温室气体的排放，降低社会的减排成本。所以碳市场与清洁能源是高度契合的。一方面清洁能源企业可通过出售 CCER 获取额外收益;另一方面强制减排企业在新能源领域的直接投入同样可以促进清洁能源相关产业的发展。CCER 交易被称为中国的清洁发展机制,即碳减排项目的提供商,通过碳交易市场,将经过有权部门核证的减排量,出售给碳减排需求企业的过程。一方面发展清洁能源产业可以作为碳交易市场的供给方,参加到碳交易市场的交易中;另一方面,碳交易市场可以发挥其资本市场的作用,引导更多的社会资本投入到清洁能源产业中。碳交易市场的存在,能够将清洁能源产业发展所带来温室气体减排效应延伸为碳资产,进而改变清洁能源产业的收支平衡情况,减少清洁能源产业对政府补贴的依赖度,通过市场的形式促进节能减排技术的发展,促进清洁能源产业的加速升级。清洁能源产业发展与控制温室气体排放二者通过碳交易市场联系在一起,可以实现良性循环。

总结来说,中国的清洁能源碳市场建设着力于以下几个方面。

(1)碳排放权分配:中国政府在清洁能源领域采取了积极的碳排放权分配策略。对于清洁能源发电项目,如风电、太阳能和水电等,政府普遍给予较低或零碳排放权配额,鼓励这些清洁能源项目的发展,并为其提供经济激励。

(2)碳交易机制:中国建立了碳交易市场,允许企业在市场上买卖碳排放权。清洁能源项目所产生的碳减排量可以被认定为碳信用,可以在碳市场上进行交易。清洁能源企业可以通过销售碳减排量获得收益,从而推动清洁能源发展。

(3)清洁能源财政支持:中国政府通过财政补贴和奖励措施,如《可再生能源法》《清洁能源配额制度》等直接支持清洁能源的发展。例如,给予清洁能源发电项目补贴,降低清洁能源电价,提供贷款和税收优惠等。这些政策措施鼓励清洁能源的投资和使用,并进一步减少碳排放。

(4)绿色债券和碳金融工具:中国在绿色债券市场上发挥了重要作用,利用绿色债券筹集资金支持清洁能源项目。同时,中国也鼓励发展碳金融工具,如碳期权、碳期货等,为清洁能源企业提供风险管理和投资机会。

(5)碳市场试点项目:中国通过在特定地区进行碳市场试点项目,推动清洁能源在碳市场中的参与。这些试点项目为清洁能源企业提供了实践和经验积累的机会,并为整个国家的碳市场建设提供指导和借鉴。

(三)能源产品与碳价

1. 碳价对能源消费和市场的影响

碳价是另一个影响可再生能源发展的重要因素。碳价使化石燃料消费的成本变高,从而为可再生能源提供了优势。碳价激励生产者和消费者考虑碳排放带来的外部成本,通过解决这些外部性导致的市场失灵来促进社会有效的资源配置。由于碳市场的激励机制,当碳价上涨,一些企业的生产成本变得更高,而另一些企业则收益变得更高,这将成为能源转型的动力。碳价可以激励企业利用低成本减排机会来促进具有成本效益的减排。世界各地的碳定价举措越来越多,并计划实施更多。研究发现已经对碳排放进行定价的国家中碳定价与太阳能和风能采用量之间呈正相关关系,这些国家会在早期采用更多的太阳能和风能。同时金融部门的发展是新能源部署的一个重要决定因素，尤其是对于高收入国家，金融发展对新能源在统计上产生积极显著的影响，但在低收入和中等收入国家不显著。这意味着政策制定者应采取有利于再生能源公司融资的政策。研究还发现欧盟的碳交易价格对美国和欧洲市场的可再生能源股票回报有积极的影响。而且碳排放交易体系中的碳定价政策可以提高陆上风能和太阳能光伏项目的盈利能力。而在中国现有和即将出台的所有可再生能源发电政策中，碳税是最有力的一项，可以显著减少碳排放，带来最大的社会福利。

当碳价增加时，一方面会促进企业加大减排力度，使用更加清洁的生产资料，降低生产成本。同时，碳价的收入可以用于投资清洁能源技术的研发，降低清洁能源的生产成本，从而有利于清洁能源的发展。另一方面，当碳价增加时，化石能源价格上涨，必然导致化石能源消费的减少。而化石能源的消费增加，会导致空气质量下降，威胁到居民身心健康，从而唤起人们的减排意识，就会促使人们转向更加清洁的能源消费。此外，空气质量下降，政府一方面会加大对环境治理的投入，使得国民收入减少，导致人们对传统能源的消费需求减少；另一方面，为了提高空气质量，政府也会出台相应的政策征收碳税等，从而提高碳价。此外，化石能源消费量的增加必然会加大化石能源进口量，对外能源依存度提高，能源安全就降低，政府必然会进行能源结构调整，从而提高清洁能源消费在一次能源消费中的比例。同时，化石能源消费的大量满足会使得市场对能源需求份额的减少，从而减少对清洁能源消费。反之，清洁能源的使用一方面可以提高空气质量，另一方面可以提高能源效率，减少化石能源强度，从而减少化石能源消费。

2. 方程组揭示碳价与能源消费的动态关系

为了更清晰地理解碳价与能源产品之间的关系，我们建立以下方程组。其中 $x(t)$ 是清洁能源消费量，$y(t)$ 是化石能源消费量，$z(t)$ 是碳交易价格，a_i、b_i、d_i、L、N 是常数（$i=1,2,3,4,...$）。

$$z(t)=f(a_i,b_i,c_i,d_i,\cdots)$$

$$\frac{\mathrm{d}x}{\mathrm{d}t}=-a_1x-a_2y(M-x)+a_3z$$

$$\frac{\mathrm{d}y}{\mathrm{d}t}=-b_1x+b_2y\left(1-\frac{y}{L}\right)-b_3z$$

$$\frac{\mathrm{d}z}{\mathrm{d}t}=d_1y+d_2(N-z)$$

第一个方程反映清洁能源消费量的变化率随着自身、化石能源消费量和碳价的变化而变化。其中方程右边的第一项体现了清洁能源在实际消费中遇到的风险阻碍，由于清洁能源是一类新型能源，例如风能、太阳能，它们的发展受到科技水平、气候条件、电网容量等客观因素的风险，这里风险系数 a_1 和技术水平进步、能源需求份额、能源结构调整、能源效率有关；方程右边第二项是化石能源消费对清洁能源消费的影响，当 $x<M$ 时$\frac{\mathrm{d}x}{\mathrm{d}x}<0$，表明此时化石能源消费对清洁能源消费是起到抑制作用，目前全球范围来看，虽然已经意识到化石能源消耗带来的危害，但大多数国家仍然是以传统化石能源作为主要的生产资料，能源结构

调整、产业结构调整速度较慢，传统化石能源在能源消费市场仍然占有很大的份额，占有企业、居民的能源消费还是以化石能源消费为主，因此在清洁能源发展初期，化石能源消费对清洁能源消费起到抑制作用。当 $x>M$ 时$\frac{dx}{dx}>0$，这说明当清洁能源达到一定的规模后，即此时清洁能源有了一定的竞争力，这时一旦提高化石能源消费必然会刺激清洁能源生产来抢占能源市场份额，从而提高清洁能源消费。a_2 是化石能源消费对清洁能源消费的影响系数，它和化石能源进口需求、能源安全强度、能源结构调整、能源需求份额变化、空气质量水平、居民健康状况有关；方程右边第三项表明碳价会促进清洁能源的消费，目前全球各国都为了应对气候变暖提出建立碳交易市场或制定碳税的措施，这部分收入可以为发展清洁能源提供资金，因此当碳价格增长时，清洁能源消费也是增长的，a_3 是碳价对清洁能源消费的影响系数，它和清洁能源的技术研发水平高低以及企业对于碳减排的力度有关。

第二个方程反映了化石能源消费量的变化率随着自身、清洁能源的消费量和碳价的变化而变化。其中方程右边的第一项体现了随着清洁能源消费的增加，化石能源消费量会减少，b_1 是清洁能源消费对化石能源消费的影响系数，它和能源效率的提高程度、化石能源强度的降低水平、空气质量改善程度、环境治理投入大小有关。总的来说，当政府和居民越来越感受到清洁能源使用所带来的社会福利，会减少对传统化石能源的消费；方程右边的第二项是基于资源的有限增长理论的 Logistic 模型，L 是经济发展的拐点，表明在社会经济发展初期（即 $y<L$ 时），化石能源消费的增速随着 y 的增加而增加，但是当经济达到一定规模以后（即 $y>L$ 时），化石能源消费的增速变小，b_2 是化石能源消费的固有增长率，它和国民收入程度、化石能源价格波动、化石能源强度、化石能源供需缺口以及能源需求有关；方程右边的第三项说明碳价的提升对化石能源的消费有抑制作用，b_3 是碳价对化石能源消费量的影响系数，它和化石能源价格波动、企业对于碳减排的力度、清洁能源的技术研发水平、能源效率的提高程度、化石能源强度的降低水平、空气质量改善程度以及环境治理投入大小有关。

第三个方程反映了碳价的变化率随着化石能源消费和自身的变化而变化。其中方程右边的第一项体现了随着化石能源消费的增加，碳价也会增加，d_1 是化石能源消费量对碳价的影响系数，它和空气质量变化、居民健康状况以及清洁能源发展水平有关；方程右边第二项表示碳价自身随自身的变化情况，其中 N 是碳价的阈值，表明在碳交易市场发展初期（即 $z<N$），碳价的增速会随着碳价的增加而增加，但是当达到它的阈值之后（即 $z>N$），碳价的增速会随着碳价的提高变得越来越小，这里 d_2 是碳价的固有增长率，它和清洁能源发展水平、化石能源消费程度和空气质量有关。

根据数据表明，传统能源产品碳成交量波动频次及幅度往往远超过碳成交价，但在影响效果上仍然是价格发挥主导作用。其内在机理则符合一般市场运行原理，即碳成交价格提升，增加了企业购买配额的直接成本，但企业积极参与配额交易同时释放了节能减排、转型发展的积极信号，投资者并未减弱对该类企业的投资偏好，因而碳成交量表现出对污染企业市值上升微弱助推效应。碳成交量增加释放的信号作用对企业价值的正向影响远不如传统能源价格上涨构成的负向压力大，因此，目前碳市场在企业节能减排中仅能发挥较小权重作用，额定减排政策实施以及传统能源价格上涨的并存，可能迫使污染企业加快技术革新进程,以便尽早摆脱传统能源束缚走上低碳发展之路。

(四)新兴产业——以新能源汽车为例

交通行业在全国碳排放总量中占 10%左右,其中汽车占比 86%,于是,交通领域的减排工作重点就放在了汽车行业。

碳价作为新能源汽车的重要竞争点,其科学合理的设定对于推动碳排放交易的发展具有显著意义。可交易的碳排放权更是新能源汽车产业实现碳减排成本最优化的关键路径之一。

为确保碳价机制的科学性,我们必须结合全国统一碳市场的建设进程,并与电力系统的协调发展相契合。随着新型电力系统建设目标的明确,风电、光伏等新能源在电力结构中的占比将显著提升。电网系统与绿电市场、碳市场的协同作用,将实现对各地区用电碳排放情况的精准核算,为地方政府制定碳达峰方案提供数据支撑,同时确保对重点控排企业碳排放数据的准确计算和核查。这一举措将充分发挥新型电力系统在全社会减碳行动中的核心作用。

对于车企而言,将低碳能源、低碳技术、低碳管理以及低碳文化融入发展战略,是构建核心竞争力的关键。此外,政府提供的碳配额也是影响碳价的重要因素。通过优化配额分配机制,提高售电商的差异化管理能力,可以在确保环境成本内化于火电批发价格的同时,降低售电商的成本转嫁压力。这将有助于稳定可再生能源电力价格,减少零售电价波动,并有效平抑碳排放权价格与减排成本上涨所带来的电价与市场需求波动。这一政策环境与市场机制的双重保障,为新能源汽车的低碳竞争力提供了坚实的基础。

政府的扶持措施对于新能源汽车产业的持续发展具有重要意义。中国政府通过制定一系列政策扶持措施,为新能源汽车行业提供了强大的支持。包括实施财政补贴政策,减轻消费者和企业的购车成本,推动新能源汽车的市场普及;实施传统燃油车限购政策,促进新能源汽车的推广和应用;加快充电基础设施建设,提供资金、土地等资源支持;鼓励科研创新,支持新能源汽车核心技术的研究与开发;提供税收优惠政策,降低企业成本,促进产业链发展;制定战略规划和行业标准,规范和引导产业发展方向。这些政策的实施,有助于提升新能源汽车产业的竞争力和市场地位,推动行业的健康发展。

【本章小结】

围绕双碳与市场话题展开,讨论了通过碳市场,各国可以更加灵活地应对减排挑战,实现经济与环境的双赢。同时,碳市场也为企业和投资者提供了新的投资和盈利机会,推动了低碳经济的发展和创新。

第一节介绍碳市场的发展,维系碳市场存在的原则和规范,以及碳市场的基本结构。第二节从碳金融市场基本概述出发,介绍了碳金融市场的功能和交易形式,碳金融市场发展情况,分为国外的和中国两部分来介绍,最后讲述了碳交易市场的运行机制,其中详细介绍了碳配额的分配和从供需两方面分析碳市场价格的影响因素。第三节介绍双碳市场的影响与启示,从碳汇向行业的市场化发展,到石化行业绿色低碳转型,再到清洁能源的发展，以及新能源汽车产业在碳价机制下的发展前景。

碳交易市场的形成与发展为应对全球气候变化、降低温室气体排放提供了有效的市场机制。通过碳配额和碳信用的交易，不仅激励了企业减少排放、提高能源效率，还为减排行为提供了经济支持，推动了全球环保事业的发展。

【案例分析】

福田红树林——碳汇项目的生态保护与经济可持续发展之道

红树林作为一种生态系统，具有显著的二氧化碳吸收能力。鉴于其在减缓温室气体排放方面的关键作用，中国政府特设立碳汇项目，旨在鼓励企业、组织和个人积极参与红树林的保护与修复工作。为确保项目效果，政府采用先进的验证与认证机制，对红树林所吸收的二氧化碳量进行精确计量。由此，参与方可根据实际贡献获得相应数量的碳减排额度或碳信用，进而在碳市场上流通或用于履行减排责任。

红树林在生态系统中扮演着多重角色，不仅能固定和储存大气及海洋中的二氧化碳，还能有效调节滨海区域的水质与养分循环，减缓海平面上升及海岸侵蚀等现象，其环境、社会及经济效益显著。

位于中国广东省深圳市福田区的福田国家级红树林自然保护区，自 1984 年成立以来，始终致力于红树林湿地生态系统的保护。1993 年，该保护区荣获国家林业和草原局评定，跻身国家级自然保护区之列。地处珠江口红树林带，福田保护区已成为中国南部沿海地区红树林保护的重要基地之一。

福田国家级红树林自然保护区以保护红树林湿地生态系统为核心使命，通过实施保护规划、管理措施及监测系统，全面维护保护区的生态平衡。深圳市政府及相关部门在保障自然资源的前提下，积极推动保护区的可持续发展与社会经济的协调共进。

为充分发挥福田保护区的资源优势，当地政府积极推动与旅游业和生态经济相关的产业发展，其中碳汇项目尤为引人注目。在推动碳汇项目发展的过程中，政府从多个维度展开工作，以实现经济的绿色发展。

首先，在碳汇量估算方面，政府组织专业团队对保护区内红树林生态系统的碳吸收能力进行深入研究。运用遥感及监测技术，精确计量红树林的碳储量，进而评估其作为碳汇的潜力。据研究，深圳市福田国家自然保护区内的红树林具有丰富的碳储量，且呈逐年增长趋势，为碳汇经济的发展提供了坚实基础。其次，在碳交易合作方面，政府积极寻求与企业及碳金融市场的合作机会。通过将红树林生态系统的碳储量转化为可交易的碳信用，实现生态资源的经济价值。政府为碳汇交易双方提供信任保障、初始投入及信用贷款等支持，推动碳汇市场的健康发展。这些碳信用可被购买者用于抵消其排放量，从而实现碳中和目标。在碳项目开发方面，政府加大投入力度，在保护区内实施一系列有针对性的保护与恢复措施。通过森林修复、新红树林种植、水质改善及减少人类干扰等措施，提升红树林生态系统的碳吸收能力和长期稳定性。政府还建立了生态补偿机制，通过推广红树林碳汇服务认购活动，筹集资金以支持保护区的管理、监测及生态恢复工作。这一举措不仅有助于提升公众对红树林生态价值的认识，还能为保护区提供稳定的资金来源。在环境教育和旅游推广方面,政府积极开展相关活动,提高公众对红树林生态系统的认知和重视程度。通过举办环境教育讲座、生态旅游体验等活动,激发人们对保护区的兴趣和支持,为碳汇经济的发展创造更多机遇和资源。

通过上述措施的实施,福田国家级红树林自然保护区成功将其独特的红树林生态系统转化为碳汇资源,实现了生态保护与经济可持续发展的双赢局面。

1. 福田国家级红树林自然保护区在红树林湿地生态系统的保护方面取得了哪些显著的成效?

2. 政府在红树林保护与恢复方面采取了哪些具体措施,以提升其碳吸收能力?

3. 红树林碳汇经济的发展对于福田保护区的可持续发展和社会经济的协调共进有何重要意义?

【问题探索】

1. 双碳战略在全球范围内得到普遍关注和推动,对于企业来说,如何将双碳目标融入商业战略并实现可持续发展?给出几个具体的策略或举例说明。

2. 碳市场作为实施双碳战略的重要工具,如何确保其有效性和公平性?讨论可能的调控措施和监管机制,以保障碳市场的顺利运行。

3. 新能源汽车市场在双碳战略中扮演着重要角色。您认为在推动新能源汽车的发展和普及化方面,还存在哪些关键问题需要解决?提供具体的建议或创新思路,以促进新能源汽车与双碳目标的紧密结合。

第七章　双碳与法律

【本章导语】

实现碳达峰和碳中和的目标，必须得到法律与政策的坚实支撑与科学引导。法律在此过程中发挥着至关重要的作用，它不仅为双碳目标的实现提供了明确的规范和框架，为严格执法、公正司法、全民守法提供遵循的标准和规则，还通过立法手段对违反环保法规的行为进行了有力的惩治。在国际层面，法律确保了各国能够切实履行其在国际协议中做出的承诺，维护了全球减排努力的一致性和实效性。此外，法律还通过激励机制，促进了低碳技术的研发与创新。法律为实现双碳目标提供了必要的指导、激励和约束机制，引导社会各界共同行动，有效减少碳排放，积极保护环境。

双碳与法律

【思维导图】（图 7–1）

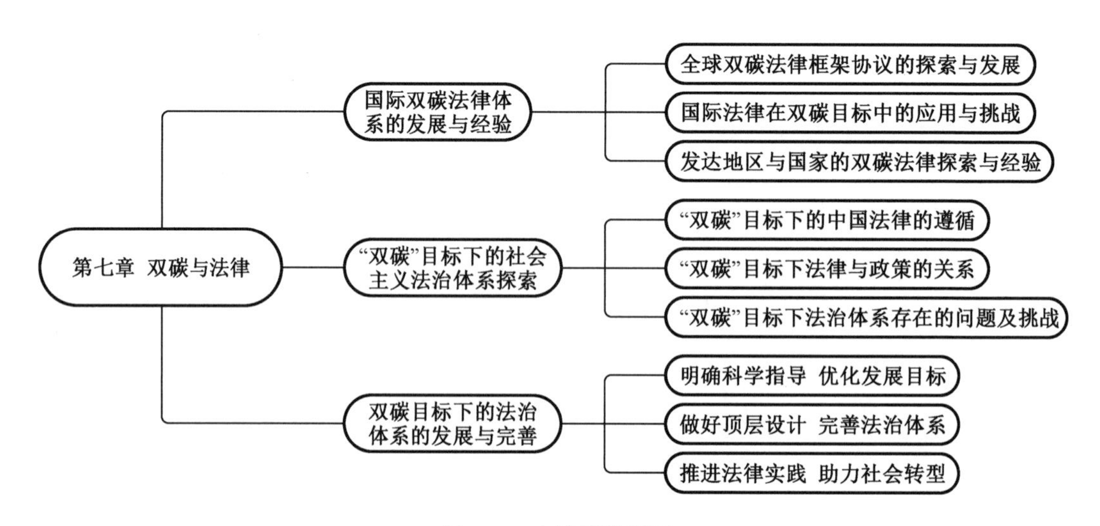

图 7–1　本章思维导图

第一节　国际双碳法律体系的发展与经验

鉴于全球气候变化问题的严峻性,国际社会已制定了一系列环境法律与协议,以应对气候变暖所带来的潜在风险。这些法律与协议以《联合国气候变化框架公约》《巴黎协定》和《京都议定书》为基石,构建了国际层面的气候变化应对法律框架,旨在减少温室气体排放,促进全球环境的可持续发展。随后,《巴黎协定》进一步明确了国际碳市场的法律机制,为各国协同减排提供了法律保障,并推动了国际碳市场的合作与全球绿色低碳转型。格拉斯哥气候变化大会所达成的协议,标志着《巴黎协定》实施细则的进一步完善,为全球气候治理体系迈向新阶段奠定了坚实的基础。因此,在构建各国国内法律体系的过程中,必须充分考虑到与国际法律体系的协调一致,以共同推动全球气候治理达到更高的水平。

一、全球双碳法律框架协议的探索与发展

(一)主要国际环境协议概述

在全球气候治理的历史进程中,《联合国气候变化框架公约》(UNFCCC)和《巴黎协定》是两个里程碑式的国际环境协议。它们为国际社会应对气候变化提供了基本的法律框架和行动指南。

《联合国气候变化框架公约》于 1992 年里约热内卢地球峰会上通过,旨在“将温室气体浓度稳定在防止气候系统受到危险的人为干扰的水平”。公约的核心内容体现了“共同但有区别的责任”原则,并专设“原则”条款指导缔约国为履行公约规定而采取的行动。公约的签署国承诺采取预防措施,预测、防止或尽量减少引起气候变化的原因并缓解其不利影响。《京都议定书》作为《联合国气候变化框架公约》的补充协议,首次为缔约方规定了具有法律约束力的温室气体减排指标,标志着国际社会开始采取具体行动应对气候变化。《京都议定书》的特点在于其区分了发达国家和发展中国家的责任,要求发达国家达到具体的减排目标,而发展中国家则被鼓励采取自愿减排措施。

《巴黎协定》则于 2015 年达成,旨在加强全球应对气候变化的努力,控制全球平均气温升幅远低于 2 摄氏度,并努力限制温度上升至 1.5 摄氏度以内。巴黎协定的特点是它采取了自下而上的自主贡献方式,各国根据自身国情提出减排承诺,并通过全球股票清单的方式增加透明度和可比性。此外,巴黎协定强调了发达国家向发展中国家提供资金、技术和能力建设方面的支持。

这两个协议共同构建了国际碳排放权分配的现有模式,从《京都议定书》的自上而下强制减排到《巴黎协定》的自主贡献,形成了以公约缔约方大会和联合国专门机构的大会为主导的两种碳排放权分配路径。在遵约机制方面,也发生了从强制遵约到自愿遵约的转变,遵约主体从以发达国家为主到发达国家和发展中国家共同承担的转变。

此外,国际气候谈判也在不断进展中,如《格拉斯哥气候公约》是在《联合国气候变化框

架公约》框架下,各方为了加强全球气候行动而达成的一系列决议。这些决议不仅完善了《巴黎协定》的实施细则,还推动了国际社会在绿色低碳转型方面的共识和行动。

这些国际环境协议构成了全球应对气候变化的法律框架,它们既反映了国际社会对气候变化问题的认识和立场,也为各国在气候治理方面的合作提供了基础。通过这些协议,国际社会正共同努力,以减缓气候变化的不利影响,实现可持续发展的目标。

(二)国际环境协议的影响

随着全球气候变化问题的日益严峻,国际社会愈加认识到携手应对气候变化的重要性。作为全球环境治理的关键工具,国际环境协议在协调各国行动和推动环境政策的制定与实施上发挥了关键作用。这些协议不仅为国际社会提供了应对全球性环境问题的平台和框架,而且对成员国的环境政策产生了深远的影响。通过对各国环境政策的分析,可以看出国际环境协议在推动全球环境治理方面的作用。

国际环境协议为成员国提供了一个共同减排的目标和行动指南。例如,《巴黎协定》的实施细则在格拉斯哥气候变化大会上得到补充,为全球气候治理体系进入新阶段奠定了基础。这表明国际环境协议能够促进国际气候谈判的进展,并推动各国从规则谈判过渡到落地实施。

国际环境协议通过设立资金机制和技术转让机制,帮助发展中国家提升应对气候变化的能力。例如,坎昆大会确定了绿色气候基金的设立程序,以及新的《坎昆适应框架》,这些机制的建立有助于发展中国家获得资金和技术支持,更好地规划和执行适应项目。

国际环境协议在法律层面上为成员国提供了遵守环境保护规定的约束力。例如,多哈会议敦促发达国家提高减排力度,并向发展中国家提供明确的中期和长期资金、技术转让以及能力建设支持。这种法律约束力的存在,使得成员国在国际舞台上承担起了相应的环境保护责任。

国际环境协议还促进了国家间的合作与交流。中美两国在 COP 26 期间发布的《中美关于在 21 世纪 20 年代强化气候行动的格拉斯哥联合宣言》就是一个例证,双方在气候政策、清洁能源转型等领域的合作,展现了国际环境协议在促进国际合作方面的作用。

国际环境协议对成员国内部的环境政策和立法产生了影响。例如,英国在其低碳经济立法中明确了实现低碳经济的目标,这与国际环境协议的要求是一致的。这表明国际环境协议能够影响成员国的国内政策方向,推动其制定和实施更为严格的环境保护措施。

国际环境协议在全球环境治理中起到了桥梁和纽带的作用,不仅推动了国际合作,还促进了国家环境政策的制定和实施。这些协议的存在和执行,对于实现全球环境保护目标至关重要,它们在平衡全球环境利益、促进可持续发展方面发挥了不可替代的作用。

二、国际法律在双碳目标中的应用与挑战

各国政府和国际社会逐渐认识到,通过法律手段来推动实现双碳目标的重要性。在这一过程中,国际法律不仅提供了实现双碳目标的政策框架与法律依据,还通过国际合作增强了各国之间的协调和支持。然而,在应用国际法律推动双碳目标的过程中,也面临着一

系列挑战。

法律制度的羁绊问题。例如，在 COP 27 会议上，再次强调了发达国家应加强对发展中国家的技术转让和资金支持。但气候技术的国际转让容易受到多法律制度的限制，缺乏透明、可行的操作机制，导致转让效果不佳。这不仅影响了技术转让的效率，也阻碍了双碳目标的实现。为了解决这一问题，需要进一步细化气候变化国际条约框架下关于促进气候技术国际转让的机制，增加资金等支助机制的透明度，增强气候技术国际转让的约束力。

知识产权问题也是一个重要挑战。在气候技术转让过程中，需要处理好知识产权保护与扩大强制许可并行的机制，逐步实现技术信息共享。这要求在尊重知识产权的同时，也要考虑到技术共享对于实现双碳目标的重要性。

国际法律在双碳目标实施中还面临着合作机制达成的困难。由于各国在分配原则上缺乏共识，且欠缺具有法律约束力的分配机制，导致国际碳排放权分配方案难以有效执行。这种分歧阻碍了合作机制的达成，对气候变化问题的减缓目标也面临重重阻碍。

国际法律在应对气候变化方面的实施还需要考虑到不同国家的发展阶段和实际情况。发展中国家和发达国家在气候变化应对上的责任和能力存在差异，因此在国际法律框架下，应坚持“共同但有区别的责任”原则，充分考虑各国的实际情况和需求。

面对实施过程中的法律和政策挑战，需要国际社会共同努力，通过改进法律机制、增强透明度和协调性，以及考虑不同国家的特殊情况，共同推动双碳目标的实现。

三、发达地区与国家的双碳法律探索与经验

在应对气候变化、推动低碳发展方面，各国在法律政策层面采取了诸多措施，这些措施包括立法、执法、司法等多个方面。这些措施的实施经验，对于其他国家，特别是发展中国家在构建双碳法律体系时，具有重要的参考价值和借鉴意义。这些成功案例不仅有助于推动全球气候变化治理进程，同时也为其他国家提供了可行的路径和策略。

（一）欧盟的双碳法律体系探索的经验与教训

1. 欧盟在区域范围内双碳立法与执法的有益探索

欧盟在构建双碳法律体系方面，主要依据《联合国气候变化框架公约》和《巴黎协定》的指导原则，通过制定法规和政策措施，以推动其成员国达到碳达峰和碳中和的目标。

欧盟通过国际法律手段，明确了碳减排的具体目标和时间表。例如，欧盟设定了到 2030 年减排至少 40%的目标，并计划到 2050 年实现碳中和。这些目标的设定，为成员国提供了明确的方向和动力，促使其在国内层面采取相应的法律和政策措施。

在碳市场建设方面，欧盟也取得了显著的进展。其碳排放交易体系（EU ETS）已成为全球最大的碳市场，通过设定排放限制和交易机制，实现了碳排放的成本内部化，从而推动了低碳技术的研发和应用。此外，欧盟在《巴黎协定》第六条实施细则的谈判中也发挥了关键作用，为国际碳市场的规则制定提供了重要参考。

在技术创新和绿色能源应用方面，欧盟同样展现了其先进性。欧盟积极推动电动船舶技术和氢燃料电池技术等清洁能源的应用，并在船舶碳减排方面制定了一系列政策框架和

技术创新措施。这些措施不仅促进了环保技术的发展,也为全球航运业的绿色转型提供了可借鉴的经验。

在国际合作层面,欧盟积极参与全球气候治理,推动多边环境协议的签署和实施。例如,在格拉斯哥气候变化大会上,欧盟发挥了积极作用,推动了《巴黎协定》实施细则的完善。此外,欧盟还通过与其他国家和地区的合作,如中欧低碳合作,共同推动全球绿色低碳转型。

然而,欧盟在双碳法律体系建设过程中也面临着一些挑战。例如,成员国之间在碳排放权分配、减排责任分担等问题上存在的分歧。此外,碳市场的建设和运行也面临着技术成本、能源基础设施建设、国际标准协调等共同挑战。

欧盟在双碳法律体系建设方面的经验表明,通过立法确立清晰的目标和时间表、构建有效的碳市场、推动技术创新和绿色能源应用、加强国际合作等措施,是实现碳达峰和碳中和目标的有效途径。同时,也需要关注解决成员国之间的分歧,协调国际标准,共同应对技术和成本挑战。

2. 英国系统推进双碳法律的落实

英国政府以高度的战略眼光,将低碳经济的发展置于国家战略的核心地位,并据此构建了一套全面而系统的法律体系。通过严谨且持续的立法与修法工作,英国实施了一系列旨在保障低碳经济战略落地的法律措施。这些措施不仅严格限制了温室气体排放,还积极扶持可再生能源的发展,并大力投资节能减排技术的研发与创新。

《气候变化法案》作为英国低碳法律体系的基石,确立了具有法律约束力的碳预算制度,明确要求政府制定并执行相关政策,以确保碳排放量严格控制在预算范围内。此外,英国政府还实施了碳定价机制,通过征收碳税和建立碳交易市场,实现对碳排放的有效调控。这些措施的实施,推动了英国低碳经济的稳步发展,也为全球绿色技术的创新与应用提供了有力支持。

在法律实施方面,英国政府同样展现出了严谨与高效的态度。通过设立专门的监管机构,英国政府得以全面监督和评估碳排放情况,确保各项法律措施得到有效执行。同时,英国政府还积极鼓励企业和公众参与到低碳经济的转型过程中,形成了全社会共同参与的良好氛围。正是这些努力,使英国在国际低碳经济发展的舞台上崭露头角,成为众多国家学习与借鉴的榜样。

3. 德国在低碳经济法律领域的独特探索

德国在发展低碳经济方面,采取了一系列严谨而系统的法律政策措施,旨在推动国家的可持续发展。德国政府深刻认识到气候变化问题的严重性,并将其视为国家战略的核心要素。为此,德国构建了一套全面而细致的低碳经济发展法律体系,该体系以基础法律为引领,涵盖了低碳经济的各个关键领域。

德国在构建低碳经济法律体系时,特别注重法律体系的严密性和逻辑性。通过实施一系列立法和修法措施,德国确保了低碳经济战略能够得到有效执行。这些法律不仅关注温室气体的减排,还涉及能源效率的提升、可再生能源的开发利用以及环境保护等多个方面。

在具体行动上,德国通过立法手段加强了对低碳技术的扶持和推广,同时鼓励企业和个人积极参与低碳经济建设。例如,德国政府通过提供税收优惠、资金补贴等激励措施,促进了清洁能源和节能技术的广泛应用。

此外,德国还高度重视国际合作,在全球气候治理中发挥了重要作用。德国积极参与国际气候谈判,努力推动国际社会共同应对气候变化挑战。在国际舞台上,德国倡导公平合理的碳排放权分配原则,以及共同承担碳减排责任的理念。

(二)邻国在双碳法律实践的有益探索

日本在实施双碳目标方面,建立了全方位、多层次的法律框架,涵盖了立法、政策和执行机制等多个方面。

在立法层面,日本构建了较为完善的能源法律制度体系。这一体系以《能源政策基本法》为基础,辅以《电力事业法》《能源利用合理化法》《促进资源有效利用法》等核心法律,以及相关部门法实施令等补充法规,确立了能源利用的基本原则和具体要求。此外,日本还制定了《削减特定地域汽车排放的二氧化碳总量的特别措施法》《大气污染防治法》《促进新能源利用特别措施法》《地球温暖化对策推进法》等,这些法律法规共同构成了日本低碳经济法律的框架,为低碳经济的发展提供了法律保障。

在政策层面,日本政府推出了一系列政策措施,以促进低碳经济的发展。例如,日本环境省公布的新环境税计划,旨在加速温室气体减排;政策投资银行的投融资项目中,将环境友好型项目列为重点,实施低息融资;还有针对低污染车辆的购置税减税优惠等。这些政策措施不仅提供了经济激励,还通过法律手段推动了低碳技术的研究、开发和应用。

在执行机制方面,日本政府设立了专门的机构和执行体系,以确保双碳目标的实现。例如,日本环境省负责制定和执行与环境保护相关的政策和法规,而经济产业省则负责能源政策的制定和执行。这些机构通过协调和监督,确保了各项法律法规和政策措施的有效实施。

日本在实施双碳目标的法律框架方面,已经形成了较为完善的立法、政策和执行机制。这一框架不仅涵盖了能源、环境保护等多个领域,而且通过政府的积极推动和社会各界的参与,为日本实现低碳经济发展和减少温室气体排放提供了坚实的法律和政策支持。

(三)发达国家在双碳法律领域探索的经验

在全球碳减排的大背景下,我国正面临着构建双碳法律体系的挑战。为了更好地应对这一挑战,需要对不同国家的双碳法律体系进行深入研究,以期为我国的法律体系建设提供有益的启示和借鉴。

首先,通过对各国双碳法律体系的研究,可以发现,发达国家对发展中国家的技术转让和资金支持在实现双碳目标中起到了重要的支撑作用。因此,我国在构建双碳法律体系的过程中,应当积极加强国际合作,尤其是在气候技术转让方面。应当充分利用国际条约框架下的机制,增加资金等支助机制的透明度,以增强气候技术国际转让的约束力。

其次,我国在推进低碳能源合作方面,需要进一步完善低碳法律系统。这包括明确生态基础设施的权利和责任,加强生态基础安全保障,以及构建一个安全放心的国际合作机构。这样的举措不仅有助于促进国际合作,也为我国能源事业的进一步发展提供了有力的法律支持。

最后关注国际法律机制的发展趋势同样重要。例如,关注 REDD+向可持续森林管理的过渡,以及《巴黎协定》下国际碳市场法律机制的建立。这些国际机制的发展对我国在国际舞台上的参与和国内法律体系的完善都具有重要意义。

在发展低碳经济方面,我国可以借鉴英、美、德、日等国家的经验,将发展低碳经济上升到国家战略的高度,构建起较为系统化的法律体系。同时,我国还需加强对碳捕获与封存技术的法律问题研究,以适应国际法律的发展和应对气候变化的需要。

在构建双碳法律体系的过程中,我国应当充分借鉴国际经验,加强国际合作,关注国际法律机制的发展趋势,并将其与国内法律体系相结合。

第二节　双碳目标下的社会主义法治体系探索

我国坚定不移地推行绿色发展理念,以人民利益为出发点和落脚点,遵循习近平生态文明思想和习近平法治思想的指引,致力于推动社会的绿色转型,打造美丽中国的新篇章。

实现碳达峰和碳中和的双碳目标,是一场深远且全面的经济社会系统性变革,更是生态文明建设战略布局的关键环节。在此过程中,中国特色社会主义法律体系不断完善,其法理基础坚实而深厚:以保障人权为根本宗旨,贯彻人类命运共同体理念,坚持新发展理念。深入阐释双碳目标的法理基础,能够突显其理论逻辑和实践逻辑,为相关工作的推进提供明确的逻辑起点,具有重大的理论和实践意义。

自党的二十大以来,党中央和国务院陆续颁布了一系列政策法规,推动相关法律体系的建设与完善。法律的制定与实施,与这些政策相互促进,共同在法治的轨道上推动双碳目标的实现。

一、双碳目标下的中国法律的遵循

(一)坚持以人民为中心的双碳发展理念

1. 双碳下的法律实践应坚持以人民为中心的思想

法律是社会秩序的基石,通过明确行为准则和权利保障,为社会稳定和繁荣提供了坚实的支撑。在追求双碳目标的进程中,法律同样扮演着举足轻重的角色。全面依法治国应以良法善治为指引,确保法治工作符合人民期待,满足人民需求。良法是善治的前提,只有符合客观规律、体现人民意志、解决实际问题的法律,才能为国家的治理提供坚实的基础。全面依法治国需要确保人民的权利得到保障,权力受到制约,违法者必受追究,正义和公平得以彰显,从而促进社会的和谐稳定与人民的安居乐业。

在推进全面依法治国的实践中,必须将良法善治的理念贯穿于法治建设的各个环节和方面,充分发挥社会主义法治的独特优势,使法治成为国家发展的重要竞争力。必须认识到,无法治则国家乱,仅守法而不思变则国家衰。因此,必须坚持问题导向和目标导向,运用辩证思维和全局观念,系统研究和解决法治领域中的突出问题,不断完善法治体系,强化法治力量,确保人民群众能够切实感受到法治建设的实际成效,从而不断增强人民群众的获得感、幸福感和安全感。

2. 双碳下的法律实践应秉持人类命运共同体的理念

在全球气候变化的应对过程中,法律与双碳目标、法理基础及人类命运共同体的理念形成了紧密相连的纽带。它们共同昭示了一个深刻的真理:唯有以全人类的角度为出发点,并以法律为基石,才能实现真正的可持续发展。

法律是实现双碳目标——碳达峰与碳中和的必要保障。这一目标是应对气候变化的关键步骤。然而,要达成这一目标,必须有坚实的法律框架来引导和规范各方的行为。法律能确保企业和个人履行减排承诺,推动清洁能源的普及,并对违反者施加制裁,从而确保双碳目标的顺利推进。

法理基础提供了理解和诠释法律的框架。在推动双碳目标的过程中,必须始终坚守法理原则,确保每一项法律和政策都符合公平、正义和平等的核心法理要求。唯有如此,才能在应对气候变化的同时,维护社会的公正与和谐。

人类命运共同体的理念提醒我们,应对气候变化是一项全球性的任务,需要全人类的共同参与和合作。在这一理念的指导下,各国不再局限于自身的利益,而是从全人类的角度出发,携手应对全球性的挑战。法律作为国际交流的通用语言,为构建人类命运共同体提供了坚实的支撑。

法律、双碳目标、法理基础及人类命运共同体的理念,共同构成了应对全球气候变化、实现可持续发展的法理基石。在未来的道路上,必须继续秉持这些理念,以法律为武器,以双碳目标为导向,以法理为基础,以人类命运共同体为愿景,共同努力构建一个可持续的未来。

3. 双碳下的法律实践应以保障与尊重人权为重要原则

在现代社会架构中,法律、双碳目标与保障人权虽各有其独特定位,但实则紧密相连,共同构成了以法理为基础的公正、可持续的社会框架。法律,作为社会秩序的守护者和公民权益的捍卫者,其核心职责在于保障人权。无论是对生命的尊重、对自由的捍卫,还是对财产的保护,法律均提供了明确而有力的支撑,确保每个个体的权益不受侵犯。

双碳目标,作为应对全球气候变化的重大举措,同样与法律和人权保障紧密相连。一方面,其实现需要法律的引导和保障,以推动企业和个人积极履行减排责任,促进社会的绿色转型。另一方面,双碳目标与人权保障相互促进,因为环境保护和可持续发展是保障人权的重要基石。在一个环境恶化、资源枯竭的世界中,人们的基本生存权和发展权将无从谈起。

在这一切背后,法理的作用不可忽视。作为研究法律的本质、功能和原则的理论基础,法理为深入理解法律与双碳目标、人权保障之间的内在联系提供了重要视角。基于法理,能够明确法律的价值取向,确保其在推动双碳目标和保障人权的过程中发挥积极作用,而非成为障碍。

展望未来,随着气候变化挑战的不断加剧和人权意识的日益提高,法律、双碳目标与保障人权之间的协同作用将愈发重要。需以法理为指导,不断完善法律体系,推动双碳目标的顺利实现，并同步加强人权保障工作，共同构建一个公正、绿色、可持续的美好世界。

（二）坚持符合中国国情的双碳发展战略

1. 坚持以习近平生态文明思想和习近平法治思想为核心

全球气候变化日益严峻，绿色发展成为全球共同目标。在此背景下，我国提出双碳目标，旨在推动经济社会的绿色转型，提升绿色发展水平。法律在这一过程中发挥着关键作用，不仅是推动绿色发展的重要手段，也是保障绿色发展的坚固基石，确保绿色发展理念得以有效落实。

法律在推动双碳目标实现中具有重要作用。通过制定相关法规和政策，明确减排目标、措施和责任主体，为双碳目标的实现提供清晰的行动指南。同时，法律为清洁能源和低碳技术研发与应用提供支持和保护，鼓励创新与企业投资，进一步推动绿色低碳产业快速发展。

其次，法律在贯彻绿色发展理念方面具有独特优势。绿色发展不仅是经济目标，更是一种发展方式和文化理念。法律通过倡导与强化绿色发展的价值观，推动社会各界形成绿色发展共识与行动。例如，通过环境教育和宣传，法律可以提升公众环保意识，引导形成绿色消费和生产方式。

然而，法律在双碳目标和绿色发展中发挥更大作用仍面临挑战，包括如何完善相关法规以适应快速发展的绿色技术和市场，以及如何加强法律执行和监督，确保政策有效落实。为此，需要在立法、执法和司法各环节不断努力，提升法律整体效能和适应性。

展望未来，依靠法律的引导和保障，才能确保绿色发展理念深入人心，实现双碳目标。以此为基础，共同构建绿色低碳、可持续发展未来。在这一进程中，每个人都是参与者、实践者和推动者，为地球家园创造美好未来。

2. 坚持服务与推动社会绿色转型为重要目标

随着全球气候变化的紧迫性日益凸显，绿色转型已成为各国发展的重要方向。在这一过程中，法律与双碳目标之间形成了紧密的协同关系，共同为绿色转型提供强有力的支持和保障。

法律不仅为双碳目标提供了稳固的制度基础，同时也催生了法律服务的新需求，推动了法律服务的创新和发展。为应对绿色转型的需要，各国纷纷出台相关法律法规，为清洁能源的发展和碳排放的减少提供了明确的法律框架。这些法规不仅规范了企业和个人的行为，还为政府部门的监管提供了依据，确保了绿色转型在法治的轨道上稳步推进。

随着清洁能源和低碳技术的快速发展，相关的法律问题也变得越来越复杂。为满足这一需求，法律服务行业积极应对，提供了一系列专业化的服务，如碳交易合同审查、清洁能源项目风险评估等，为企业和个人在绿色转型过程中提供全方位的法律支持。

更重要的是，法律与双碳目标的结合，推动了整个社会绿色发展理念的普及和深化。通过法律的引导和教育作用，人们更加认识到绿色发展的重要性，并积极投身到低碳生活的实践中。这种理念的普及，为绿色转型提供了持久而深厚的社会基础。

因此，法律与双碳目标在服务绿色转型过程中形成了紧密的互动关系。法律为双碳目标提供制度保障,而双碳目标则推动法律服务的创新和发展。两者共同作用,为全球的绿色转型注入了强大的动力,引领走向一个更加绿色、低碳、可持续的未来。

3. 坚持碳标签作为环境标志的法律属性

在全球应对气候变化的背景下,双碳目标引起各国政府和社会各界高度重视。为了有效推进这一目标,碳标签作为重要环境标志显现其重要价值。在这一过程中,法律发挥着至关重要的保障作用。各国纷纷出台相关法规,为清洁能源发展和碳排放减少提供坚实法律支撑。这些法规不仅明确各方权利与责任,还为绿色技术研发和应用提供法律保障,有力推动绿色低碳产业快速发展。

在此背景下,碳标签应运而生。作为环境标志,碳标签具有明确法律属性。它通过量化和标识产品或服务在生产和流通过程中的碳排放量,为消费者提供直观信息,使其能做出更环保的消费选择。

从法理基础看,碳标签推广和应用符合法律公平正义原则。它要求企业和个人对自身碳排放行为负责,通过减少碳排放和增加碳吸收,共同应对气候变化挑战。同时,碳标签有助于推动绿色市场形成,促进企业间公平竞争,实现经济、社会和环境和谐可持续发展。

因此,法律与双碳目标的实现以及碳标签作为环境标志的法律属性和法理基础之间存在密切联系。在应对气候变化的道路上,应充分发挥法律作用,推动双碳目标实现,同时积极推广和应用碳标签,促进绿色消费和生产,共同为建设可持续未来贡献力量。

二、双碳目标下法律与政策的关系

在推进双碳目标的背景下,法律与政策之间的协调互动显得尤为重要。法律作为社会行为规范的核心,为政策制定提供了根本遵循,而政策则进一步细化和补充了法律内容。二者相辅相成,共同构建了一国法制体系的基础框架。

法制体系的基本构成包括法律法规、司法机构和执法机构等要素,这些共同确保了法律的有效实施和权威性。在双碳目标的指引下,法制安排需要更加注重环境保护和可持续发展的要求,推动清洁能源和低碳技术的研发与应用,并对高碳排放行业进行合理的引导和约束。然而,当前法制安排在某些方面仍存在不足。部分领域的法律法规尚不完善,政策制定缺乏科学依据,导致实施效果不尽如人意。为了解决这些问题,必须加强法制建设,提高政策制定的科学性和精确性,以确保双碳目标的顺利推进。政策与法制体系的协同互动是实现双碳目标的核心所在。政策制定必须在法律框架内进行,同时法制体系也需要根据政策需求进行相应的调整和完善。这种协同互动有助于确保政策的有效执行,并推动法律体系的持续发展。在政策层面,合理配置治理工具是实现双碳目标的关键。政府可以通过财政、税收、金融等多种政策工具,引导和激励企业和个人减少碳排放,推动绿色发展。这些政策工具的实施,同样需要司法保障的适度调控,确保其在法律框架内得到正确应用。

实现双碳目标的根本在于法律与政策的协同发展。法律为政策提供基础保障,政策则推动法律的实施和完善。在这一过程中,二者相互作用、共同进步,为实现绿色、低碳、可持续的未来提供坚实的法制支撑。

（一）我国双碳目标下的政策

1. 推动双碳政策与法治体系的协调互动

在我国的立法层面，已经形成了以法律与政策并行为基本构造的双碳战略体系。这一体系以应对气候变化和全球变暖为直接目标，通过一系列政策推动双碳目标的实现。这些政策灵活多变，具有明确的目标导向，因此在一定时间内能够发挥出应有的作用。

在政策体系中，我国不断出台以双碳为目标的政策，这些政策正逐渐融入人们的日常生活。例如，《中国应对气候变化国家方案》等政策的颁布，旨在增加生态汇碳，从而实现双碳目标。虽然在相关法律制度，如《森林法》《草原法》或"自然保护地法"中，未能将双碳目标明确纳入立法目的，但这些法律的确促进了相关领域的生态保护。

此外，《关于积极应对气候变化的决议》提出了制定应对气候变化综合性立法的构想，这一构想的实施推动了法律的不断摸索。以《大气污染防治法》为例，虽然未将温室气体明确列为污染物，但该法的制定仍体现了政策对法律的引导。

在我国的立法体系中，政策提出问题与导向，法律提供解决问题的路径。具体的政策填补了法律方面的空白，实现了法律与政策的协同发展、协同互动。这种模式不仅在我国的气候变化应对中发挥了重要作用，也为全球气候变化问题的解决提供了有益借鉴。

我国在立法层面构建了法律与政策并行的双碳体系，通过政策引导和法律规范，推动双碳目标的实现。这一体系既体现了我国在气候变化问题上的决心，也为全球气候变化应对提供了有力支持。在未来的立法和政策制定中，我国将继续坚持这一体系，以实际行动应对气候变化，为全球可持续发展做出贡献。

2. 政策是双碳治理工具的有效配置

政策转化为有效的法律制度是实现国家发展目标的关键环节。在这个过程中，需要构建一个健全的制度体系，通过运用行政规制或市场激励等多元化的法律手段，推动政策目标的顺利实现。为实现这一目标，我国政府积极倡导并践行绿色发展理念，将之贯穿于社会治理的全过程。这不仅满足了可持续发展、国家安全等秩序价值要求，也体现了我国在追求经济发展的同时，对环境保护和人类福祉的高度重视。

在治理方式上，政府通过行政手段和市场激励手段推动双碳目标的实现，以促进社会绿色转型。这意味着在政策制定过程中，需要充分考虑各利益主体的需求，并在中央与地方、城乡之间寻求平衡，以适应不同时期的社会经济发展状况。例如，在农村低碳化发展阶段，政府提倡限制农药和化肥的使用，确保作物无公害。然而，若忽视不同地区的环境差异，这一政策可能会引发粮食安全问题，从而导致社会恐慌。

在能效推进方面，随着人们生活需求的不断增长和电力供应的紧张，我国南部地区出现了民用和工业用电荒，对正常的生产生活秩序产生了影响。为解决这一问题，政府需要采取措施，既要加强能源基础设施建设，又要推动能源结构调整，提高能源利用效率。

在政策转化为法律制度的过程中，我国政府高度重视治理方式的改革和创新，积极探索绿色发展的路径。通过充分考虑各利益主体的需求，平衡中央与地方、城乡之间的关系，以及采取有效的行政和市场手段，我们有信心实现社会绿色转型和双碳目标，推动经济社

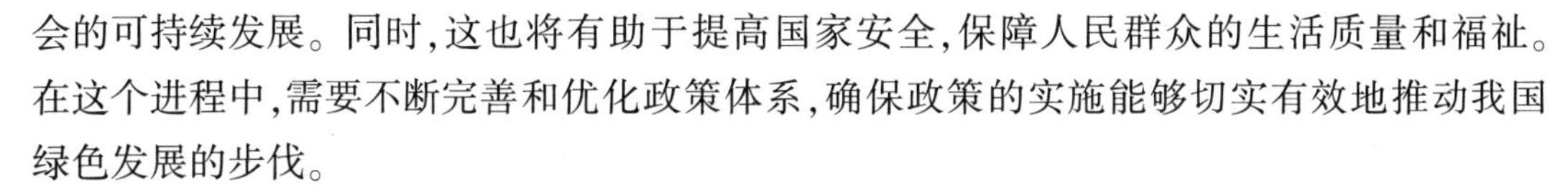

会的可持续发展。同时,这也将有助于提高国家安全,保障人民群众的生活质量和福祉。在这个进程中,需要不断完善和优化政策体系,确保政策的实施能够切实有效地推动我国绿色发展的步伐。

3. 司法保障对双碳政策的适当调控

在法治环境中,司法的角色至关重要,它为政策审查提供了一种合法性,有助于完善法律制度,调整和优化社会关系。因此,确保法律和政策实施的司法机制具有明显的必要性。司法在维护社会公平正义方面发挥着不可替代的作用,而政策与司法之间的关系主要体现在以下两个方面。

政策在司法过程中具有指导意义。政策可以作为法律适用的参考,成为司法过程中辅助的评价标准。在特定情况下,政策甚至可以被视为司法评价的标准。这样一来,政策与法律相互补充,共同构建了一个有机的整体。以我国的双碳政策为例,这一政策旨在加强企业管理和调整产业结构,以实现碳排放目标和碳中和目标。在司法实践中,法官可以参考双碳政策的精神,对企业违反环保法规的行为进行审理和判决,确保政策的有效实施。

政策对司法体制的基本结构具有深远影响。政策的制定和实施会改变司法环境,对许多司法机构和办理模式产生影响。例如,双碳政策要求企业加大减排力度,这就需要司法机构在审理相关案件时,对企业环保责任的界定和履行情况进行全面评估。这种评估不仅涉及法律条文的解释,还要求法官具备一定的环保知识和政策理解能力。因此,政策的变化会促使司法体制不断调整和优化,以适应新的发展需求。

在此基础上,针对政策实施过程中可能出现的公民权益受损问题,司法起到了救济作用。我国政府颁布的双碳政策主要集中于对企业管理的加强,但在实际操作中,行政机关出台的政策和管理方法可能对公民权益和正常生活产生影响。此时,司法途径应运而生,通过对相关政策的审查和评估,为受损公民提供司法救济,确保政策的合理性和公平性。

在法治环境下,司法与政策之间的关系密切且复杂。司法在确保法律和政策实施的同时,也受到政策的影响和引导。通过不断完善司法体制和办理模式,司法能够在政策实施过程中保障公民权益,实现社会公平正义。因此,在我国双碳政策等法律法规的实施过程中,司法机制具有重要的现实意义。在今后的发展中,要进一步发挥司法的职能,推动法律与政策的有效衔接,为实现我国绿色发展目标和社会和谐稳定提供有力保障。

(二)我国双碳目标下的法律

1. 双碳法制理论经验的探索总结

在我国提出的双碳目标框架下,法制建设是一个复杂体系,由法律与政策相互塑造而成。自双碳目标确立以来,我国政府迅速颁布了众多相关法律和政策,涵盖能源开发与利用、碳排放交易、清洁生产倡导及产业调整等多个领域。这些法律政策在不同时间阶段采取不同手段,为实现双碳目标提供了保障。

从长远来看,实现双碳目标的过程是动态和不断演进的。政策将弥补法律的空白,推动法律的不断完善。临时性和针对性的规范将以政策形式出现,与现有法律形成长期交织的法制格局。这种法律与政策的相互补充和调整,旨在为实现双碳目标提供有力法制保障。

然而,并非所有政策都需要上升为法律,也并非所有社会关系都需要法律调整。政策有其独立存在的价值和空间。例如,在双碳目标的宏观指导、各行业和城市达峰目标的实施计划、激励性措施等方面,应根据实际情况和地方特色进行调整。此外,碳排放企业的管理也应以政策方式进行规范。因此,政策与法律应保持适度距离,遵循相应原则。

法律与政策相结合的法制建设在推进双碳目标过程中具有长期性和必要性。这种法制建设模式将发挥重要作用,有利于我国在实现双碳目标的过程中保持稳定和可持续发展。为实现这一目标,我国政府需要继续加强法律与政策的制定和实施,确保各领域工作有序进行。同时,还需注重政策的灵活性和针对性,以便在不同阶段应对各种挑战。

在双碳目标框架下,我国法制建设应以法律与政策的相互调整为核心,注重实际操作和政策创新。通过这种方式,我国将能够在实现双碳目标过程中,既保持法制的稳定性和完整性,又能应对各种复杂问题和挑战。法律与政策的相互促进和补充,将为我国双碳目标的实现提供有力支持。在未来工作中,需要不断总结经验,完善法制建设,确保双碳目标顺利实现。

2. 双碳法律体系建设的逐步完善

对于我国而言,双碳目标的设立标志着我国由传统发展模式迈向低碳发展的关键转折点。这一目标的提出,是我国在全球气候变化问题上的积极回应,也是我国推进生态文明建设、实现可持续发展的重要举措。自 2007 年国务院发布《中国应对气候变化国家方案》至 2020 年正式承诺实现双碳目标,我国已建立健全应对气候变化的法治体系,为低碳发展提供了有力的制度保障。

在政策层面,我国不仅出台了国家专门性政策和综合性政策,还颁布了《关于完整准确全面贯彻新发展理念做好碳达峰碳中和工作的意见》《2030 年前碳达峰行动方案》《国民经济和社会发展第十四个五年规划和 2035 年远景目标纲要》等一系列规定。这些政策旨在优化能源消费结构,提升生态系统碳汇能力,实现减污降碳协同推进,以促进我国经济社会的绿色转型。此外,中央与地方政策相互关联、相互补充,形成了全国一盘棋的政策体系。

在法律层面,我国双碳法律体系以宪法为核心,以《环境保护法》《大气污染防治法》《节约能源法》《可再生能源法》《循环经济促进法》《森林法》《草原法》《水污染防治法实施细则》《建设项目环境保护管理条例》《排污费征收使用管理条例》《危险废物经营许可证管理办法》等法律为基础,形成了直接规制和间接调整两种制度。这些法律为我国碳排放管理提供了法制保障,推动了我国低碳发展的进程。

我国在实现双碳目标的道路上已取得显著成效。然而,实现双碳目标是一项长期、艰巨的任务,需要全社会共同努力。未来,我国将继续完善政策、法律体系,加大低碳技术研发和推广力度,加强国际合作,为全球气候治理贡献中国智慧和中国方案。在这一过程中,我国将不断探索适应气候变化、实现可持续发展的路径,为应对气候变化提供有益借鉴。

3. 双碳领域法律实践的艰难挑战

全球气候变化问题日益突出,使得双碳目标——碳达峰、碳中和,成为我国乃至全球关注的焦点。在这一背景下,我国的法律与制度安排在实现双碳目标的过程中起到了至关重要的作用。然而,必须正视一些制度安排的不足,这些不足为实现双碳目标带来了诸多挑战。

我国的法规体系尚不完善。尽管我国已经出台了一系列与环境保护、清洁能源相关的法律法规,但在某些细分领域,法规仍然存在空白,导致实践中难以有效监管。这对实现双碳目标形成了一定程度的阻碍。为了填补这些空白,我国应当加快完善环境保护法规,确保在各个领域都有明确的法规依据,以更好地推动双碳目标的实现。

政策执行力度不够。在一些地方和部门,由于缺乏对双碳目标的深刻认识,政策执行力度明显不足,使得许多好的政策难以落地生根。为此,需要加强对各级政府和部门的政策培训和宣传,提高他们对双碳目标的认识,从而加大政策执行力度。同时,加强对政策实施过程中的监督和评估,确保政策落地见效。

跨部门协调机制缺失。实现双碳目标涉及多个部门和领域,但目前我国在这方面的跨部门协调机制尚未完全建立,导致政策制定和执行过程中出现一定的混乱和重复。为了改善这种情况,我国应建立健全跨部门协调机制,加强各部门之间的沟通与合作,形成推动双碳目标的合力。

我国在实现双碳目标的过程中,法律与制度安排具有重要意义。必须正视现有制度安排的不足,不断完善环境保护法规,加大政策执行力度,建立健全跨部门协调机制。通过这些措施,为实现双碳目标创造有利条件,共同应对全球气候变化带来的挑战。

(三)双碳目标下政策与法律的关系

1. 双碳目标下的政策与法律关系

政策在环境保护中的重要作用不容忽视,它们对法律的制定具有鲜明的引导作用,并在执法环节提供持续支持。自党的十八大以来,我国在生态文明建设方面取得了显著成果。在这一过程中,环境保护领域的立法工作,包括制定、修改和完善相关法规,成为低碳化进程中的亮点。

长期以来,政策在我国环境保护中发挥了重要作用。它们为立法工作指明了方向,如《加强碳达峰碳中和高等教育人才培养体系建设工作方案》等政策文件,从整体上对双碳目标的落实与实现做出了全面、系统的规定。通过将政策立法化,有助于推动双碳目标有机融入环境法典,这是法治领域的重要表现。

尽管我国在环境保护立法方面取得了一定成绩,但长期以来,环境执法水平低下使得生态环境法治建设面临巨大困难。一方面,法律未能全面覆盖,责任划分不够明确;另一方面,行政机关未能形成合力,存在管理责任推诿现象。然而,近年来,随着生态环境保护督察制度、党政领导干部生态环境损害问责制度等制度的出台,我国环境执法力度得到了明显改善。

以《中华人民共和国大气污染防治法》(2015 年修订、2018 年修正)为例,尽管该法律的颁布与修改取得了一定成效,但执法过程中部门协同不足的问题仍然存在。为了深入打好污染防治攻坚战,我国颁布了《关于深入打好污染防治攻坚战的意见》《深入打好重污染天气消除、臭氧污染防治和柴油货车污染治理攻坚战行动方案》等政策文件,为双碳领域的执法和监管活动提供了有力支撑。

政策在环境保护中的引导作用和执法支持力度不断加大,为我国生态文明建设提供了有力保障。通过将政策立法化,推动双碳目标有机融入环境法典,加大环境执法力度,我国在环境保护事业中取得了显著成果。未来,应继续完善相关法律法规,强化政策执行,为实现可持续发展目标和生态文明建设贡献力量。

2. 双碳目标下法律对政策影响

法律制度的完善对于政策的优化具有积极的推动作用。在生态文明建设进程中,政策与法律作为现代国家治理体系的重要工具,既体现了法治国家对公平正义等价值观的执着追求,也共同构建了社会主义环境保护体系。二者相辅相成,为实现我国绿色发展目标提供了有力保障。

法律的强制性和规范性特点使其能够针对社会热点问题制定系统性、规范化的规则。随着社会问题的不断变化和发展,法律可以通过修订和完善,弥补政策中的不足之处,使之更加适应社会需求,推动社会绿色转型。在生态文明体制改革中,法律发挥着基础性和战略性的作用,推动相关政策的落地实施,彰显我国坚定走可持续发展道路的决心。

法律还能够通过司法程序解决双碳目标下政策实施过程中出现的纠纷。实现双碳目标涉及多方利益和复杂的社会关系,难免会产生各种纠纷。法律作为纠纷解决的最后一道防线,可以通过司法程序对这些问题进行公正、公开地处理,为双碳目标的顺利实现提供有力保障。

此外,法律对政策具有深远影响。它为政策制定提供法律依据,并对政策的制定、实施和监督起到规范和引导作用。在未来的工作中,应进一步发挥法律在推动双碳目标实现中的重要作用,加强法律与政策之间的协调与互动,共同推动我国经济社会的绿色、低碳、可持续发展。

法律制度在生态文明建设中的重要作用不容忽视。应充分发挥法律的引导和规范作用,加强与政策的协同配合,为实现双碳目标和完善绿色发展体系贡献力量。同时,也要注意法律制度的不断完善和发展,使之更好地适应社会需求,推动我国经济社会持续绿色转型。

3. 双碳目标下法律与政策的协同发展

法律与政策都是社会治理的重要工具,法律与政策协同治理已成为现代法制发展的重要趋势与方向。

在本质上,法律与政策具有高度的一致性。这源于两者共享同一基础,为其协同作用提供了坚实的基础。在法律和政策的关系中,政策起指导作用,为法律的发展指明方向;而法律则对政策进行补充和完善,通过其规范化的手段,推动社会的持续进步。

要明确政策和法律在协同实施中的角色。政策和法律在功能上相互补充,相互独立,但又共同为社会的稳定和发展服务。政策作为指导,为法律的发展提供方向;法律则对政策进行细化和落实,确保政策的实施效果。在这种关系中,政策和法律相互依赖,相互促进,共同推动社会的发展。

要了解政策向法律转化的过程。在政策实施的过程中,通过不断积累经验和总结规律,政策规定可以整体性地转化为法律。这一过程需要遵循法定的程序,确保政策的合法性和合规性。在这个过程中,政策制定者和法律制定者要充分沟通,确保政策的精神和法律的规定相一致。

反过来,法律也可以向政策转化。在法律实施过程中,法律要不断突出政策的方向性。这意味着法律要在实践中灵活调整,以适应政策的变动。同时,政策制定者要根据法律的规定,确保政策的合理性和可行性。这样,法律和政策就能形成一个良性的互动,共同为社会的发展服务。

法律与政策在本质上具有一致性,它们相互补充、相互促进,共同推动社会的进步。政策向法律转化和法律向政策转化的过程,实际上是两者在协同中不断优化和完善的过程。只有理解和把握这种关系,才能更好地利用政策和法律工具,为实现国家和社会的发展目标提供有力支持。

三、双碳目标下法治体系存在的问题及挑战

在探索双碳目标下的社会主义法制体系时,面临着一系列问题和挑战。现有的法律体系尚未完全适应双碳目标的要求,需要进一步完善和细化相关法律规定。

(一)双碳法律体系的法律漏洞

在双碳目标实施过程中,我国双碳法律体系的完善程度以及法律间的协调性问题日益突出。首先,双碳法律体系的短板主要体现在顶层设计的缺乏。目前,我国在碳中和领域尚无直接对应的顶层法律。尽管《可再生能源法》及正在制定的《能源法》涉及相关内容,但仍未构建起完整的法律体系。因此,在双碳目标推进过程中,缺乏统一的法律指引和制度保障,导致相关政策和措施难以形成合力,影响双碳工作的系统性和整体性。

其次,法律间的冲突表现在不同法律规定之间存在矛盾。以碳排放监测法律制度为例,由于缺乏统一的监测标准,各监测机构采用的标准和方法各异,从而影响监测结果的准确性和可比性。同时,监测机构之间缺乏明确的合作机制和分工,导致监测工作推进不协调,进而影响政府对碳排放情况的准确评估和公众的参与监督。

此外,法律间的协调问题同样值得关注。双碳目标下,各类法律规定缺乏明确的统筹法律框架,导致协调机制不健全,难以在实际操作中形成有效的法律合力。以低碳技术创新激励机制为例,尚不完善的法律制度体系使得企业在低碳技术创新方面的动力和积极性受到影响。双碳法律体系的完善和协调问题对双碳目标的实现具有重要的法治障碍。

(二)双碳法律的监管与执法的难题

在双碳目标指引下,我国正致力于构建社会主义法治体系,以促进低碳发展和环境保护。然而,在实施过程中,监管与执法面临着一系列挑战,这些挑战不仅涉及法律制度的完善,还包括监管执行的有效性、公众参与的广度以及数据透明度等方面。

法律体系的不完善是监管与执法的一大难题。我国虽已出台了一些与碳排放监测相关的法律文件和政策,但在碳排放监测领域缺乏专门的法律法规,导致监测工作的规范性和可操作性不足。此外,现有法律体系中对低碳技术创新的权责定位分工存在错位,科研成果转化率较低,普及率不高,法律制度保障体系缺失。这些问题的存在,使得监管与执法

工作难以有效开展。

监管标准的不统一和监测机构的不协调也是监管与执法中的难题。由于缺乏统一的碳排放监测标准,不同监测机构采用自身的标准和方法进行监测,导致监测结果无法进行准确比较和综合分析。同时,监测机构之间缺乏合作机制和分工,工作推进不协调,影响了监测结果的准确性和可比性。

监管力度不足和评估机制不完善也是制约监管与执法效果的因素。目前,监测工作缺乏有效的监督和指导,监测机构可能存在数据操纵、不规范操作、质量控制不到位等问题。缺乏有效的激励措施和严格的惩罚制度,一些监测机构可能没有足够的动力去提高监测工作的质量和准确性。

此外,数据公开的范围和透明度有限,限制了公众的参与和监督。虽然一些企业和机构根据法律规定进行数据公开,但公开的范围通常限于特定行业或领域,缺乏全面性和综合性。公众参与是监管与执法的重要组成部分,数据的不透明和信息的不充分公开,无疑增加了监管与执法的难度。

(三)经济增长与环境保护的法律平衡难题

随着双碳目标的提出,我国面临着经济发展与环境保护之间的法律平衡难题。一方面,为了实现碳达峰和碳中和的承诺,必须对高碳排放的工业进行限制和改造,推动绿色、低碳的经济发展模式;另一方面,经济增长的压力和就业问题也要求政府在短期内不能过分抑制传统产业的发展,以免对社会稳定和经济增长造成负面影响。

在法律层面,我国尚未形成一个完备的应对气候变化的法律体系。现行的法律法规多以行政法规和部门规章的形式存在,缺乏统一的、具有强制力的法律支撑。这在一定程度上制约了双碳经济的发展,也使得在经济增长与环境保护之间的法律平衡更加困难。

在政策与法律的关系上,政策的灵活性和高效性使其能够迅速应对新出现的问题,但政策的权威性和稳定性不足,这就需要法律的介入来提供长期稳定的规范。法律的民主性、强制性和稳定性是其优势,但法律的制定和修改过程较为缓慢,难以及时应对迅速变化的社会经济情况。

另外,绿色产业政策的效应及法律问题也是当前需要解决的难题。如何通过法律手段加强管理,促进资源节约与环境保护,避免"公地悲剧",在经济高速发展的同时顾全环境保护,是法律制定者需要考虑的问题。

在生态环境修复法律制度的法典化问题上,我国需要进一步健全生态环境修复法律制度,以保障生态环境修复工程和实践的正常、高效运转。这不仅是实现双碳目标的需要,也是解决经济增长与环境保护法律平衡难题的关键。

第三节　双碳目标下的法治体系的发展与完善

明确科学指导和优化发展目标是构建中国特色社会主义碳中和法治体系的重要一环。

首先,必须确立以习近平生态文明思想为指导的法治原则,这不仅是处理人与自然关系的正确途径,也是推进人与自然生命共同体建设的重要实践。其次,要在现有法律框架内,制定更为明确和具体的法律规则,以确保双碳目标的顺利实现。此外,充分发挥政策的灵活性和法律的稳定性应相互补充,确保法治体系在实现双碳目标过程中得到完善与发展。

一、明确科学指导优化发展目标

(一)坚持习近平生态文明思想和习近平法治思想为指导

习近平生态文明思想深刻阐述了生态文明建设的重要性,强调了人与自然和谐共生的理念,这为法治体系的完善提供了根本的价值取向。习近平法治思想则为法治体系的构建提供了基本遵循,强调了法治的重要性和法治体系的完整性,为双碳目标下法治体系的发展指明了方向。

习近平生态文明思想包括对生态环境保护的高度重视,提出了绿水青山就是金山银山的理念,强调了生态文明建设的长远性和全局性。在双碳目标的实现过程中,这一思想为法治体系的完善提供了指导原则,即在推进法治体系建设时,必须将生态环境保护作为一项基本国策,确保法律制度能够有效地保护和改善生态环境,促进可持续发展。

习近平法治思想强调了法治国家、法治政府、法治社会的一体建设,提出了全面推进依法治国的总目标,这为双碳目标下法治体系的构建提供了明确的路径。在这一思想的指导下,法治体系的完善应当围绕构建公正、透明、高效的法律制度体系,确保法律的权威得到维护,同时也要保障公众的参与和监督,使法治成为推动双碳目标实现的有力工具。

在双碳目标的背景下,法治体系的完善与发展需要着重考虑如何通过法律手段促进低碳技术的发展和应用,如何建立和完善碳排放交易市场法律制度,以及如何构建高效的碳中和法治实施体系。这些都需要在习近平生态文明思想和习近平法治思想的指导下,结合我国的实际国情,科学制定法律规范,完善法律制度,推动法治体系与双碳目标的深度融合。

(二)坚持实现人与自然和谐共生的现代化的根本目标

在追求人与自然和谐共生的现代化进程中,法治体系的完善与发展起到了不可或缺的作用。特别是在双碳目标的背景下,法治体系的建设不仅要求在立法、执法、司法、守法等方面做出努力,更需要深入理解和遵循自然规律,确保生态文明建设与经济社会发展的协同进步。

构建中国特色社会主义碳中和法治体系是实现人与自然和谐共生现代化目标的关键一环。这要求正确处理政府与市场的关系,充分发挥市场在推动绿色低碳发展中的作用,同时通过政府的调控避免系统风险,协调政府与市场的力量,稳妥推进双碳目标的实现。这不仅需要专门的法律政策支持,更需要市场监管制度、会计制度、税务制度等与之适配的制度建设,以及对违法行为的及时追究,保护碳市场交易秩序和利益关系,有效避免金融风险。

能源利用、环境保护和生态立法是应对气候变化的关键法律领域。在这些领域中,法律不仅要规范能源利用,促进清洁能源和可再生能源的发展,还要与国际减排制度设计保持同步,借鉴国外经验,结合国情制定出台具有实际可操作性的政策法规。这样的法律对策既要立足国内,为发展规划和路线方针政策的落实保驾护航,也要运用国际视野正确处理中国与世界在应对气候变化方面的关系。

新能源的发展是实现双碳目标的重大举措,但其发展不能无规律、不受控制,需要在法律规范的约束下、政府设定的范围内和监管机构的统筹规划之下进行有序的、规范的发展。这要求制定一套完整的新能源监管体系,为新能源的开发和利用制定相应的监管规则。

二、做好顶层设计完善法治体系

新时代中国生态文明法治体系建设,需要将生态文明理念、生态原理、生态规律、生态方法等融入立法,为依宪治国、依宪执政,严格执法、公正司法、全民守法奠定坚实基础。这要求在法典化过程中,将生态文明建设的理念和原则贯穿于法律制度的各个方面,确保法律制度能够有效地指导和规范生态文明建设的实践活动。

(一)推进双碳相关的法律制度的法典化

双碳目标对于法治体系的完善与发展提出了新的要求。法律制度的法典化是做好顶层设计、完善法治体系的重要一环。法典化是指将分散的法律规范整合、系统化,形成统一、系统的法律体系,以提高法律的权威性和实施效率。在双碳目标指引下,法典化不仅需要对现有的环保法律进行整合,还要确保新的法律规范与国家的发展战略相契合,促进低碳发展和环境保护的法治化。

法典化需要对现有的环境保护法律进行梳理和整合。当前,我国的环境保护法律体系中存在着一些“暂行”或“试行”阶段的法律规范,这些规范的完善程度不高,存在提升空间。因此,应当对这些规范进行审查和修订,使其更加完善、系统,并纳入统一的法典体系中。同时,还需要强化法治能力建设,提升立法执法司法等专门法治队伍的专业能力素养,以及律师、基层法律服务工作者等法治服务队伍的职业道德素养。

法典化还需要对碳排放权交易制度、低碳技术发展、新能源监管等领域的法律规范进行系统化构建。例如,建立统一的碳排放权交易市场,规范企业的碳排放,通过市场机制调节温室气体排放。同时,鼓励低碳技术的创新发展,塑造低碳技术法律原则,为低碳技术的研发、应用和推广提供法律支持。

法典化过程中需要重视党内法规的作用。完善的碳中和党内法规体系是建设中国特色社会主义碳中和法治体系的重要内容。党内法规可以动员党内力量并带动社会力量早日实现双碳目标。因此,在法典化过程中,应当将党内法规与国家法律相结合,形成互相补充、共同发力的法治体系。

(二)完善双碳相关法治规范体系

构建一个与双碳目标相适应的法治规范体系,不仅是实现碳达峰、碳中和目标的重要保障,也是推动绿色发展、促进生态文明建设的关键途径。

首先,要高度重视宪法在构建法治规范体系中的根本地位。宪法修正案已经将“生态文明建设”写入宪法,这为双碳目标的实现提供了宪法层面的保障。因此,建设高效的碳中和法治实施体系,应当以宪法为根本准则,确保双碳目标的实现与生态文明建设的整体布局相一致。

其次,立法、行政、司法和守法的全面推进是完善法治规范体系的核心。各级国家行政机关、监察机关、审判机关和检察机关作为碳中和法治实施的主体,应当确保规范文明执法、公正高效便民司法。在法治的实施过程中,既要树立碳中和法治的权威,又要让公众感受到碳中和法治与自身美好生活需要的一致性。

再次,坚持“依法治国、依法执政、依法行政”的共同推进,以及“法治国家、法治政府、法治社会”的一体建设,是完善法治规范体系的主线。这要求碳中和法治融入党治国理政、政府行政权力行使、社会公共秩序形成的整个过程中,强调国家、政府和社会共同致力于双碳目标的实现。

最后,碳中和法治文化的弘扬是完善法治规范体系的关键。通过法治规范的方式倡导并鼓励生态文明、低碳文化,有利于营造碳中和法治实施的良好社会氛围。例如,通过“美丽中国,我是行动者”提升公民生态文明意识行动计划,在繁荣生态文化、培育生态道德,广泛动员社会方面起到重要作用。

在完善法治规范体系的同时,还需建立严密的碳中和法治监督体系。监督体系有利于加强对立法、执法和司法等法治实施环节的约束,确保法治实施的有效性。严密的监督体系是建设中国特色社会主义碳中和法治体系的成败关键。

(三)优化双碳相关法治实施体系

在中国特色社会主义碳中和法治体系建设中,高效的碳中和法治实施体系是重点难点之一。

强化法治实施体系的必要性体现在其对于实现双碳目标的推动作用。双碳目标的提出是我国应对全球气候变化、促进绿色低碳发展的重要战略决策,其实现离不开法治的支撑和保障。法治实施体系的完善能够确保双碳目标的政策措施得到有效执行,监督和促进各项减排任务的落实。

法治实施体系的强化有助于提升法律规范的执行力。在双碳目标的推进过程中,法律规范的制定和完善是基础,但更为关键的是这些规范能否被严格执行。各级国家行政机关、监察机关、审判机关和检察机关作为法治实施的主体,应当确保文明执法、公正司法,让公众感受到法治与美好生活的一致性。

法治实施体系的强化还有助于提升国家治理能力和治理现代化水平。法治是国家治理的基本方式,国家治理法治化是国家治理现代化的必由之路。在生态文明法治体系建设中,法治实施体系的强化是实现人与自然和谐共生的有效途径。

(四)加强双碳相关法治监督体系

法治监督体系的加强,不仅有利于确保双碳目标的有效实施,还能够促进我国生态文明法治体系的建设,推动经济社会的绿色转型。

严密的碳中和法治监督体系是建设中国特色社会主义碳中和法治体系的关键。监督体系的完善能够加强对立法、执法和司法等法治实施环节的约束,防止腐败问题对碳减排成效的直接影响。在全国碳交易市场初步形成之际,必须加强相关领域的法治监督,防止权力集中、资源富足以及资金密集的部门和行业遭遇围猎。

完善碳中和党内监督体系,确保党内各监督主体正确行使监督职责,以碳中和相关部门和行业的高级干部、各级主要领导干部为重点监督对象,以碳中和政策、决策及部署的贯彻落实情况为重点监督内容。同时,协调包括人大监督、行政监督、司法监督以及监察监督在内的国家监督,确保这些监督相互交织覆盖,在专门的碳中和监督指标尚未编制出台之前,可以统一于对公职人员违反中央八项规定精神问题的监督。

调动社会监督作为党内监督和国家监督的补充。社会监督包括群众监督、舆论监督等,是不具有国家权力性和法律强制性的社会性质的监督。应当鼓励社会公众主动融入各类监督中,从源头上注意培育公众的法律意识、监督意识、环境意识,引导公众参与碳中和政策和法律的制定,在过程中注意开辟报纸、电视、网络、手机等多元化监督渠道,为公众在碳中和法治各个环节实施监督提供便利条件。

碳监测法律制度的完善也是加强法治监督体系的重要一环。碳监测法律制度本质上属于国家建立一个监测温室气体的管理体制,来监督本国减排政策的实施和国家义务的履行,能够保证碳排放数据的真实准确,对碳交易监管以及碳交易市场的稳定运转有着重要作用。通过分析面向碳排放交易的碳监测法律制度的重要意义、构成要素,借鉴欧盟等碳监测法律制度的先进经验,结合我国的国情形成合理的、完善的碳监测法律制度,以此促进碳排放交易的发展。

新能源监管法律体系的构建也是实现双碳目标的重要保障。新能源的间歇性、不稳定性等特征,决定了其不能无规律、不受控制地发展,而是要在法律规范的约束下、政府设定的范围内和监管机构的统筹规划之下进行有序的、规范的发展。必须制定一套完整的新能源监管体系,为新能源的开发和利用制定相应的监管规则,而监管规则的制定,也应当以实现双碳目标为准则,二者相辅相成,相互作用。

三、推进法律实践助力社会转型

法律与政策在本质上保持高度一致,共同构成现代国家治理体系中不可或缺的重要环节和有效工具,充分彰显了法治国家对于公平、正义、秩序等核心价值的执着追求。政策以其便捷、高效和灵活的特性,能够迅速建立起针对新兴问题的规范框架,但在权威性和稳定性方面稍显不足;而法律则凭借其民主性、强制性和稳定性,构建了规范化、系统化的规则体系,但在适应速度上略显迟滞。在实现双碳目标的过程中,政策与法律应携手并进,相互补充。政策需要法律的支持以增强其权威性和稳定性,而法律亦需借助政策的助力来弥补其便捷性和灵活性方面的短板。

(一)构建碳交易法律框架

碳交易市场作为一种市场化的减排机制,已受到国际社会的广泛认同。在中国,随着双碳目标的明确，碳交易市场得到了进一步推动，而确保这一市场健康运行的基石则是完善的法律框架。为实现双碳目标，我国正积极构建全面而系统的法治体系，旨在推动环境保护与经济可持续发展。在这一过程中，确立碳交易市场的法律地位及其运行机制显得尤为重要。

我国已在部分地区开展碳排放权交易试点，并取得了积极成效，为全国性碳市场的构建提供了宝贵经验。然而，目前碳交易市场的推进主要依赖于政策，法律层面的跟进与回应尚显滞后。因此，应制定专门的碳排放交易法律，明确市场主体的权利义务、交易规则及监管机制，以规范碳市场运行，促进其健康发展。

在构建碳交易法律框架时，须平衡环境保护与经济发展的双重目标。相关法律不仅要保障减排目标的实现，还应为经济的转型升级提供有力支持。例如，通过法律确认碳排放权的财产权属性，推动其市场化交易，同时鼓励企业通过技术创新和结构调整实现低碳发展。

此外，碳交易法律框架还需强化监管制度，确保市场的公平、公正与透明。监管机构应明确职责与权力，对碳市场实施有效监督。同时，法律应规定碳排放数据的监测、报告与核实制度，确保数据的真实性、准确性，为碳交易提供可靠基础。

在国际合作方面，我国应积极借鉴欧盟等地区的先进经验，结合国情制定适合的法律制度。同时，通过参与国际碳市场合作，提升我国在全球碳治理中的话语权和影响力。

值得注意的是，碳交易法律框架的建立是一个动态过程，需随双碳目标的深入实施而不断完善。面对碳交易市场的不断变化，法律制度应具备足够的灵活性与适应性，及时响应市场与技术的发展需求，以实现持续优化与完善。

(二)法律对技术创新的激励机制

在现代经济社会中，技术创新是推动社会进步和经济增长的核心动力。法律作为社会治理的重要工具，对技术创新起到了关键的激励和引导作用。鉴于全球气候变化的严峻形势，低碳技术创新已成为实现可持续发展的重要途径。

为鼓励低碳技术创新，可采取以下经济激励措施：利用税收优惠、财政补贴、政府采购等手段，激励企业积极投入低碳技术研发。在碳交易市场中，政府可实施“白名单”制度，为记录完整、品质优良的企业提供财政专项资金优先拨付、融资风险补偿等优惠政策，以降低研发成本，提高研发积极性，推动技术创新。

同时，建立健全的知识产权保护机制对于激励技术创新至关重要。通过法律保护知识产权，确保创新者能够获得合理回报，从而激发更多的研发投入。此外，知识产权的交易和许可也为技术传播与应用提供了法律保障，推动技术的商业化和产业化进程。

完善市场准入与监管机制同样重要。通过制定严格的环保标准和排放限制，迫使企业进行技术升级以满足环保要求。同时，加大对违法排放的惩罚力度，如增加对未履约清缴企业的处罚，激发企业购买碳排放权的动力。这些措施将促使企业通过技术创新降低排放，实现绿色发展。

此外，构建支持低碳技术创新的法律制度体系也至关重要。通过专门立法，如制定《可再生能源法》,鼓励企业积极参与可再生能源技术研发。这些法律不仅为企业提供明确的指导,还为技术创新提供了坚实的法律基础。

法律与政策的协同推进对技术创新至关重要。法律制度的建立需与政策措施紧密结合,形成完整的技术创新激励体系。政策为法律实施提供指导和支持,如引导资金流向低碳技术研发领域,支持建立技术创新服务平台等。同时,政策的灵活性有助于弥补法律的滞后性,为技术创新提供及时的支持。

(三)双碳法律助力经济低碳化发展

传统观念认为环保与经济发展存在对立关系,即双碳背景下的环保政策的实施可能对经济快速增长产生限制。然而,随着可持续发展理念的深入人心,越来越多的研究显示,环保政策与法律不仅不会阻碍经济发展,反而可以推动经济转型升级,实现绿色增长。

双碳政策与法律的制定和实施有助于产业结构的优化升级。在双碳目标的指导下,低碳技术创新已成为推动经济发展的新动力。通过法律机制的研究与创新,可以激励企业投入更多资源进行低碳技术的研发和应用,降低节能减排的成本并提升效率。例如,通过建立碳交易市场,制定合理的碳排放权交易规则,激发企业的减排动力,促进清洁生产和能源的有效利用。

双碳法律的完善有助于增强企业的环境责任意识。通过对环境违法行为实施严格惩处,如加大对未履约清缴的处罚力度,以及对信息披露违规的处罚力度,可以有效遏制企业的环境违法行为,促使企业在生产经营活动中自觉遵守环保法规,保护生态环境。同时,通过信用惩戒等多元化监管手段,可以提高企业的社会信誉,从而在市场竞争中获得优势。

双碳政策与法律的实施有助于提升公众的环保意识。通过环境信息公开制度,公众可以了解企业的环保表现,增强消费者对绿色产品的认知和偏好,推动市场对绿色产品的需求,促进绿色消费。引入碳标识,通过对产品碳足迹的量化和标识,可以引导消费者选择低碳产品,促进绿色消费模式的形成。

双碳政策与法律的协同推进有助于实现国际合作与交流。在全球气候变化问题日益严峻的背景下,通过参与国际环保合作,不仅可以共享环保技术和管理经验,还可以提升国家的国际形象和话语权。通过参与国际碳市场的建设和运行,可以促进国内碳市场的发展,提高我国在全球碳市场中的竞争力。

【本章小结】

本章旨在从双碳目标与法律之间的紧密联系出发,系统研究在构建中国特色社会主义法治体系的过程中,如何通过法律手段有效推进碳达峰和碳中和目标的实现。习近平生态文明思想和习近平法治思想在构建双碳法治体系中发挥了至关重要的指导作用。这两大思想不仅为处理人与自然的关系提供了正确的路径,还为推动人与自然和谐共生提供了实践指导。

本章概述了国际环境法律与协议,深入分析了不同国家在双碳法律政策方面的实践经验,为我国双碳法治体系的构建提供了有益的参考和启示。在此基础上,本章进一步探讨了双碳目标下社会主义法治体系的探索,包括法理阐释、法律与政策关系的梳理,以及双碳法治体系存在的问题与挑战。

在顶层设计方面,本章提出了完善法治体系的具体措施。这些措施包括法律制度的法典化、法治规范体系的完善、法治实施体系的强化以及法治监督体系的加强。这些措施旨在充分发挥法律与政策的协同推进作用,确保法律制度的权威性和有效性,为双碳目标的实现提供坚实的法治保障。通过这些措施的实施,可以更好地推进中国特色社会主义法治体系的建设,为实现碳达峰和碳中和目标提供有力的法律支撑。

【案例分析】

双碳背景下的司法监督——睢宁县人民检察院诉睢宁县环境保护局不履行环境保护监管职责案

司法机关对政府部门生态领域执法的监督是维护生态环境安全、保障法律法规实施的重要措施。随着环境问题的日益突出,生态领域执法任务日益繁重,政府部门在执法过程中难免会出现疏漏和不当行为。司法机关作为独立的法律监督机关,具有对行政执法的监督职能,通过监督政府部门的生态领域执法,可以确保法律法规的正确实施。

近年来,司法机关在监督政府部门生态领域执法方面取得了显著成效。睢宁县环保部门在执法过程中存在不当行为,被司法机关依法纠正并追究了相关责任人的法律责任。此外,司法机关还通过开展生态环境公益诉讼等方式,积极维护生态环境权益,推动生态领域执法工作的深入开展。司法实践案例充分证明了司法机关监督政府部门在生态领域执法的可行性和有效性,也为其他地区提供了有益的借鉴和参考。

2017 年 9 月、10 月,冯某康等人员将从浙江省舟山市嘉达清舱有限公司等地点非法收购的危险废物船舶清舱油泥,委托他人运输至江苏省睢宁县岚山镇陈集村一砖瓦厂内进行非法倾倒。案件暴露后,睢宁县环境保护局将清理出的油泥及污染物 130 余吨运至一停车场内。徐州铁路运输法院发现涉案油泥长期未规范贮存,为防止二次污染,要求睢宁县环境保护局及时组织代为处置。

然而,睢宁县环境保护局迟迟未对涉案油泥进行代处置,部分油泥已渗漏对周边环境造成二次污染。2019 年 5 月 27 日,睢宁县人民检察院向睢宁县环境保护局发出检察建议,要求其依法履行环境保护监管职责,对涉案油泥进行规范贮存并及时移交具有危废处置资质的单位依法处置。2019 年 7 月 2 日,睢宁县环境保护局做出回复,认为涉案油泥产生单位非在其辖区,无代为处置法定职责,应由产废单位所在地环境保护主管部门进行代处置。

据此,睢宁县人民检察院于 2019 年 7 月 19 日提起行政公益诉讼,请求确认睢宁县环境保护局对涉案危险废物的贮存不履行监管职责的行为违法,并责令其尽快将涉案危险废物移交具有危废处置资质的单位依法处置。在案件审理过程中,睢宁县环境保护局于 2019 年 10 月将涉案油泥及其污染物交由具有资质的单位进行依法处置。经审查,睢宁县人民检察院认为睢宁县环境保护局已履行涉案危废代处置职责,遂申请将原诉讼请求变更为确认睢宁县环境保护局对涉案危险废物的贮存不履行监管职责的行为违法。

司法机关监督政府部门生态领域执法是维护生态环境安全、保障法律法规实施的重要举措。通过加大监督力度、完善监督手段、积累实践经验,司法机关将更好地发挥其在生态领域执法监督中的重要作用,为推动我国生态环境保护事业健康发展做出积极贡献。

1. 在双碳发展的新形势下,如何发挥对国家机关双碳执法的司法监督作用?

2. 通过这则司法实践案例简要说明,对于行政机关进行双碳执法的司法监督有何意义?

【问题探索】

1. 在实现双碳目标的过程中,现有法律体系是否能充分应对可能出现的法律挑战和争议?

2. 在推进绿色低碳转型过程中,如何兼顾经济发展与环境保护,确保法律实施的公正性和可行性?

3. 针对高碳排放行业,法律如何建立有效的惩戒与激励机制,促进其加速转型和技术创新?

4. 在双碳目标背景下,如何确保法律执行力度,特别是在地方层面,避免政策执行产生偏差或懈怠?

5. 伴随科技进步,新兴低碳技术和产业将不断涌现,法律如何及时跟进,为这些新技术和新产业提供适宜的法律环境和保障?

第八章　双碳与信息

【本章导读】

在我国深入贯彻习近平生态文明思想的伟大实践中，绿色发展被赋予新的时代内涵。为实现碳达峰和碳中和的宏伟目标，信息技术发挥了关键作用。这一紧密关联不仅彰显了科技对生态文明建设的支撑，更突显了信息技术在实现双碳目标中的独特作用。

通过实时数据采集与监测、大数据分析与智能决策、数字化能源管理与优化，以及区块链技术在碳市场中的应用，信息技术为双碳目标的实现提供了科学、精准的决策支持。这些技术的应用不仅提高了能源利用效率，增强了能源使用的透明度，还大力推动了碳资产的流通与交易，有效激励了企业和组织减少碳排放。

面对新时代的新挑战，我们应充分利用信息技术，加速推进双碳目标的实现。通过不断探索信息化应用的新前景，持续推动技术创新，我们将为构建可持续发展的未来贡献更多的中国智慧和力量。

双碳与信息

【思维导图】(图 8-1)

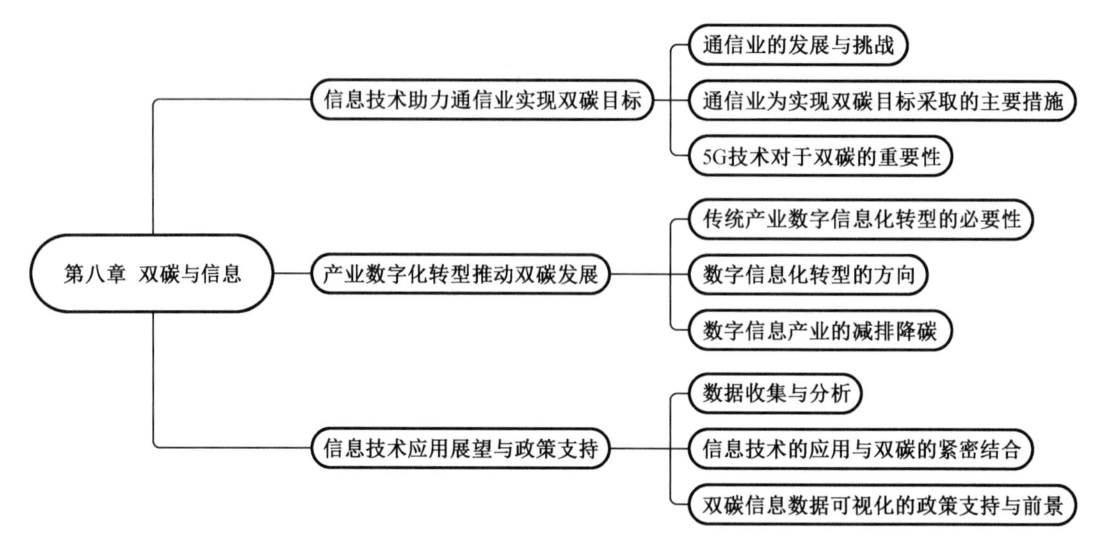

图 8-1 本章思维导图

第一节 信息技术助力通信业实现双碳目标

在 5G 技术迅猛发展的背景下,信息化作为现代社会的重要标志,对通信行业既带来挑战,也孕育了机遇。尤其在 5G 技术迅猛发展的背景下,如何在推动通信业发展的同时,适度降低碳排放量,成为我们必须面对并解决的问题。

一、通信业的发展与挑战

在双碳目标的大背景下,我国通信行业正面临前所未有的挑战与发展机遇。随着社会对碳排放问题的日益重视,作为数字化转型重要支撑的通信行业,其能耗与碳排放问题逐渐显现,成为制约行业发展的关键瓶颈。通信网络的迅速发展,极大地推动了数据流量的增长,导致数据中心等基础设施的能耗与碳排放量显著增加。为实现碳达峰与碳中和的目标,通信行业需在保障网络发展与提升服务质量的同时,积极探索低碳技术与节能减排策略。

为应对这一挑战,通信行业已采取一系列措施。例如,通过网络优化、推动网络共建共享,实现网络最优能效;运用大数据、云计算、人工智能等技术,提高网络运营的效率与智能化水平,从而降低能耗。同时,通信行业还在积极探讨利用可再生能源,如实施“东数西算”工程,就地消纳清洁/可再生能源,降低数据中心的 PUE 指标,进一步减少碳排放。

然而,实现双碳目标的道路对通信行业仍充满挑战。首先,通信行业的能耗问题日益突出。随着 5G 网络的快速部署和数据中心的大规模建设,通信行业的能耗和碳排放量迅速增加。5G 基站的功耗是 4G 基站的 3 到 4 倍,而数据中心的能耗也占到了通信行业总能耗的大部分。这不仅增加了运营商的运营成本,也给实现碳达峰和碳中和目标带来了挑战。

其次,成本问题是通信行业面临的另一重要挑战。为实现低碳发展,通信行业需采用更节能的技术和设备,如通过网络优化、共建共享等方式提高网络能效,以及采用清洁能源和高效的能源管理系统等。这些措施虽有助于减少能耗和碳排放,但同时也需承担较大的初期投资和运营成本。此外,随着碳排放权交易市场的建立,碳排放成本将直接影响企业的经济效益。

此外,技术升级和转型也是通信行业在双碳背景下面临的挑战。为实现低碳发展,通信行业需持续研发和应用新技术,如利用人工智能和大数据技术优化网络性能、提高能源利用效率等。这既对通信行业的技术研发能力提出了更高要求,也要求企业在人才培养和技术创新方面进行更多投入。

二、通信业为实现双碳目标采取的主要措施

我国三大主要运营商分别是电信、联通和移动,以下分别介绍这三大运营商在应对双碳目标方面的举措。

(一)三大运营商的做法

1. 中国电信“1236”计划

2021 年 8 月,中国电信集团发布了“1236”计划,目标是推动绿色可持续发展。计划通过把握两个发力方向:对于企业内部,中国电信持续加强技术创新和管理升级,制定合理政策推动企业发展;对于企业外部,优化产品和服务质量,打造良好品牌形象。中国电信通过数字赋能技术,发展产业链,兼顾节能减排与 5G 发展。既坚持节能减排,又推进 5G 数据中心发展,响应国家政策,减少碳排放,确保网络安全和绿色发展,促进企业高质量发展,承担社会责任,协调绿色与经济、科技与可持续发展的关系。通过技术创新和资金投入,突破关键技术,推动企业高质量可持续发展。同时,中国电信提出了推进六大绿色行动:牢固绿色新支撑、绿色新科技、赋能绿色新发展、构建绿色新生态、打造绿色新运营、建设绿色新网站。中国电信还通过数据中心的节能减排,实现从传统电力向新能源的转型,研发电信天翼云,帮助成百上千家组织和企业完成绿色转型。

2. 中国移动“三能六绿”

中国移动在响应国家双碳目标的大背景下,积极推进绿色、低碳的发展战略,其中“三能六绿”计划是其重要举措之一。该计划以节能、洁能、赋能为三大行动主线,以绿色网络、绿色用能、绿色供应链、绿色办公、绿色赋能、绿色文化为六大实现路径,依托 18 项具体举措,将绿色低碳发展理念贯穿公司生产经营各环节,带动产业链上下游各企业,影响经济社会各领域。

“三能”部分聚焦能源精细化管理,包括能源消耗精准监测、能效持续优化以及能源结构绿色低碳转型。这一策略在保障通信服务稳定性的同时,有效降低能耗和碳排放,推动

能源使用向更加清洁、高效方向发展。

“六绿”包括建设绿色新云网、打造绿色新运营、构建绿色供应链、推广绿色办公、深化绿色赋能以及创建绿色文化，涵盖技术创新、运营管理到企业文化等多个方面，旨在全方位推进企业内部及产业链的绿色转型，实现经济效益和环境效益的双赢。

通过“三能六绿”计划，中国移动不仅在自身运营中实现了能耗和碳排放的显著降低，而且通过技术创新和绿色解决方案的推广，为信息通信行业乃至更广泛的社会经济领域提供了绿色低碳发展的范例和动力，为实现碳达峰、碳中和目标做出了积极贡献。

3. 中国联通“3+5+1+1”计划

中国联通积极响应国家政策，提出了“3+5+1+1”行动计划，主要内容包括以下方面。

“3”是指围绕低碳循环发展，建立三大碳管理体系——碳数据管理体系、碳足迹管理体系、能源交易管理体系。通过完善三大体系，优化能源指标，绘制重点用能设备碳足迹，并有序参与碳排放权交易市场。

“5”是指聚焦五大绿色发展方向。一是推动移动基站低碳运营，推广极简建站、潮汐节能等技术，有序提高清洁能源占比。二是建设绿色低碳数据中心，通过供电降损简配、空调利用自然冷源等，提高系统能效。三是深入推进各类通信机房绿色低碳化重构。四是加快推进网络精简优化，老旧设备退网。五是提高智慧能源管理水平。

“1”是指深化拓展共建共享，深入推进行业基础设施资源共建共享，试点扩大合作对象范围。

最后一个“1”是指数字赋能行业应用，助力千行百业节能降碳。例如，助力高速公路视频云联网工程，实现视频上云的集中统一存储；依托 5G、车路协同、高精定位等技术助力港口降本增效；为废钢加工配送中心以及各大钢厂提供废钢智能判级等应用，促进钢铁类再生资源重复利用等。

（二）技术的发展对双碳目标产生的积极影响

运营商的持续努力在一定程度上推动了通信业的发展，并对双碳（碳达峰和碳中和）目标的实现产生了积极影响。具体表现在以下几个方面。

数据采集与监测，通信技术的提升使传感器、监测设备和数据采集系统能够更高效地获取环境、能源及碳排放等相关数据。无线传感器网络和物联网技术的发展，进一步简化了数据的实时采集、传输和存储，为碳排放监测、能源管理和环境评估提供了更为精确的数据基础。

远程监控与控制，通信技术的进步使得远程监控和控制成为可能，为碳减排和能源管理带来了更大的灵活性和便捷性。云计算、物联网和远程通信技术的应用，使能源系统、工业设备和建筑物等实现远程监控和调节，有助于及时发现和解决能源浪费及碳排放问题。

能源交互与智能网格，通信技术推动了能源系统的互联和智能化，为可再生能源的集成和优化提供支持。智能电网和智能能源管理系统利用通信技术实现能源的实时监测、分布式能源的协调和可再生能源的管理，从而提高能源利用效率和减排效果。

数据共享与合作，通信技术的发展促进了数据共享和合作，为碳减排和能源转型提供了广泛的合作机会。数据共享平台和数字化平台的建立,使不同组织和利益相关者能够共享数据、经验和最佳实践,加强合作,共同应对碳排放和气候变化挑战。

能源市场与碳市场,通信技术的进步对能源市场和碳市场的运行和管理产生了重要影响。数字化技术和在线平台使能源交易和碳交易更为高效、透明和可靠,有利于碳减排项目的发展和碳市场的繁荣。

通信技术在双碳领域发挥了重要作用。它为更好地数据采集和监测提供可能,支持远程监控和控制,促进能源系统的智能化和协调,加强数据共享与合作,以及改进能源市场和碳市场的运行。这些技术进步为碳达峰和碳中和目标的实现提供了更多机会和解决方案。

(三)以华为和中兴为首的通信设备厂商的努力

在实现双碳目标的过程中,华为和中兴作为通信设备制造业的领军企业,展现出了积极的探索和实践。这些努力不仅体现在推动通信行业的绿色转型上,也为整个社会的低碳发展提供了技术和解决方案的支持。

华为通信在推进通信行业进入双碳新时代方面,通过持续的技术创新,从供应、配送、使用、管理四个方面实现基站全流程的低碳节能。华为采用新型温控空调、液冷、储能等技术,改善电力供给结构,极简用电,并引入人工智能技术,实现整个网络的联动,与运营商共同建设绿色5G网络。此外,华为还在绿色企业运营、绿色供应链、绿色数字基础设施、绿色行业赋能等四大维度助力双碳目标的达成。

中兴通讯则从绿色企业运营的角度出发,积极探索和实践绿色、低碳的发展路径。中兴通讯在其运营的基站、服务器、数据中心等网络设备上,通过推进5G基站室外小型化、无机房化发展,加强基站基础设施的共建共享,推进高能耗、低能效设备的退网改造,降低无效设备和供电消耗。这些措施不仅提高了能源使用效率,还促进了通信行业的绿色转型。

华为和中兴的这些努力,不仅体现了企业对社会责任的担当,也展示了通信设备制造商在推动行业绿色发展、实现双碳目标方面的重要作用。通过这些技术创新和管理优化,华为和中兴为通信行业乃至整个社会的低碳转型提供了有力的支持和示范,为实现碳达峰、碳中和目标贡献了重要力量。

三、5G技术对于双碳的重要性

在实现双碳目标的过程中,5G技术扮演着关键角色。全球对碳排放日益关注,信息通信技术行业被认为是推动社会经济向绿色低碳转型的主要力量。作为新一代通信技术,5G不仅提供了更高的数据传输速率和更低的延迟,还显著提升了能效。通过优化网络架构和采用先进的节能技术,5G网络在确保服务质量的同时大幅降低能耗,进而减少碳排放。此外,5G技术的广泛应用促进了智慧能源、智慧交通等领域的发展,为降低整体社会碳足迹贡献重要力量。例如,5G技术能够支持更为精细化的能源管理系统,实现能源的高效利用和可再生能源的广泛应用。在智慧交通系统中,5G技术的低延迟特性使得车辆能够实时响应,有效减少交通拥堵和尾气排放,从而降低城市碳排放。

(一)5G技术提升能源效率

首先,5G技术通过其高速、大容量、低时延的特性,为智能化管理和优化网络资源提供了技术基础。与前代技术相比,5G网络在设计之初就充分考虑了能效比的优化,通过引入更加灵活和智能的网络架构和管理策略,有效提升了网络的能源使用效率。例如,5G技术支持更加精细化的网络资源管理,能够根据实时的业务需求动态调整网络资源的分配,从而减少无效或低效能源的消耗。

其次,5G技术在推动信息通信行业绿色发展方面发挥着关键作用。通过高效的网络架构和先进的节能技术,5G基站相比4G基站在能耗方面有了显著地降低。例如,通过采用软件定义电源和智能储能技术,5G基站能够实现智能削峰和电源按需配置,进一步提高了能源使用效率。此外,5G技术还支持更广泛的清洁能源应用,如通过与可再生能源系统的集成,实现数据中心和基站的绿色供电,从而降低了整个信息通信行业的碳足迹。

再次,5G技术通过促进垂直行业的数字化转型,间接提升了整个社会的能源效率。5G网络的高速度和大容量为各行各业提供了实时数据处理和远程控制的可能,这不仅提升了生产效率,还有助于优化能源使用和减少碳排放。例如,在智能电网、智慧交通和智能制造等领域的应用,都展现了5G技术在提升能源效率方面的巨大潜力。

最后,5G技术的发展还带动了相关节能减排技术的创新和应用。通过对5G网络自身的持续优化和升级,以及5G技术在各行各业中的深入应用,不断推动着节能减排技术的创新,为实现双碳目标提供了强有力的技术支撑。

(二)5G技术支持智能电网

智能电网作为新一代电网系统,其核心在于利用先进的信息通信技术实现电网的高效、可靠、经济、环保运行,5G技术的应用无疑将加速智能电网的建设,进而有效提升能源利用效率,对实现双碳目标具有重要意义。

首先,5G技术能够提高智能电网的数据处理能力。智能电网需要处理来自各种传感器、智能表计等设备的海量数据,这对通信网络的传输速度和处理能力提出了极高的要求。5G技术的高速数据传输能力能够确保这些数据能够被实时收集和处理,从而提高电网的运行效率和可靠性。此外,5G技术的低延迟特性对于电网中的实时监控和控制尤为重要,能够确保电网运行中的任何异常情况能够被及时发现和处理,减少能源浪费和损失。

其次,5G技术支持的大连接特性,为智能电网中的设备互联提供了可能。在智能电网中,不仅传统的电网设备需要连接,家庭、企业中的各种智能设备也需要与电网实现互联,形成一个广泛的物联网。5G技术能够支持海量设备的连接,这使得电网运营商能够实现对电网全覆盖的智能化管理,优化资源配置,提高能源利用效率。

再次,5G技术还能够促进可再生能源的集成和利用。随着太阳能、风能等可再生能源在能源结构中所占比重的不断增加,如何有效地将这些不稳定、间歇性的能源集成到电网中成了一个挑战。5G技术的应用,通过实时数据收集和处理,能够精准预测可再生能源的产出,优化电网的调度策略,提高可再生能源的利用率,减少对化石能源的依赖,有助于实现碳减排目标。

最后，5G 技术还能够支持电网的需求响应管理。通过 5G 网络，电网运营商可以实时监控电网负荷情况，并通过价格信号等手段引导用户调整用电行为，平衡电网负荷，提高电网的运行效率和稳定性。这不仅能够降低电网的运营成本，还能够促进能源的节约和减排。

（三）5G 技术与智慧城市

随着全球对于实现碳达峰和碳中和目标的共识不断增强，信息通信技术特别是 5G 技术在推动智慧城市发展中的作用愈发显著。5G 技术以其高速率、低时延、大连接的特性，为智慧城市的构建提供了强有力的技术支撑，特别是在交通、建筑等领域通过优化资源配置、提高能源利用效率等方式，显著减少碳排放，为实现双碳目标贡献力量。

在智慧交通领域，5G 技术的应用能够有效减少交通拥堵，优化交通管理，从而降低汽车尾气排放。通过 5G 网络实现的车联网（V2X）技术，能够实时收集和处理交通信息，预测交通流量，指导车辆选择最佳路线，减少等待和绕行时间，从而降低能耗和碳排放。此外，5G 技术还能够支持自动驾驶技术的发展，通过精准的定位和快速的数据传输，提高自动驾驶车辆的安全性和效率，进一步减少交通事故和拥堵，降低碳排放。

在智慧建筑领域，5G 技术的应用同样展现出巨大的减碳潜力。通过 5G 技术，可以实现建筑物内外环境的实时监控和智能控制，优化能源使用。例如，智能照明系统根据室内外光线变化自动调节亮度，智能空调系统根据室内外温度和人员分布自动调节温度和风速，有效降低能源浪费。此外，5G 技术还能支持建筑物能源管理系统的优化，通过对建筑物能源消耗的实时监控和分析，发现节能减排的潜在机会，实现能源的高效利用，减少碳排放。

5G 技术在智慧城市中的应用，不仅限于交通和建筑领域，还包括智慧能源、智慧环保等多个方面。通过 5G 技术，可以实现对城市能源系统的实时监控和优化管理，提高能源利用效率，推动清洁能源的使用，减少化石能源的消耗和碳排放。在智慧环保领域，5G 技术可以支持环境监测设备的广泛部署和实时数据传输，及时发现和处理污染问题，保护城市环境，减少碳排放。

第二节　产业数字化转型推动双碳发展

第四次工业革命为全球带来了深刻的变革，在前三次工业革命成果的基础上，催生出以智能制造为核心的信息数字化产业。基于第四次工业革命背景，人工智能、区块链、云计算、5G 技术、大数据等迅速发展，并在相互交织融合中形成新业态。各种新兴行业和岗位层出不穷，传统观念不断被打破和重塑，使得我国在 21 世纪，通过社会主义现代化体系，焕发出更强大的生机和活力。

近年来，我国设立的双碳目标，正值第四次工业革命的信息数字化热潮，可以借助互联网数字信息和相关技术产业推动各行各业实现减排降碳，推动绿色可持续发展，从而确保我国双碳目标按时按质完成。

一、传统产业数字信息化转型的必要性

数字信息化转型对于传统产业而言不仅是一种选择，更是一种必然。只有通过不断的技术创新和模式创新，传统产业才能在全球化和信息化的大潮中稳健发展，实现转型升级。未来，随着新一代信息技术的不断进步和应用，传统产业的数字信息化转型将展现出更加广阔的发展前景。因此，加快推进传统产业的数字信息化转型，已成为推动经济高质量发展的重要途径。

（一）传统产业的现状与挑战

在当前全球化和信息化的背景下，传统产业面临前所未有的挑战与机遇，转型升级已成为时代的必然要求。通过深度融合新一代信息技术，传统产业不仅能够有效应对当前的挑战，还能在新的市场竞争中占据有利地位，实现可持续发展。

1. 效率低下的原因分析

传统产业在面临数字信息化转型的过程中，效率低下成了一个不可忽视的问题。这一问题的根源可以从多个角度进行分析，包括过时的技术应用、管理方法的落后以及对新兴技术的应用不足等方面。

首先，过时的技术是导致传统产业效率低下的主要原因之一。在传统产业中，许多生产流程仍然依赖于手工操作或是老旧的机械设备，这些方式在效率上无法与现代信息技术相比。例如，在制造业中，缺乏智能制造和智能物流的应用，导致生产效率低下，成本居高不下。此外，物流产业中缺乏物联网技术的应用，使得物流、仓储、质检等环节无法实现完全自动化，供应链透明度低，无谓浪费严重。

其次，管理方法的落后也是导致效率低下的重要因素。在许多传统产业中，企业管理仍然采用传统的层级制度，决策流程长、反应慢，难以适应市场变化的需要。这种管理模式下，信息流通不畅，决策效率低下，难以做出快速反应以应对市场的变化。此外，传统产业在人才培养方面也存在问题，缺乏具有信息化背景和运用新技术的专业人才，这势必会影响到企业的转型升级。

最后，对新兴技术的应用不足是另一个重要原因。虽然新一代信息技术，如人工智能、大数据、云计算等，为传统产业的转型升级提供了可能，但在实际应用中，许多传统企业仍然处于观望态度，缺乏积极主动地去探索和应用这些新技术的意识。这种犹豫不决，导致企业错失了利用新技术提升生产效率、降低成本的机会，也使得企业在激烈的市场竞争中处于不利地位。

2. 成本高昂的原因分析

在探讨传统产业的现状与挑战时，成本高昂是一个不可忽视的问题。传统产业在数字信息化转型的过程中，往往会遇到人力成本上升和资源浪费的双重压力，这两个因素共同推高了企业的运营成本，削弱了其在市场上的竞争力。

首先,人力成本的上升是传统产业成本高昂的一个重要原因。随着经济的发展和社会的进步,劳动力市场的需求和供给关系发生了变化,导致劳动力成本逐年上升。特别是在一些劳动密集型的传统产业中,如制造业和服务业,人力成本占企业总成本的比重较大。随着信息技术的发展和应用,传统产业需要招聘具有信息化背景和技能的专业人才,这类人才的薪酬往往高于普通劳动力,从而进一步推高了人力成本。

其次,资源浪费是另一个导致成本高昂的重要因素。在传统产业的生产和经营过程中,由于缺乏高效的信息化管理和控制手段,往往会出现原材料和能源的浪费。例如,在生产过程中,由于缺乏精准的数据分析和预测能力,企业可能会生产出超过市场需求的产品,造成库存积压和资源浪费。此外,传统产业在生产设备和工艺上的落后,也会导致能源利用效率低下,增加了生产成本。

为了应对人力成本上升和资源浪费的问题,传统产业需要加快信息化和数字化转型的步伐。通过引入先进的信息技术,如人工智能、大数据分析等,企业可以优化生产管理流程,提高生产效率和资源利用率。例如,通过实施智能化的生产流程和自动化的业务流程,企业可以减少不必要的人力投入,降低人力成本。同时,利用大数据分析技术对市场需求进行精准预测,可以有效避免过度生产和库存积压,减少资源浪费。

3. 市场竞争的现状

在全球化和信息化的时代背景下,传统产业正遭遇前所未有的挑战与压力。新一代信息技术的迅猛发展,正深刻改变市场竞争的格局与规则。传统产业在此环境下的竞争状况,特别是与新兴产业和技术革新的竞争者相比,显得尤为严峻。

首先,从竞争对手的角度分析,传统产业的企业在技术创新与市场反应速度上往往不及新兴信息技术企业。新兴企业借助互联网、大数据、人工智能等新一代信息技术,能快速捕捉市场需求,实现精准营销与高效运营。相比之下,许多传统产业企业在信息化建设上投入不足、进展缓慢,导致在市场信息的获取、处理与利用上处于明显劣势,进而在竞争中处于不利地位。

其次,市场需求的变化也为传统产业带来巨大挑战。随着消费者偏好的多样化和个性化趋势日益明显,传统的大规模标准化生产模式已难以满足市场需求。新一代信息技术的应用使得定制化生产和服务成为可能,进一步加剧了传统产业的市场压力。通过信息化手段,企业可实现从生产管理到客户服务的全链条数字化,提高生产效率和服务质量,更好地满足消费者的个性化需求。

最后,传统产业在全球化竞争中还需面临成本与效率的双重压力。在全球供应链的背景下,传统产业不仅要应对国内竞争对手的挑战,还需与国际市场的竞争者展开角逐。这就要求传统产业通过提高生产效率和降低成本来增强竞争力。信息技术在这方面具有显著优势,能帮助企业优化生产流程、降低运营成本、提高市场响应速度。

(二)数字信息化转型的意义

数字信息化转型的必要性和紧迫性是不容忽视的。它不仅是传统产业应对国内外市场竞争、满足消费者多样化需求的必然选择,也是推动经济结构优化升级、实现高质量发展的重要途径。因此,加快推进传统产业的数字信息化转型,对于提升我国产业的整体竞争力和可持续发展能力具有重要意义。

1. 提高生产效率

在数字信息化转型的背景下,传统产业通过引入新一代信息技术,如人工智能、大数据、物联网等,显著提高了生产效率。这些技术的应用不仅优化了生产流程,还实现了生产过程的自动化和智能化,从而大幅度提升了企业的生产效率和市场竞争力。

首先,人工智能技术的应用使得企业能够通过数据分析来优化业务流程,实现生产过程的自动化。这种技术的应用不仅提高了生产效率,还降低了生产成本。例如,在智能制造领域,通过智能化控制生产车间的工序管理和生产计划,实现了生产过程的高度自动化,这不仅提高了产品质量,还缩短了生产周期。

其次,物联网技术的应用使得物流、仓储、质检等环节能够实现全面自动化,提高了供应链的透明度,减少了无谓的浪费,从而在很大程度上提升了物流产业的生产效率。这种技术的应用,使得企业能够实时监控生产流程,及时调整生产计划,从而更有效地利用资源,减少生产成本。

最后,云计算和大数据技术的应用,使得工厂生产的过程中所有的数据可以全面数字化,实现了线上线下数据的共享,从而实现了精益管理,进一步降低了生产成本,提高了生产效率。这些技术的应用,不仅提高了生产过程的自动化和智能化水平,还使得企业能够更好地适应市场需求的变化,提高了企业的市场竞争力。

2. 降低运营成本

在数字信息化转型的过程中,降低运营成本成为企业追求的重要目标之一。通过优化资源配置和提高能源利用效率,企业能够有效减少不必要的开支,从而提升整体的经济效益。本节将深入探讨数字化转型如何帮助企业实现运营成本的降低。

首先,数字化技术的应用使得企业能够更加精准地进行资源配置。通过大数据分析、云计算等技术手段,企业可以实时监控资源使用情况,预测未来的资源需求,并据此调整资源分配策略。这种基于数据的决策制定过程,不仅提高了资源的使用效率,还避免了资源的浪费。例如,智能制造系统能够根据生产需求自动调整原材料的采购量和生产线的运行状态,确保资源得到最优化地利用。

其次,数字化转型通过提高能源利用效率来降低运营成本。在传统产业中,能源消耗往往占据了企业运营成本的大部分。通过引入智能能源管理系统,企业能够实时监控能源消耗情况,识别能源使用的不合理之处,并进行优化调整。例如,智能物流系统通过优化运输路线和调度计划,减少了燃油消耗,降低了物流成本。此外,智能制造技术还能够减少机器的空闲时间和过度使用,从而降低能源消耗,提高能源利用效率。

再次,数字化转型促进了业务流程的自动化,进一步降低了人力成本和操作错误带来的损失。通过引入人工智能、机器学习等技术,企业能够实现生产流程的自动化,减少对人工操作的依赖。这不仅提高了生产效率,还降低了因操作错误导致的资源浪费和成本增加。例如,自动化的质量检测系统能够及时发现产品缺陷,减少不合格产品的产出,从而降低了返工和废品处理的成本。

最后,数字化转型通过促进供应链的透明化,帮助企业更有效地管理供应链,降低供应链成本。通过物联网技术,企业能够实时追踪原材料的流动情况,优化库存管理,减少库存积压和缺货的风险。此外,数字化技术还能够提高供应链各环节之间的协同效率,减少交易成本,提高整个供应链的运作效率。

3. 增强市场竞争力

在数字信息化时代背景下,传统产业面临着前所未有的挑战与机遇。随着消费者需求的多样化和市场竞争的加剧,传统产业亟须通过数字信息化转型来增强其市场竞争力。本节将探讨数字化转型如何帮助传统产业通过创新服务和产品,以及改善客户体验来实现这一目标。

首先,数字信息技术的应用能显著提高传统产业的生产效率和产品质量。通过引入人工智能、大数据分析等技术,企业能够实现对生产流程的优化和对产品质量的精准控制,从而在市场上获得更强的竞争力。例如,人工智能技术可以协助企业进行数据分析和业务流程自动化,大大提高了企业的效率和生产力。

其次,数字化转型能够帮助传统产业更好地理解和满足消费者需求。通过对消费者行为数据的深入分析,企业可以发现市场趋势和潜在需求,进而开发出更符合市场需求的产品和服务。此外,数字化手段还能够帮助企业实现个性化营销,通过社交媒体等渠道与消费者建立更紧密的联系,提升消费者体验和品牌忠诚度。

再次,数字信息化转型还能够帮助传统产业拓展新的市场和业务模式。随着电子商务和在线服务的兴起,传统产业可以通过数字化平台拓展线上业务,开辟新的收入来源。同时,数字化还为传统产业提供了与其他行业跨界合作的机会,通过整合不同行业的资源和技术,提供出创新的产品和服务,进一步增强市场竞争力。

最后,数字化转型还能够帮助传统产业提高对市场动态的响应速度。在数字化环境下,企业可以实时监控市场变化和消费者反馈,快速调整经营策略和产品方向,以更灵活的方式应对市场的不确定性。

二、数字信息化转型的方向

传统产业通过数字信息化转型,不仅能够提高生产效率和产品质量,还能促进企业创新能力的提升,实现产业结构的优化升级。数字信息化转型的方向主要包括高端化、绿色化、智能化。数字信息化转型为传统产业提供了新的发展机遇。企业应积极拥抱信息技术,深化数字化转型,不断创新发展模式,以适应新时代经济发展的要求。

(一)高端化

我国很多传统行业仍处于产业链的中低端,高端产品供应不足,存在创新能力不足、关键核心技术掌握不完全等问题,导致一定程度的"卡脖子"现象。同时,我国对外关键技术的依赖程度偏高。一方面,以企业为主的产业创新体系不够健全,仍有很大完善空间。目前我国多个领域间产业链上下游合作较为分散,企业间合作研发的信息和资金动力不足。许多企业独自奋斗,脱离了创新大环境的"孤岛现象"日益突出,尚未形成以行业内部龙头企业为主导的紧密型、垂直型产业分工协作体系,更难以形成龙头领军型企业。这些龙头企业需要以需求为导向,带领大部分企业进行团结合作,起到良好的带头作用,共创共赢,形成创新新生态。然而,大多数企业仍然处于孤军奋斗、各自为战的局面。对比之下,各发达国家的产业链则完全不同。例如美国,通过组建产业合作联盟的方式构建产业生态圈,在创新上构成闭环,在运营上形成良性竞争,吸收、整合产业链上的关键企业,实现产业链管控与企业发展共同管理。

另一方面,传统产业企业严重缺乏创新。在产品设计、产品包装,功能性材料开发、新技术应用等环节上,大多数企业都采取"拿来主义"的态度,缺乏原创性创新,行业发展陷入同质化竞争。企业的品牌价值不高,未能走出"加工制造"圈子,因此存在生产产品的技术水平低,且污染性较强的问题。例如我国的纺织印染产业整体仍处于代工模式,绝大多数贸易由布行负责,代工环节则交给染厂处理,在设计研发上投入的资金明显不足,对于服装时尚快消趋势下的小批量、多品种、个性化的生产经营模式仍未设立。此外,中、上游端口的高级面料,高级化工绝大部分依靠国外进口,更高级别的面料工艺、染整技术,以及服装版式都存在技术水平低下,创新严重不足的问题。

国家间经济角力和竞争的主战场是制造业,而传统产业则是制造业的主体部分,它的水平很大程度上体现了一个国家的综合国力。制造业与国家综合国力的高低挂钩,技术创新体系一般情况下是以企业为主体的。企业是创新的主体,如何提高企业创新的积极性?进一步完善以企业为主体的创新体系,就必须依靠数字信息化转型。只有数字信息化转型才能够实现产业升级,提高企业的生产技术和设备水平。这样不仅可以提高企业的竞争积极性,还可以提升企业的创新能力,造福社会,并使企业盈利。企业获得更多的生产效益,降低了生产成本,最终实现减排降碳,绿色发展的目标。

推动高端化的具体举措如下。

1. 提高工业基础能力传统工业基础能力具有重要作用,是建设制造业强国的重要支柱和关键支撑,可以决定产品质量的高低。然而,长期以来,中国"四基"发展严重落后于发达国家平均水平,这使得中国制造业在全球制造业产业链中处于末端,成为"卡脖子"问题,严重阻碍中国制造业发展。因此,必须加快实施工业强基建设,梳理出关键基础材料、核心零部件、先进基础工艺、产业技术基础等需要重点攻克的技术瓶颈,围绕传统产业数字信息化转型升级,凝心聚力、逐个击破。

2. 注重品牌建设与质量提升品牌质量对国家和企业而言都具有重要作用,体现着核心竞争力,一个出色的品牌可以提高产品的知名度。在一定程度上,打造品质品牌是对产品品质和质量的提高,提高企业对公民的服务水平,促进企业技术创新,对企业和国家意义重大。为此,必须严格按照推进供给侧结构性改革的战略部署,不断监测产品质量,提升品牌质量活动。这不仅可以提高企业的生命周期,使企业更具竞争力和生存能力,还能推动质量追溯建设,以增品种、提品质、创品牌为着力点,全面提升产品和企业在市场中的竞争力。

3. 打造良好的企业经营环境企业经营环境的好坏直接影响企业竞争力。面对发达国家再工业化进程和以美国为首的制造业回流政策,以及新兴经济体制造业加速发展的竞争形势,我国首先要积极挖掘自身潜能,瞄准传统企业在用工、税费、物流以及能源和其他成本等方面,采取务实措施降低实体企业的经营成本。其次,要在制度和机制改革方面下大力气,改善营商环境,对企业而言具有重要意义。必须从内部构建高效政府体系,不断提高政府治理水平。制造业效率的改善离不开政府效率的提高,只有提高政府效率,才能更好地改善制造业效率。

(二)绿色化

近年来,绿色产业逐渐成为推动工业经济优质发展的原动力,中国传统制造业绿色转型步伐加快,绿色制造体系建设深入推进。建设制造业强国,走生态文明发展之路,我国坚持把可持续发展作为着力点。全力推进传统产业绿色化,努力建设低碳可持续的绿色环保体系。

绿色化已成为制造业的大趋势,目前,许多传统制造业厂商纷纷提前布局走高效清洁集约循环的绿色低碳发展道路。

生态文明建设是人类社会与自然界的一种文明形态,是与自然界和谐相处,良性互动的状态,属于不断发展的过程。其核心是提高环境资源和承载能力,遵循自然规律,建设资源节约型和环境友好型社会,实现国家可持续发展和人与自然的协调发展。我国始终重视生态文明建设,在十八届三中全会提出了建设美丽中国、加快建设生态文明制度的目标,促进形成现代化建设的新格局,深化生态体制文明改革。

基于这一大政方针,对我国制造业提出了更高要求。首先,必须在2020年前实现基本工业化的过程中,进一步深化工业化发展;其次,在形成节约资源和保护环境的绿色空间发展格局、产业结构、生产方式、生活方式等方面,也要更加注重生态文明建设,切实转变生产发展方式。

进入21世纪,我国工业迅速发展,已经成为工业强国,但是许多传统行业依然没有摆脱落后生产方式,急待转型升级,尤其是传统制造业。资源能源合理低碳环保利用的问题已迫在眉睫。传统工业制造业,极大地阻碍了双碳目标的成功实现。

改革开放以来,工业文明在我国取得了巨大成就,但是社会发展必然趋势是从工业文明上升为生态文明。生态文明是工业文明发展的更高层次,是发展的新阶段,也是超越的新阶段。为了克服传统工业文明存在的缺陷,寻求一条资源节约型,环境友好型绿色发展之路,构建生态文明绝对不仅仅是单纯意义上污染治理与生态修复。建设生态文明要全面实行绿色制造,继续缩短和发达国家在绿色制造上领先的距离,加快赶超国际先进绿色发展水平,从绿色制造的角度来看,应具备全面推行绿色制造的条件,加快绿色建设不仅能够有效地缓解资源能源约束与生态环境压力,而且能够推动产业低碳环保化发展,增强绿色环保等战略性新兴产业在我国经济社会发展中的支撑作用,促进加快走向产业链中高端、科技含量更高、资源消耗更低、环境污染更小的产业结构与生产方式"绿色化"发展。真正做到绿色化发展增长。

工业制造业为立国之基,是我国经济发展的根本,是促进经济发展增质提效更新的主战场。在工业化进程中,必须坚持以供给侧结构性改革为主线不动摇,着力推进重点领域和关键环节的创新突破,为实现"两个一百年"奋斗目标提供强有力的支撑。大力发展工业制造业要积极主动应对新常态,将绿色、可持续发展、低碳环保作为制造强国建设的一个重要抓手,将其置于重要地位,同时要显著提升绿色制造业发展水平、推动减碳减排,使其加速成为新的经济社会发展的增长点。

大力实施绿色制造,积极参与国际竞争、提高竞争力。在工业化发展进程中,必须坚持以供给侧结构性改革为主线不动摇,着力推进重点领域和关键环节的创新突破,为实现“两个一百年”奋斗目标提供强有力的支持。2008 年国际金融危机爆发之后,为了实现经济的恢复与发展,改变不景气的经济发展环境,让大量失业人员重新复工。联合国环境部门提出了发展绿色经济的课题,2009 年 20 国集团大会上,各国也普遍采纳了这个方案。我国也将建设资源节约型、环境友好型社会列入《国民经济和社会发展第十二个五年规划纲要》之中。世界大国都将绿色经济看作是自己经济发展的前景,为了能在未来全球经济竞争中占据优势地位和有利制高点,都在大力强化战略规划和加大政策资金扶持。我们可以从中得出,绿色环保发展已经成为世界经济的一个重要发展趋势。欧盟推行绿色工业发展计划,投入 1 050 亿欧元支持欧洲地区“绿色经济”建设;美国政府更是开始积极主动地介入行业的走向,又一次肯定了制造业在美国经济中的中心地位,以高端制造业为目标,以信息技术为依托,以高经济为支撑,借助技术优势,规划发展新格局。我国应积极应对有关环境与能源问题的压力,加快推进生态文明建设,走可持续发展道路。与此同时,有些国家为保持其优势地位,持续设置并完善绿色壁垒等,全球一体化又面临着新的冲突与挑战,在国际竞争中,绿色化标准已成为一个新的利器。

当前来看,我国制造业整体处于产业链的低端,生产产品消耗资源大。随着我国经济的发展,劳动力成本不再如过去那般低廉,经济进入中高速增长阶段,下行压力增大。在全球“绿色经济”转型的背景下,必须打造制造强国,协调利用资源以及国内、国际市场,推动制造业的绿色发展刻不容缓。通过发展绿色生产力,迅速提升绿色综合国力,增强绿色国际竞争力。发达国家的经验表明,制造业是一个国家工业化水平和科技创新水平的直接体现,是推动经济社会发展的主导力量,其绿色化程度决定了该国能否成为制造强国。因此,我们要养成节约资源、保护环境的良好习惯,调整产业结构和生产方式,改变以往高投入、高污染、高消耗的生产模式,确立低投入、低消耗、低污染、高效益的原则,建立资源节约型、环境友好型的工业体系。这不仅是制造业强国的基本特征,更是其核心所在。制造业的绿色发展必须从源头抓起。唯有制造业实现绿色化,才能为社会带来物质财富的同时,维护自然环境,实现制造强国的梦想,在发展经济的同时保护环境,促进双碳目标的成功实现。

党的十八大提出实施创新驱动战略,要求将科技创新置于我国发展的中心位置。而实施创新驱动发展战略的关键在于传统制造业。欧美主要发达国家的经验和中国的发展实践表明,工业,特别是传统制造业,决定了国家整体创新水平,是创新成果最活跃、最丰富的领域。我国传统工业只有坚持将绿色创新放在发展的核心位置,进一步推动工业科技绿色化,才能实现制造业产值的中高速增长,支撑国民经济合理增长,同时实现产业结构和生产方式的绿色化,有效应对资源能源约束和生态环境压力。

影响我国工业转型升级的主要因素包括绿色生产、工业转型升级、绿色循环低碳发展和科技进步创新。未来几年,随着主要污染物的排放变化,钢铁、建材、造纸等行业的资源消耗将进入新的平台期,这是重要的发展机遇。我们应抓住机会,实现产业结构调整,促进转型升级。大力推进绿色技术创新,不再通过简单的数量增加和规模扩大,而是通过全过程生产的绿色化、智能化来实现目标。

如今我国工业发展方向已转变为绿色智能化，关键在于能否实现重大绿色技术的更新与推广。回顾我国工业制造业的发展历程，可以看作是国家发展的缩影。高速发展的科学技术大大提高了我国社会生产力，推动产业发展更高水平、更高质量。因此，总结过去的经验教训，我们要将制造业绿色低碳化作为一项系统工程，形成真正可行的绿色环保、减排降能方案。

我国传统制造业存在固有劣势，在当前双碳背景下，显然不符合时代潮流。对传统制造业进行转型升级是双碳目标下的必要举措，主要转型方向是绿色化和数字信息化。实现绿色化工业制造，使制造业更加绿色、环保、低碳，必须坚持创新理念，创新传统工艺，改变现有生产方式，加快以绿色理念为核心的工业创新。

推动传统行业进行绿色转型升级，对重污染、重排放的大型工业企业进行绿色化改造，加快新一代工业可循环流程的研发，推广具备高效能源利用、污染减量化、废弃物资源化利用和无害化处理功能的工艺技术，从而促使高污染制造业实现绿色升级。大力推动新兴工业的绿色发展，建设绿色全产业链，增强制造业的绿色设计和生产技术与管理能力，提高产品在绿色运行和绿色回收方面的水平。倡导使用绿色能源、绿色包装，实施绿色营销和绿色贸易，加快绿色信息通信行业的发展，生产电子信息产品，降低生产成本，实现资源的回收利用，做到资源不浪费，循环利用。积极使用和发展低碳能源，提高低碳能源使用比例，强化技术创新和管理，进一步降低能耗，推动循环生产方式，促进企业间、产业间、原料间和资源间的共生共荣。加大资源再生力度，增强技术装备支持，规范化发展再制造企业，升级老旧、性能低下和工艺落后的基础设备，对重要零部件进行再制造，实现传统机电产品和信息化手段的智能再制造。

构建绿色生产制造体系，提高产品节能环保、低碳水平，引导绿色生产和绿色消费，支持企业发展绿色产品并实施生态设计。建立绿色工厂，探索工厂绿色化模式，通过推广示范工厂，带动数千家绿色工厂的设立。发展绿色产业园区，按照生态设计理念，推动产业园区建立绿色供应链，引导企业与上下游企业共同完善环保、节能减排的社会责任采购标准和体系。做大绿色企业，推广绿色战略、绿色标准、绿色经营和绿色生产。

（三）智能化

推动产业智能化需充分利用数字信息化技术，而人工智能技术也属于其中一部分。为进一步加速“制造”向“智造”升级，要加大力度推动新一代信息技术与制造业深度融合发展，提升制造业数字信息化、网络安全化、智能化发展水平。新一轮产业变革和第四次工业革命齐驱并进，恰好处在这一历史交汇点上，我国传统制造业应当赶上这一时代机遇，充分利用现有技术大力发展。

智能化指通过利用数字信息技术，将孤立、分散的技术、产品、设备、企业生产者结合起来，实现联合发展，达到齐驱并进的目的。自 2012 年以来，我国开始大力发展高新技术产业和先进制造业，使工业信息化程度加快，生产规模开始持续性增长。为此，我们还提出要发展以服务为导向的先进制造业，既要高端，又要智能，还要兼顾绿色。除了重视“制造”的智能化外，制造业的整体产业链的串联，如研发、生产、供应、销售、服务等环节，也是制造业智能化的重要组成部分。

1. 认识传统制造业智能化的作用

以智能制造为核心的“再工业化”国家战略,近年来被一些发达国家例如美国、日本、欧洲地区相继出台。德国依靠智能制造逐步提升振兴制造业竞争力,已经步入了工业4.0时代,受到全球学界、业界、政界的广泛关注。我国也陆续出台了相关政策,为我国向工业强国发展明确提出了智能制造的重要战略目标。智能制造将助力全面提升制造业整体质量和效益。当今世界,谁能在智能制造上领先一步,谁就能在全球产业格局的新一轮变革中具备更强的竞争力,从而在今后的竞争中占据有利地位。

2. 因地制宜,结合实际,形成特色的智能制造业

智能制造的表现形式就是制造业结合数字信息智能化,因地制宜,结合实际,特色生产正是智能化的一个显著特点。各个地区要以抢占智能制造发展制高点为重点,依据国家智能制造的相关规则和标准,深入推进“智能+”,大力培育建设智能工厂和车间。推动传统制造业转型升级。同时要建立一批领军型智能制造企业,推进我国产业由传统制造业向智能制造产业升级,以智能化促进现代智能产业体系的建设,从而真正培育出具有本土特色的人工智能领军企业和相关高新技术企业。

3. 加强制造智造领域关键核心技术的科研

目前国内的主要技术还存在着显著的缺陷,尤其缺乏独立的核心控制技术,关键设备和核心零件在国内大部分制造业企业目前的发展过程中仍然匮乏。因此,必须加强对核心智能技术的研制,在软件、硬件系统的智能化制造和相应的整合等方面进行开发。尤其是要加强智能化技术的研究,加速开发一批具有自主知识产权的智能化设备新产品,在应对智能化制造行业的关键技术上,不断提高生产的智能化和自动化程度。要制定智能化产业技术规则标准,结合智能化技术研发,提升我国产业发展自主控制力。

三、数字信息产业的减排降碳

数字信息产业,特别是互联网和科技公司给世界带来了巨大的变化,对人们的交流、经贸活动和日常生活都产生了巨大影响。作为全球基础设施的重要组成部分,数字信息产业每天传递着海量信息。虽然传统观点认为数字信息产业自身的碳排放较低,但其间接产生的碳排放量却非常高。

数据中心是互联网最大的碳排放来源。例如,百度的数据中心碳排放量已占总排放量的八成以上,其他公司的数据中心排放量也大致相同。尽管苹果、微软等高科技企业自身的污染和碳排放量较少,但其上下游产业链的间接碳排放量则非常多,从原材料进口到成品销售,整个过程涉及广泛的碳排放足迹。

对数字信息产业减排措施包括以下几个方面。

1. 在数据中心着手

为促进数据中心降能减碳,头部因特网公司经常采用多种方式。大力发掘可再生能源的潜力,通过技术、设备的升级来提高能源转化率。许多公司在降低数据中心能耗的同时,致力于提高发电使用效率,通过冷却和备份系统减少发电能耗。

2. 在产品生命周期上着手

互联网科技公司应该更多地使用绿色环保的材料，在生产电子设备过程中更多地使用低碳环保绿色可回收材料，并且可以采用碳减排等高科技技术，从而达到在生产周期上减少二氧化碳等温室气体的排放目的。同时，应大力推广节能减排设计，创新举措以降低能源消耗和提高能源使用率。

3. 在相关产品供应链上着手

数字信息企业的另一大间接排放来源——产品制造供应链。作为价值链中的关键决策者，数字信息企业应利用自身影响力和产业资源，支持和推广气候友好型产业流程。通过设定供应商碳排放标准，监测并约束供应链上的碳排放，提供具体援助，引导供应商走向碳中和之路，解决能源优化领域的专门性不足问题。

4. 在办公地点用电上着手

科技公司的另一大间接排放源——办公大厦用电。互联网公司可以通过优化办公室用电的能源结构，通过使用、投资新能源来达到降低耗电量的目的。同时办公大厦的建筑物，也可以使用可持续性建筑材料，通过将日常热量储存在建筑物内，达到循环利用能源的目的。

实现双碳目标根本上要依靠科技的力量，其中数字信息技术更是发挥着无可替代的关键性作用。通过数字信息产业在各个环节上的减排降能，以及传统产业的数字信息化齐头并进，才能更好地实现双碳目标。

第三节　信息技术应用展望与政策支持

在实现碳中和与碳达峰目标的双碳战略背景之下，信息技术的应用显得尤为关键。数据的收集与分析扮演着至关重要的角色。通过高效的信息技术和智能算法，我们能够更准确地监测碳排放、分析能源消耗趋势，并发掘减排潜力。同时，信息共享平台、数据可视化，以及政策支持等手段也为达成双碳目标提供了强有力的支持。

一、数据收集与分析

（一）双碳下的数据记录与分析

信息中的数据记录在双碳领域中发挥着重要的作用，主要体现在以下几个方面：

首先，关于数据分析和决策支持，数据记录提供了关于碳排放、能源消耗、环境影响等方面的详细数据。这些数据可以通过分析和处理，揭示碳排放趋势、能源使用模式以及与碳减排相关的关键因素，帮助决策者制定合适的减排策略、能源转型计划和政策措施。其次在监测和评估方面，数据记录允许对碳排放和能源消耗进行实时或定期的监测和评估。通过收集和记录数据，可以了解企业、行业和地区的碳排放水平和能源效率情况。监测和评估的结果有助于发现潜在的减排机会、评估减排措施的有效性，并跟踪碳达峰和碳中和目标的进展。以及目标设定和追踪上,数据记录提供了制定碳达峰和碳中和目标的基础。通过收集历史数据和行业标准,可以设定合理的碳减排目标,并根据实际数据追踪进展。数据记录可以帮助组织和政府了解目标的可行性和挑战,并根据实际情况调整目标和采取相应的措施。数据记录还在发现减排机会和促进创新方面发挥作用。通过分析数据,可以识别能源浪费和高碳排放环节,提出改进方案和创新措施,促进技术创新和新兴行业的发展,推动低碳技术和可再生能源的应用。

除此之外,数据记录的其他方面同样意义重大,对于透明度和报告,数据记录为企业、政府和组织提供了透明度,使其能够公开披露自身的碳排放和能源消耗数据。透明度是促进合作、共享最佳实践和监督的关键因素。数据记录还用于制定环境报告和可持续发展报告,向利益相关者传达碳减排和能源管理的情况。

总之,数据记录在双碳领域中起着至关重要的作用。通过收集、分析和利用数据,可以支持决策制定、监测进展、发现机会和创新,推动碳达峰和碳中和目标的实现。数据记录还促进透明度和报告,增加各方之间的信任和合作,推动整体的碳减排和可持续发展。

数据记录在一定程度上,就是信息收集的过程,信息收集在碳达峰和碳中的实施过程中具有重要意义。以下是一些信息收集的关键方面。

碳排放数据收集对于监测和记录碳排放状况至关重要。掌握各行业、部门及地区的碳排放水平有助于制定针对性地减排策略。通过收集和分析碳排放数据,可以识别主要排放源,从而制定有针对性地减排措施。

技术及创新动态的掌握对清洁能源、能源效率和碳减排技术的发展具有重要意义。跟踪并收集技术进展,为实施碳达峰和碳中和目标提供支持,推动新技术的研发与应用。

碳减排市场机遇和潜力可通过信息收集得以揭示。了解清洁技术和碳市场发展趋势,助力企业及投资者把握碳减排领域商机,推动低碳经济发展。

政策和法规信息的掌握有助于了解各国及地区的能源和环境政策框架。了解相关政策法规,有助于企业和组织制定合规的减排策略,确保遵守相关法律法规。

信息收集能提供碳达峰和碳中和相关知识,增强公众的意识和理解。通过教育和宣传,引导个人和社区参与减排行动,共同合作,形成广泛的减排合力。

总之,信息收集在碳达峰和碳中和过程中具有举足轻重的作用。它为决策者提供基础数据、技术支持与市场机遇,同时也有力地推动了公众的参与度和认识水平。通过全方位的信息收集,有助于更精确地制定与执行减排策略,进而推动可持续发展与应对气候变化之目标实现。

(二)人工智能对双碳信息的数据处理

在信息收集的基础上,我们可以借助人工智能(Artificial Intelligence,简称 AI)算法进行深入分析。AI 在碳达峰与碳中和领域具有广泛的应用潜力和价值。

数据分析与预测。人工智能算法具备处理大规模数据的能力,涵盖碳排放、能源消耗及气候数据等。通过深入分析,算法能识别出碳排放的走势及能源使用模式,进而预测未来的碳排放趋势。这些预测为制定减排策略及规划能源转型提供了关键指导。

智能能源管理。人工智能算法在智能能源管理系统中发挥着重要作用。系统通过实时监控能源使用数据和环境参数,优化能源供应与需求的匹配。例如,机器学习算法能分析能源消耗数据,预测需求变化,从而实现能源的高效分配与调度。

智能建筑与控制优化。智能建筑系统利用人工智能算法,通过学习和优化控制,实现建筑物能耗的最优化。算法能分析传感器数据和用户行为模式,自动调整照明、采暖、通风等设备的运行,从而提高能源效率,减少能源浪费。

节能交通与智能运输。在交通与运输领域,人工智能算法的应用有助于减少碳排放。智能交通管理系统通过实时监测交通流量、路况等数据,优化交通信号控制,减少拥堵和排放。智能运输系统则利用人工智能算法进行路径规划、配送优化,提高物流效率,降低运输过程中的能源消耗。

智能能源预测与调度。人工智能算法在能源系统的预测与调度中发挥着重要作用。通过分析能源市场数据、天气预报等信息,算法能预测能源供需状况,优化能源调度,提高可再生能源的利用率,并降低碳排放。

需要注意的是,人工智能算法在双碳应用中仍处于不断发展和探索阶段。算法的准确性和可靠性需要进一步验证和改进。此外,人工智能算法的应用也需要与其他技术和政策手段相结合,形成综合的双碳解决方案,以实现碳达峰和碳中和的目标。

二、信息技术的应用与双碳目标的紧密结合

传感技术与信息技术之间存在密不可分的关联和相互依赖关系。传感技术负责检测、测量和感知环境中的多种参数与信号,如温度、湿度、压力、光线及声音等,而信息技术则专注于处理、存储和传输数据,涉及计算机、网络和通信等多个方面。

传感器等设备通过传感技术从物理世界中收集数据,随后将这些数据转化为数字信号。这些数字信号借助信息技术得以处理、存储和传输。例如,传感器能够通过模拟到数字转换器将收集到的温度数据转换为数字信号,再利用计算机进行深入的分析处理。

信息技术为传感技术提供了强大的数据处理与存储能力。传感技术所产生的大量数据需经过处理与分析,以提炼出有价值的信息。信息技术的算法和软件能够应用于传感数据,实现数据的分析、模式识别以及决策支持等功能。

同时,信息技术亦能提升传感技术的功能与效果。借助网络和通信技术,传感器能够接入互联网,实现远程监测与控制。这使得传感技术得以广泛应用于智能家居、工业自动化、智能交通等诸多领域。

因此,传感技术与信息技术相互促进,共同推动了物联网、人工智能及大数据等前沿领域的发展。传感技术为我们提供了丰富的数据源,而信息技术则提供了处理这些数据的必要工具与技术,使我们得以更深入地理解和利用物理世界的信息。此外,这两种技术在双碳目标的实现上也发挥着至关重要的作用。

(一)传感设备助力双碳信息收集

传感器在碳达峰与碳中和目标的实现过程中具有广泛的应用价值,主要体现在以下几

个方面：

碳排放的监测与评估。传感器能够精准测量和持续监控各类排放源的碳排放情况。例如，气体传感器能有效检测大气中二氧化碳（CO_2）的浓度，为碳排放水平的追踪与评估提供关键数据。同时，传感器也能深入工业设备、交通运输、建筑等领域，提供翔实的数据支持，为制定减排策略提供科学依据。

能源效率的监控与优化。传感器通过实时监测和分析能源使用情况，如智能电表和各类传感器的应用，能够精准识别能源浪费环节，为能源使用效率的提升提供数据支撑。此外，传感器在建筑物能源利用方面的应用，有助于发现能源浪费问题，推动节能措施的持续改进。

可再生能源的管理与优化。传感器在太阳能、风能等可再生能源的收集和利用中发挥着至关重要的作用。通过实时监测太阳能电池板、风力发电机的运行状态及环境参数，如输出功率、风速、光照强度等，传感器为能源生产和分配的优化提供了有力支持，实现了可再生能源的最大化利用。

节能建筑与智能控制的实现。传感器在节能建筑与智能控制系统中扮演着关键角色。通过对室内温度、湿度、光照等环境参数的实时监测，传感器能够实现自动化控制，智能调整照明、采暖、通风等设备的运行状态，从而提升能源效率，降低能源消耗。

交通管理与智能运输的推进。传感器在交通管理与智能运输系统中的应用，有助于减少交通拥堵，降低碳排放。通过实时监测交通流量、车辆速度及拥堵状况，传感器为交通管理提供实时数据支持，助力优化路线规划，减少车辆排放，推动交通系统的绿色发展。

通过传感器的应用，可以实现对碳排放和能源使用的实时监测、控制和优化，为碳达峰和碳中和目标的实施提供科学依据和支持。此外，传感器还可以提供数据基础，促进碳市场的发展和推动创新的低碳技术的应用。

信息技术的应用在双碳领域中可以产生积极的影响，但也可能存在一些消极的影响。

信息技术有利于决策制定。信息应用提供了数据和洞察力，可以支持决策者制定更准确、基于证据的减排策略和能源转型计划。准确的信息和分析结果有助于确保决策的科学性和可行性。同时信息应用使得碳排放和能源消耗数据更加透明，提供了合作的基础。透明度促进了利益相关者之间的沟通和合作，以推动共同的碳减排和能源管理目标。

信息技术还促进创新和技术发展，信息应用为创新和技术发展提供了机会。通过数据分析和洞察力，可以发现新的减排机会、能源效率改进方法和新兴技术，推动低碳技术的发展和应用。信息应用可以帮助识别和优化能源使用效率，减少浪费，提高能源利用效率。通过数据分析和监测，可以发现能源消耗的瓶颈和改进机会，实现更高效的能源管理。

然而，信息技术的消极影响包括数据隐私和安全风险，信息应用涉及大量的数据收集和存储，可能存在数据隐私和安全风险。未妥善管理的数据可能会导致个人隐私泄露，或者被恶意利用。因此，必须采取适当的安全措施来保护数据的隐私和安全。同时信息应用的效果和决策质量取决于数据的质量和准确性。如果数据质量差或存在错误，可能导致不准确的分析结果和决策。因此，确保数据的质量和准确性是信息应用的重要挑战。

面对数字鸿沟和不平等，信息应用需要技术和数字能力来解读和利用数据。如果某些组织或个人缺乏这些能力，可能导致数字鸿沟和不平等。这可能削弱某些群体参与双碳行动的能力,加剧不平等问题。

总的来说,信息应用在双碳领域中具有积极的潜力,可以支持决策制定、透明度、合作和创新。然而,也需要注意解决数据隐私和安全问题,确保数据质量和准确性,以及解决数字鸿沟和不平等问题,以充分发挥信息应用的潜力。

通过数据收集和分析,形成有利于我们使用的信息,可以进一步通过信息共享平台发挥信息技术对于双碳的积极作用。

(二)信息共享平台在双碳的作用路径

信息共享平台在双碳领域的贡献主要体现在以下几个方面。

知识传播与技术创新。信息共享平台为各领域专家、科学家、实践者和利益相关者提供了一个互动交流和知识共享的平台。这有助于推动双碳相关的技术创新和解决方案的开发。通过平台上的专家分享和案例研究,参与者可以了解到最新的双碳技术、实践经验和创新思路,从而推动行业和社区的进步。

政策制定与决策支持:信息共享平台提供了准确、及时的数据和信息,为政策制定者和决策者提供参考。平台上汇集的数据和分析结果可以用于评估和监测双碳政策的实施情况,帮助决策者做出明智的决策。此外,平台上的专家意见和共享经验为政策制定者提供了宝贵的参考和指导。

跨部门和跨领域合作。双碳目标的实现需要各部门、行业和利益相关方之间的紧密协作。信息共享平台可作为跨部门和跨领域的合作平台,促进各领域之间的交流和合作。平台上的合作机制和工具有助于政府、企业、研究机构和社会组织之间的合作,共同推进双碳目标的实现。

数据共享与监测平台。信息共享平台整合和共享了与双碳相关的数据,如能源消耗、碳排放、环境影响等。这些数据对于评估和监测双碳目标的实施情况至关重要。平台上的数据共享和监测工具协助政府、企业和公众获取准确的信息,以支持决策和实际行动的制定。

公众参与意识提升。信息共享平台通过信息发布、教育和互动交流等方式,提高公众对双碳问题的认识和理解。平台上的内容有助于公众认识到双碳目标的重要性,以及自身行动在实现双碳目标中的意义。通过平台的互动功能,公众可以分享自己的意见和行动,积极参与双碳行动,形成共同的社会意识和行动力。

信息共享平台通过知识传播、政策支持、合作协调、数据监测和公众参与等方式,在双碳目标的实现过程中发挥着重要的推动和促进作用。

三、双碳信息数据可视化的政策支持与前景

(一)双碳信息可视化的作用机理

将数据可视化是一种有效的方式,可以帮助人们更好地理解和利用数据,进而促进双碳的发展。数据可视化可以将抽象的数字和统计数据转化为图表、图形和地图等可视化形

式。从而使人们能够通过直观的方式理解数据,识别趋势和模式,并从中提取有关双碳的洞察。可视化还可以帮助数据沟通,使非专业人士也能轻松理解数据,促进相关利益相关者之间的交流和合作。通过数据可视化,人们可以更容易地发现双碳领域的问题和机会。例如,通过绘制能源消耗和碳排放的趋势图表,可以识别出高耗能或高排放的区域或行业,并找到改进和优化的潜在领域。可视化还可以揭示不同因素之间的关系,例如能源消耗与生产效率之间的关系,从而发现节能减排的机会。

数据可视化还可以帮助监测和评估双碳目标的实施情况。通过绘制实际数据与目标之间的对比图表,可以清晰地了解进展情况,并及时采取必要的措施。可视化可以显示不同地区、行业或组织之间的差异,有助于识别领先者和落后者,并推动知识共享和最佳实践的传播。数据可视化能够激发人们的行动意愿,并促使他们采取具体的双碳措施。通过将数据可视化呈现在公众和利益相关者面前,可以加深对双碳问题的认识和理解。可视化还可以展示与双碳相关的成功案例和创新解决方案,激发更多人参与双碳行动,并推动可持续发展的意识和行动。

数据可视化能够提高数据理解和沟通,发现问题和机会,监测和评估进展,以及激发行动和意识提升。通过有效的数据可视化,双碳发展可以更加透明、参与和可持续。

在中国,政府已经采取了多项政策措施来优待和促进双碳,这些也离不开数据的支持。中国政府设定了明确的双碳目标,包括碳达峰和碳中和目标。碳达峰意味着在一定时间内使碳排放达到峰值,而碳中和则意味着净碳排放为零。这些目标为双碳发展提供了明确的指导,并为相关政策的制定和实施提供了方向。其次政府出台了一系列支持双碳发展的产业政策。例如,对于可再生能源、节能环保技术和清洁能源产业,政府提供了税收优惠、财政补贴、土地政策支持等激励措施。这些政策旨在促进双碳相关产业的发展,推动清洁能源的应用和碳减排技术的创新。从市场上来看,中国政府已经启动了碳市场建设,并于2021年推出了全国碳排放权交易市场。碳市场通过碳排放配额交易的机制,鼓励企业减少碳排放并提供了经济激励。这为企业实施低碳措施和技术创新提供了市场机制,促进了双碳发展。

中国政府推动能源转型和电力市场改革,以促进清洁能源的发展和应用。政府鼓励可再生能源的开发和利用,加大对风电、太阳能等清洁能源项目的支持力度。电力市场改革也旨在推动清洁能源的竞争,减少对高碳能源的依赖。政府加强了对环境保护和碳排放管理的监管和执法力度。通过加强环境监测、制定严格的碳排放标准、加大对违规行为的处罚力度等,政府努力促使企业和行业改善环境表现,减少碳排放。

需要指出的是,这只是对中国政府在双碳领域优待的一些例子,并不能穷尽所有政策措施。政府在双碳领域一直在不断加大政策支持和投入力度,以推动低碳和零碳发展,并致力于实现可持续发展目标。

(二)人工智能对双碳信息的数据处理

在政府决策中,从信息技术视角观之,双碳领域呈现出广阔的前景与诸多机遇。首先,在数据收集与监测方面,信息技术能够实时捕获、记录与能源消耗、碳排放及环境状况等相关的重要指标。通过传感器、物联网和云计算等技术,实现对双碳状况的精准监测与评估,为决策者和利益相关者提供必要的依据。

其次,大数据分析与智能决策是信息技术在双碳领域的另一重要作用。借助大数据分析、人工智能及机器学习等技术,可以从海量数据中挖掘有关双碳的洞察与模式。这些技术有助于发现节能减排的机会、优化资源配置、预测能源需求及碳排放趋势等,从而为决策者制定更为明智、精确且有效的双碳策略与措施提供支持。

再次,数字化能源管理与优化是信息技术在双碳领域的又一重要应用。通过能源监控系统、能源管理软件及智能控制系统等技术,能够实时监测与控制能源设备、消耗与供应,提升能源使用效率与碳排放水平。这样的数字化能源管理系统为实时反馈与调整提供了可能,有助于实现节能减排及能源效率的提升。

此外,区块链技术与碳市场相结合,为碳排放交易提供了透明、可追溯且安全的机制。借助区块链技术,能够确保碳排放配额的准确记录与交易,防止造假与双重计数。同时,区块链还可构建去中心化的碳市场平台,促进碳资产的流通与交易,激励企业与组织减少碳排放。

最后,能源互联网与智能微网是信息技术在双碳领域的另一重要贡献。通过数字化监测、智能控制与智能调度,能源互联网与智能微网能够实现清洁能源的高效利用与供需平衡。这种分布式能源系统可为用户提供可靠、低碳的能源供应,推动可再生能源的大规模应用与碳减排。

信息技术在双碳领域发挥着关键作用。数据收集、监测、大数据分析、智能决策、数字化能源管理、区块链与碳市场,以及能源互联网和智能微网等技术,为双碳目标的实现提供了创新途径和解决方案。随着技术不断进步和应用范围扩大,信息技术将在双碳领域继续发挥重要推动作用。

在信息领域,双碳未来充满希望与期待。政府、企业和组织将更加积极地分享涉及能源消耗、碳排放和环境影响等方面的数据,提高数据透明度和可访问性。这将促进各方合作,共同致力于实现双碳目标。大数据、人工智能和机器学习等技术的发展,将带来更智能、准确的数据分析和预测能力。通过优化数据处理和算法模型,我们能预测能源需求、碳排放趋势和环境影响,从而制定更科学、有效的决策和规划。这将有助于我们更好地应对双碳挑战,制定有针对性的措施。

未来,创新技术在双碳领域的应用将进一步拓展。物联网、区块链、智能电网和可再生能源等技术,将为能源管理、碳排放交易、能源供应和使用的优化等提供创新解决方案。这些新技术的应用将推动双碳领域的发展和进步。数字化转型是双碳未来发展的重要方向,通过应用数字化技术,我们可以实现能源系统、城市和产业的智能化管理和优化。此外,数字化转型还将促进能源清洁化、可再生能源普及,推动低碳技术创新和应用,实现可持续发展目标。

随着信息和科技的普及,公众参与和意识提升在双碳未来中将起到关键作用。信息共享、教育和互动交流有助于公众更好地了解双碳问题,认识到个人行动的重要性,并积极参与双碳行动。这将形成广泛的社会共识和参与,推动双碳目标的实现。

信息领域的发展为双碳带来更多机遇和前景。数据共享和透明度、数据智能和预测分析、创新技术应用、可持续发展的数字化转型,以及公众参与和意识提升,将共同推动双碳领域的发展和实现,为构建可持续未来做出贡献。

【本章小结】

信息技术在助力"碳达峰"和"碳中和"目标实现方面具有举足轻重的作用。其应用不仅提升了我们生活的舒适度,推动了通信行业、华为公司以及5G技术的蓬勃发展,还为产业信息化转型奠定了坚实基础,降低了实现双碳目标的阻力。

在此基础上,我们应依托双碳和信息技术的发展,通过数据记录与传递,运用信息技术助力双碳目标的实现。我国政策对信息技术的发展给予了大力支持,为其前景奠定了坚实基础。相信在我国的推动下,信息技术将更加蓬勃发展,为我国"碳达峰"和"碳中和"目标的实现保驾护航。

【案例分析】

绿色数据中心:碳中和与信息科技共舞,共筑可持续发展未来

以碳中和为引擎,以信息科技为翅膀,共筑绿色可持续的未来。随着信息科技的飞速发展,数据中心已成为现代社会运转不可或缺的重要基础设施。然而,伴随其规模的不断扩大,能耗问题也日益突显,对环境的压力日益增大。如何在满足信息科技需求的同时,实现碳中和,已成为全球关注的焦点。

绿色数据中心应运而生,旨在解决环境问题。在数据中心的设计、建设和运营全过程中,绿色数据中心强调全面贯彻环保、节能和低碳理念,以实现高效、绿色和可持续发展。这不仅顺应全球环保大势,而且是信息科技领域实现碳中和、推动可持续发展的重要途径。

绿色数据中心的实现,离不开多方面的共同努力。首先,政策层面的引导和支持至关重要。例如,工信部在2021年7月印发的《新型数据中心发展三年行动计划(2021—2023年)》中,就明确提出了到2023年底,新建大型及以上数据中心电能使用效率(PUE)降低到1.3以下,严寒和寒冷地区力争降低到1.25以下的目标。这样的政策导向,无疑为绿色数据中心的发展提供了有力的政策保障。

其次,技术创新是绿色数据中心实现的关键。例如,清洁能源的广泛运用,以及叠光叠储、余热回收、液冷等节碳技术的进步,均有助于数据中心实现节能减排和降低碳排放。这些技术的研发与应用,不仅提升了数据中心的运行效能,还为其实现绿色化发展提供了强有力的技术保障。

此外,企业和社会各界的积极参与也是绿色数据中心发展的重要推动力。企业作为数据中心的主要建设和运营者,其环保意识和行动对于绿色数据中心的实现至关重要。同时,社会各界对环保的关注和支持,也为绿色数据中心的发展提供了强大的社会氛围和舆论压力。

绿色数据中心的构建是一个需要全社会广泛参与和共同努力的复杂工程。政府、企业和个人都需从各自的角度出发,以实际行动推动绿色数据中心的落地实施。通过全社会的共同努力,我们有望实现信息科技与碳中和的双赢,为地球的可持续发展做出积极贡献。

绿色数据中心是实现信息科技与碳中和双赢的重要途径。它需要我们全社会的共同努力和参与,只有这样,我们才能共同构建一个高效、绿色、可持续的数据中心未来。

1. 绿色数据中心在设计和建设过程中是如何贯彻环保、节能和低碳理念的?

2. 清洁能源在绿色数据中心中的应用是如何帮助实现节能减排和降低碳排放的?

3.《新型数据中心发展三年行动计划(2021—2023 年)》对绿色数据中心的发展有何具体影响?

4. 技术创新在绿色数据中心实现过程中起到了哪些关键作用?

5. 除了政府和企业,个人在推动绿色数据中心的发展中可以扮演什么角色?

【问题探索】

1. 电动汽车智能化包括哪几个方面?

2. 电动汽车的大规模采用对电力系统提出了哪些挑战?

3. 信息技术的组成?

4. 结合实际,你认为信息技术应用于交通对于你的生活有哪些积极影响?

参 考 文 献

[1]张莹,吉治璇,潘家华."双碳"目标下的经济社会系统性变革:特征、要求与路径[J].北京工业大学学报(社会科学版),2024,24(1):101-115.

[2]龙小燕,李明."双碳"目标下我国碳减排税收体系构建:机理、挑战与路径[J].经济纵横,2024(2):60-66.

[3]刘建江,程杰.区域创新改革政策如何影响城市碳排放的"减量增质"?——基于全面创新改革试验区的准自然实验[J/OL].生态经济:1-20[2024-02-27]

[4]周东洋.加快建设新型能源体系助力"双碳"目标实现[J].中国贸易报,2023-03-09,007,全国两会专题.

[5]吴武林,王谦."双碳"战略下中国区域生态环境优化研究[J].经济研究参考,2023(3):67-77

[6]黄锦红."双碳"目标下生态文明建设多元参与的路径探索[J].福州党校学报,2023(4):74-78.

[7]付乾."双碳"目标下城市生活垃圾制氢技术研究进展[J].环境污染与防治,2024,46(2):247-251.

[8]刘鲁静,王俊锋,覃波,等.钕铁硼废料资源化回收利用研究进展及双碳建议[J/OL].中国稀土学报,1-16[2024-03-14].

[9]朱磊,刘成勇,古文哲,等.双碳目标下"煤基固废-CO_2"协同充填封存技术构想[J].矿业安全与环保,2023,50(6):16-21,28.

[10]赵子雪,王洪革,冉德影."双碳"背景下交通运输行业电能相关技术及应用[J].山东交通科技,2023(4):134-136.

[11]赵敏娟,石锐."双碳"目标下农业绿色发展的内涵、挑战及路径选择[J/OL].社会科学辑刊,1-10[2024-02-27].

[12]祁林海."双碳"目标下加快推进我国碳金融市场发展的路径探究[J].当代经济,2023,40(6):82-88.

[13]张颖,张子璇.中国森林碳汇生产总值核算及分析[J].中国国土资源经济,2023,36(8):28-34+41.

[14]张志朋."双碳"目标的法理阐释和制度塑造[J].电子科技大学学报(社科版),2022,24(6):64-72.

[15]彭中遥."双碳"目标实现过程中的政策与法律关系探析[J].环境保护,2023,51(6):11-15.

[16]刘超."双碳"目标下碳汇交易司法机制创新的逻辑与进路[J].南京师大学报(社会科学版),2023(2):98-110.